사마귀가
친구에게

IV

사마귀가 친구에게

IV

윤진아 장편소설

D&C BOOKS

차례

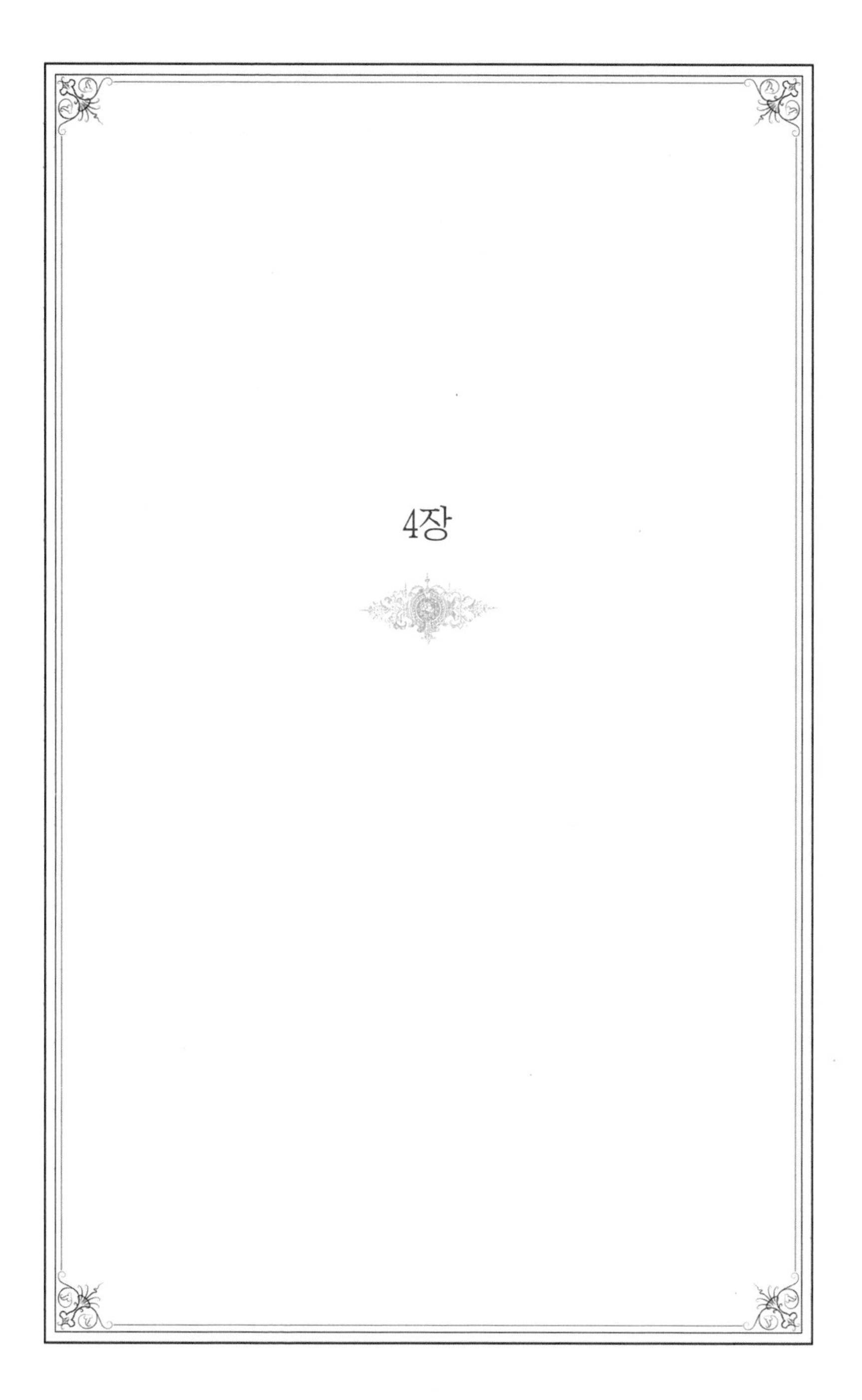

4장

4장

아펭글로는 안스를 여러 번 흔들었다.

그러나 아무리 때리고 소리쳐도 정적뿐이었다.

깨어나지 않았다.

아펭글로는 자리에서 일어나 문 앞으로 다가갔다.

“사람 불러.”

누군가 앞을 지키고 있으리라 확신했다.

“사제왕에게 해를 끼치면 아무리 ‘탈란타우에’라 해도 멀쩡하지 못할 거다. 당장 문 열고 의사 불러.”

아펭글로는 뒤돌아 안스에게로 되돌아왔다.

안스는 창문으로 네모나게 잘려 들어온 석양 아래, 목이 베인 사람처럼 누워 있었다.

아펭글로는 잠시 동안 가만히 서 있었다.

이내 몸을 숙여 그의 웃옷을 뒤졌다. 구겨진 흑백 초상화를 꺼내 챙겼다. 만일 그가 깨어났을 때 기억이 남아 있다 해도, 이미 죽음이 시시각각 쫓아오고 있었다. 정리해야 했다.

그리고 웃옷도 입혀 주었다. 의사에게 상처를 숨길 방법은 좀 더 고민할 필요가 있겠군.

머지않아 문 앞이 소란스러워졌다.

아펭글로는 급하게 문으로 다가갔다.

"문 열어!"

덜걱이는 소리가 들렸다. 절로 주먹에 힘이 들어갔다.

탈란타우에가 눈앞에 나타나면 다시 한번 어리석게 주먹을 내 볼까. 그러나 자신은 닷새나 굶은 상태였다. 고작 안스에게 옷을 입혀 준 것만으로도 힘이 빠져 눈앞이 아찔했다.

문이 열렸다. 아펭글로는 벽에 기대어 있다가 휘청였다.

"아펭글로."

멀쩡하다 못해 즐거운 얼굴로 나타난 탈란타우에를 노려보았다.

"우리 어린 사제왕께선 냉정을 좀 찾으셨나?"

"……."

"안스—"

탈란타우에의 말이 뚝 끊겼다.

그 시선을 따라 뒤돌자, 안스가 책상을 짚은 채 일어서고 있었다. 아펭글로는 이 어지러운 감각이 제 늙은 몸 탓인지, 아니면 저 어린애 탓인지 구분할 수 없었다.

"아펭글로는 데려가 치료해라. 최고의 의사를 붙여야 한다. 아, 안스, 정신은 드나?"

"……."

"이상하군. 화도 안 내고. 아니, 물론 내게 화를 낼 이유가 무엇이 있겠어. 우리 둘 모두 잘못했기에 사태가 벌어진 것뿐이다."

탈란타우에는 이미 결과를 예상하여, 가증스럽게 거짓말을 하고 있었다.

저자는 안스에게서 우스페히의 기억이 사라졌듯, 티티라의 기억도 멀끔히 사라졌으리라 생각했을 것이다. 덕분에 이제 시노드 신넬에 미련을 가지지 않은 시노드 신넬인을 착취할 수 있으리라 믿겠지.

아, 세상일이 그렇게 쉽게 돌아간다면야.

아펭글로는 자신을 부축하는 손을 뿌리치려 했다.

그 순간.

"성함이?"

잔뜩 잠긴 '안스'의 목소리였다.

아펭글로는 하인을 쳐 내다가 우뚝 멈추었다.

눈을 살짝 감았다. 입 안으로 기도문을 외웠다.

탈란타우에가 인상을 찌푸렸다.

"무슨 뜻이지?"

"……성함이 어떻게 되시는지 여쭈었습니다."

"지금 나를 약 올리는 건가?"

"아니요. 정말 모르겠습니다. 어지럽군요. 지금…… 정신이 온전하진 않은 것 같습니다. 미안합니다."

탈란타우에는 대답하지 않고 이번엔 아펭글로를 노려보았다.

"아펭글로."

저 당황한 얼굴을 안스의 복수라고 생각해야 할지 모르겠다.

"……."

"너희 둘, 사제왕 바를라암을 내실로 모셔 가라. 혹 바를라암께서 질문하시면 정중히 대답해라. 가는 도중 절대 다른 사람들을 만나지 않도록 조심하고, 실수는 목숨으로 치를 줄 알라."

"예."

사용인들이 '안스'에게로 다가가 손짓으로 방 바깥을 가리켰다.

'안스'는 고분고분 따랐다. 제 옆을 지나가는 청년은 미간을 좁힌 채 이마를 짚고 있었다. 머리가 아픈 걸까. 알 수 없었다.

등 뒤로 문이 큰 소리를 내며 닫혔다.

"지금 연기하나?"

"스스로 말씀하시고도 믿지 않으시는 거, 잘 압니다."

"똑바로 이야기해라."

그러니까, 이걸 복수라고 해야 하느냔 말이지…….

"각하 덕분에 사제왕 바를라암의 기억이 사라졌다고, 저는 생각합니다. 지난 며칠간 안스는 기억을 순차적으로 잃었습니다. 시간이 지날수록 방금 전 무슨 일을 했는지까지 잊더군요."

탈란타우에가 입을 벌렸다. 아무 말도 하지 못한 채 가만히 서 있었다. 사제왕이 저렇게 멍청해 보이는 꼴은 처음 봤다.

탈란타우에는 몇 걸음 걸어가 책상을 짚었다. 책상에 수없이 놓인 종이들, 안스가 제 기억을 묘사해 둔 글자를 바라보았다.

"안스는 한동안 불안정하여 자해까지 했습니다. 저기 떨어진 핏자국이 보이십니까?"

"……."

"저런 걸 '연기'라고 할 수는 없는 법이죠."

갑자기 큰 소리가 났다.

탈란타우에가 종이를 한꺼번에 바닥에 떨어뜨렸다.

아펭글로는 이를 갈았다.

"당신 욕심이 그를 백지로 만들었습니다. 저자는 이제 제 아버지에게로 돌아가겠지요. 그 아비란 작자는 외려 더 기뻐하며 새로운 자식을 만들어 낼 거고요. '안스카리우스 드라수스 바를라암'은 아주 충실한 바를라암 보수주의자가 될 겁니다."

탈란타우에는 말이 없었다. 책상을 꽉 쥐다 못해 하얗게 변한 그 손만이 그의 감정을 드러낼 뿐이었다.

"예전에 제게 말씀하셨던 내용이 있지요? 저자는 당신이 바라 마지않았던 부류라고. '어쩔 수 없이 교국의 지배자가 된 시노드 신넬인'. 그걸 제하고도 당신은 안스에게 여러모로 호감을 가졌지요. 그간 그렇게 챙긴 걸 보면."

"……."

"기억이 사라졌으니 이제 다 끝장입니다."

"……."

"각하, 바를라암 감찰관에게 설명하기가 얼마나 싫으실까요. 한 해 꼬박 남 좋은 일만 하셨군요."

아펭글로는 양손으로 얼굴을 쓸었다.

"알아서 하세요. 저는 기억을 잃은 사제왕 바를라암과는 일 못 합니다. 아니지……. 애초에 바를라암 감찰관이 가까이 가게 해 줄지도 잘 모르겠군요. 전 그만둡니다."

"……."

"그러니까 전부. 당신 돕는 것도 그만한다고 말씀드렸지요? 전부, 전부……. 에예우 수도원에 들어갈 겁니다. 다시는 보지 맙시다."

아펭글로는 문을 열었다.

밖으로 나가기 전에 마지막으로 말했다.

"안스가 전해 달랍니다. 당신 인생이 좆같아지길 바란다고요."

이윽고 아펭글로가 떠났다.

아무도 그를 저지하지 않았다.

아펭글로는 수도원에서 노환으로 기억을 잃은 자들을 많이 보았다. 그들은 현명하고 오래된 고목과 같은 존재였다. 그렇기에 스스로를 잃어버리면서도 그 느낌을 정확히 묘사할 줄 알았다.

"아, 아펭글로, 기억이 사라지는 감각 말씀입니까? 그래. 닿지 않는 것을 영원히 좇는 느낌이지요."

좇아가면 사라지고, 코앞에 있나 싶으면 떠나고. 끝내 자신이 무엇을 따라가고 있던지조차 잊은 채 헤맨다 했다.

아펭글로는 눈앞에 선 수도사에게, 문득 그분의 안부를 물었다.

"에피스티논 수도사님은 잘 계십니까?"

흰옷을 입은 사제가 조용히 고개를 숙였다. 가슴 앞에 성호를 그었다.

"……."

"지난달에 돌아가셨습니다. 마지막에는 항상 그분을 돌보았던 리아니키스 부제님마저 알아보지 못하셨습니다. 현명한 분께 실로 고통스러운 시험이었습니다. 마침내 영면에 들어 주께 배움을 찾으셨기를."

아펭글로는 기가 탁 풀렸다. 상대를 따라 기도문을 외웠다.

"……참, 아펭글로 부제님. 말씀 주신 내용은 죄송하지만 어렵겠습니다."

"……."

"물론 에예우는 아펭글로 부제님의 귀한 지식을 환영할 겁니다. 그러나 현재로선 수도원에 자리가 없습니다."

"그런가요? 하지만 부탁드린 지 석 달이 넘었습니다. 이쯤이면 정리가 되었을 법도 합니다만. 그리고 다시 말씀드리지만, 저는 골칫거리가 안 되도록 공식적인 자리에 나아가지 않고— 아니, 아예 사람을 만나지 않겠습니다."

"오, 형제님. 그런 말씀 하지 마십시오. 그게 아닙니다. 사실 사제왕 바를라암께서 부제님이 교읍지에 머무시도록 부탁하셨습니다."

"……."

"그래서 저희 수도원장님께선, 교읍지 산하 교육 기관에 부제님의 자리를 마련하려 합니다. 아이들을 가르치며 여생을 보내실 수 있을 겁니다."

아펭글로는 고개를 기울였다.

"'사제왕 바를라암'이요? '탈란타우에'도 아니고, '바를라암 감찰관'도 아니고?"

"예. 그렇습니다."

"저는 그분을 못 뵌 지 석 달이 넘었습니다. 무슨 이유로 제 신상을 구속하시는지 모르겠습니다. 수도원장님을 직접 뵙고 설명을 들을 수 있게 해 주십시오. 사제왕이 신앙의 영역에 손을 뻗을 수는—"

"아펭글로 부제님, 수도원장님을 만나 뵙지는 못하실 겁니다."

"……."

상대는 단호했다.

"물론 이런 사태를 예상하지 못한 건 아니지요. 부제님께선 사제왕 바를라암에게 직접 호소하실 수 있습니다. 궁금하신 내용이 있다면, 당장 오늘 방문하셔도 됩니다. 미리 연락을 받아 두었습니다."

머리가 아파 왔다. 탈란타우에 관에서 나온 뒤, 단 한 번도 마주치지 않았던 '안스'. 아니, 사제왕 바를라암에게 무슨 바람이 불었는지 모르겠다.

아니……. 설마…… 혹시?

아펭글로는 벌떡 일어섰다.

"정말 아무 때나 사제왕을 뵈러 가도 됩니까?"

"예."

"그럼 살펴 가십시오. 베빌로 대리인님."

"예. 주께 영광을."

아펭글로는 빠르게 성호를 긋곤 방을 떠났다.

혹시, 석 달 만에 기억이 돌아온 건…….

말도 안 된다고 생각했지만 참을 수가 없었다. '안스'가 직접 자신을 불렀다는 사실이 희망을 북돋웠다.

바를라암 관의 사용인은 제 얼굴을 보더니 질문 하나 하지 않았다. 외려 안으로 들여보내며, 각하께선 삼 층 집무실에 계신다고 말했다.

바를라암 관은 자신이 일기장을 훔치러 들어왔던 석 달 전과 전혀 달라진 게 없었다.

아펭글로는 거대한 문을 올려다보았다. 이젠 '안스의 방'이 아니라, '사제왕의 집무실'이었다.

문을 두드렸다.

"들어와."

갑자기 희망에서 바람이 빠져나갔다.

저 목소리는, 아니었다.

아펭글로는 문을 열었다. 얼굴을 볼 틈도 없이 인사했다.

"오랜만에 뵙습니다, 각하."

고개를 들었다.

'안스'는 집무실 의자에 앉아 서류를 보고 있었다. 이마를 매만지던 손이 자신을 보곤 툭 떨어졌다.

"그래."

"에예우 수도원에서 소식을 들었습니다. 무례한 줄은 아오나 부디 각하께 설명을 듣고 싶습니다."

"당신은 내 선생이잖아."

아펭글로는 뒤로 한 발자국 물러날 뻔했다.

그 목소리와 시선은 '안스' 그대로였다.

"아펭글로, 이해가 되지 않는다. 왜 에예우 수도원에 칩거하려 하지?"

"……."

"지난 몇 달 동안 여기 오길 꺼렸으리라 생각한다. 그간 문제가 있었으니 당연한 일이야. 그걸로 당신 탓을 하진 않는다."

"무슨 '문제' 말씀이십니까?"

"남부에서 얻은 병."

아펭글로는 놀라지 않았다. 바를라암 감찰관은 다양한 변명을 준비해 두었을 것이다. 그중 하나가 어쩌고 병에 걸려서 기억을 잃었다는 거겠지.

"아, '병'이요."

"내가 하필 당신과 있을 때 쓰러졌다고. 그래서 아버지께서 당신을 많이 탓했노라 들었다."

"맞습니다. 제가 좀 더 일찍 알았어야 했습니다."

"죄책감 가질 이유가 없어. 아무도 몰랐을 테지."

"그리고 고백하자면, 각하, 저는 아직까지 각하와 말씀 나누는 게 어렵습니다. 예전의 각하와 지금의 각하를 어찌 달리 대해야 할지도 잘 모르겠습니다."

아펭글로는 감정을 숨기기 위해 애써 연기할 필요도 없었다. 애초에 입을 다물겠다는 결심이 확고했기 때문이다.

뭘 위해 말하겠나. 자신이 진실을 이야기하면 '저주'가 또 무슨 일을 해낼지 두렵기만 했다. 차라리 이렇게 평온한 채로 두는 편이 나았다.

결심이 확고하면 말은 단지 퉁명스러워질 뿐이다. 한 차례 정돈된 감정은 고요했다. 익숙했다. 평탄하지 못했던 저질 인생 덕을 처음으로 보고 있었다.

"그런가. 하지만 나는 네가 내 선생이길 바라는데."

아펭글로는 바닥을 노려보았다. '평탄하지 못했던 저질 인생'이 좀 더 힘을 내야 했다.

"그래서 일부러 에예우 수도원장에게 기부금을 안겼다. 당신이 그곳으로 가려 한단 소식을 들었으니까. 물론 그럼에도 거부하면 어쩔 수 없겠지만, 그래도 말을 나눠 보고 싶었다."

"……."

"탓하지 않아. 아니, 병으로 누군가를 탓하는 인간이 모자란 것이지. 그보단 길을 찾아야 한다는 조급함이 더 강하다. 그렇기에 내 사정을 아는 당신이 필요해."

아펭글로는 한참 동안이나 침묵했다.

겨우 입을 열어 뱉어 낸 말은…….

"기억을 잃고 무슨 일이 있으셨던 겁니까? 십 년은 더 나이가 드신 것 같습니다."

'안스'가 웃었다.

"글쎄. 아버님께서 많이 애써 주셨다."

"……."

"기억을 잃었단 사실은 아직 내 누이에게도 이야기하지 않았어. 아버지를 제하면 아는 이는 네가 유일하다. 아, 물론— 탈란타우에. 그러나 그는 우연히 그 자리에 있었을 뿐이니 불의의 사고에 입단속을 할 것이다."

"……."

"아펭글로, 네가 거절하면 에예우 수도원장에겐 잘 말해 두겠다. 하지만 부탁하고 싶군. 나는 지금 아는 게 거의 없어. 도움을 주지 않겠나?"

아펭글로는 이자가 안스가 아님을 잘 알고 있었다.

그러나 안스의 유품을 챙긴 자신에게 별다른 선택지가 없기도 했다.

아펭글로는 우울하게 말했다.

“딱 한 해입니다.”

‘안스’가 미소 지었다.

“고맙다. 내 상태가 어떤지 이야기하고 싶었다. 참는 게 고역이더군.”

아펭글로는 그를 ‘안스카리우스’로 부르기로 했다.

안스카리우스를 가르치기로 결심한 이후 그의 팔뚝을 유심히 지켜보았다. 혹시 사제왕 각하께 새로 생긴 상처가 없느냐 사용인들에게 물었지만, 그들은 감히 그것을 어찌 아느냐는 대답만 반복했다.

안스카리우스 본인도 팔뚝을 신경 쓰는 눈치가 아니었다. 절대 벗지 않는 인간이 되었으므로 옷 아래 상처가 남아 있으리란 생각이 가끔은 거짓말처럼 느껴졌다.

아펭글로는 빠르게 희망을 버렸다. 안스가 마지막으로 남겼던 유언 같은 상처. 어쩌면 그게 기적을 만들길 간절히 바랐던 것 같다.

아펭글로는 인정했다.

제 눈앞에 선 이는 안스카리우스였다.

그 사람은 안스와 다르면서도 비슷한 사람이었다. 기억을 잃고도 좌절하지 않고, 또 겸손하게 배워 나가는 사제왕의 모습은 처음 이 땅에 발을 내디뎠던 안스를 떠올리게 했다. 대부분의 경우 느긋해 보이지만, 가끔 엿보이는— 잃어버린 시간을 수복해야 한다는 불안정함까지, 꼭 옛날의 그 같았다.

저자의 누이라는 디아딜로테도 자신과 똑같은 생각을 하는 것 같았다. 그녀는 다시 만났을 때 안스카리우스가 아닌, 그 뒤의 자신을 노려보았다.

"'바다를 건너온 아펭글로'라면 아버님이 평생토록 멀리하던 이인데, 어쩐 일로 내 동생의 교육을 도맡는지 모르겠군. 기억을 잃어 불안정한 이를 착취하려는 것인가?"

안스카리우스에게 진실을 털어놓지 못한 채 제게만 쏘아붙이는 모습이, 아무래도 그녀는 아버지의 뜻을 거역할 수 없는 모양이었다. 모든 걸 숨기고 막내가 사제왕으로 잘 자라기만을 비는 그 위대하신 뜻 말이다.

안스카리우스는 누이를 달랜 뒤 자신도 한 번 돌아보았다. 아펭글로는 무뚝뚝하게 고개를 숙일 수밖에 없었다.

그는 그녀가 떠나고 제게 거듭 괜찮은지 물어보았다. 상황이 이상하다고 느꼈거나, 혹은 마음이 불안했는지 모르겠다.

안스카리우스는 그 정도로 자신에게 의지했다. 적어도 처음에는.

그러나 아펭글로는 그에게 도통 속을 털어놓을 수가 없었다. 기억을 잃었다는 중차대한 비밀을 죽어도 입 밖에 못 내면서 친해질 수는 없는 법이다.

결국 안스카리우스 또한 민감하게 그 사실을 눈치챈 모양이었다. 속 내용물은 좀 달라졌지만, 언제나 상대의 감정을 파악하는 데 비상한 재주가 있는 녀석이었다.

그는 일 년 뒤 그동안 자신을 도와주어 고맙다고 말했다.

아펭글로는 좋은 학생을 가르치는 것은 제 기쁨이라고 예의 바르게 대답했다.

이후 교읍지에 마련된 수도원의 교육 기관에 둥지를 틀었다. 일 년 동안 안스카리우스를 가르치고 나니, 굳이 교읍지에서 도망칠 이유를 느끼지 못했다.

탈란타우에도, 바를라암도 그간 침묵을 지킨 자신에게 관심이 없었고—

만일 그를 가르친 일 년 뒤에도 자신이 멀리 떠나려 했다면, 안스카리우스가 약간은 상처를 입을 것 같기도 했다. 선생이 가르치는 내내 거리를 두더니, 한 해가 끝나자마자 발등에 불붙은 듯 도망가는 꼴하곤. 확실히 배신감이 들 테지. 이해했다.

자신은 안스카리우스를 싫어하지 않았다. 오히려 인간적으로 호감을 가진 축에 속했다—애초에 '안스'의 성격을 가진 사람을 싫어하기란 쉽지 않다—. 그러나 그를 보는 매 순간 안스와 안스카리우스 두 사람 모두를 배신하는 것 같아서 견딜 수가 없었다.

그래서, 그만두었다.

이후 그는 교육 기관에 처박혀 글이나 쓰기 시작했다. 누구에게도 쓸 만한 정보를 주고 싶지 않았기에 철저히 사변적인 글만 늘어놓았다. 도끼자루 썩는 짓을 몇 년이나 했던지.

그동안 안스카리우스는 북부로 파견을 나갔다. 떠나던 그의 얼굴을 보러 갔고, 돌아왔을 때에도 차를 한잔했다.

북부에서 돌아온 안스카리우스에게선 더 이상 조급함이 엿보이지 않았다. 불안감도 없었다.

아펭글로는 잘된 일이라고 생각했지만, 가끔 방구석에서 먼지만 쌓여 가는 초상화와 일기장에 가슴이 아팠다.

[바깥에 나가고 싶다. 소조폴에서 공부할 때도 일주일 넘게 못 나간 적은 없었다. 이건 비인간적이야. 사람은 하루에 한 번은 지붕을

벗어나야 한다. 그건 자연법칙이다.

그런데 이 소릴 하니 아펭글로가 정원에 나가 보라고 했다. '정원이면 바깥 아닙니까?'라고 본인도 안 믿을 소리를 지껄이더라.]

이런 이야기들. 안스카리우스와는 전혀 다른 앳되고 고집 센 필적.

그렇게 그 애가 기억으로 묻히는 사이, 안스카리우스는 확실하게 보수적인 바를라암이 되었다. 간혹 바를라암 감찰관과 마주쳐도 자신을 조금도 경계하지 않는 모습이, 그의 평생소원이 이루어져 두려울 게 없구나 싶었다.

찻잔을 앞에 두고, 안스카리우스가 말했다.

"교읍지에선 잘 지냈나?"

아펭글로는 민감하게 느꼈다. 안스카리우스는 더 이상 속을 털어놓는 인간이 아니었다. 이제 본인 이야기를 하는 게 아니라 제 안부를 묻지 않나. 어딜 가나 만날 수 있어 지루한, 어른의 빗장 걸린 마음이었다.

"그럼요. 한 가지 아쉬운 점이 있다면 아직 쓰고 싶은 글이 많은데, 이제 정말로 나이가 들어 몸이 안 따른다는 것 정도입니다."

"당신은 젊었을 때 너무 고생했다. 빚을 갚아야 할 때가 온 것이지."

"그 '빚'을 제가 온전히 만든 거라면 순순히 갚겠습니다만, 법황성하께서도 꽤 얹어 주셨죠. 그러니 저는 싸울 겁니다."

"법황 성하께선 참 많은 곳에 빚을 지우신다. 그분의 하해와 같은 은혜에는 정말 정신을 차릴 수가 없군."

안스카리우스는 빙그레 웃었다.

"그러니 나 또한 빚을 갚아야겠지. 다행히 바다 건너 적절한 장소가 있고."

아펭글로의 숨이 잠깐 멈추었다.

"……시노드 신넬입니까? 언제 떠나십니까?"

"내년 초로 생각하고 있다."

"'총독'으로 임명받아 가시는 것이지요?"

"그럼, 병사로 복무할까."

안스카리우스는 한 번 더 웃었다. 왠지 모르게 그의 여유가 불편했다.

아펭글로는 흰 눈에 탄 얼굴을 바라보았다. 북부 요르타시에서 얼마나 험하게 지냈던 걸까.

확실히 나이가 들었다. 눈매가 더 깊어졌고, 생채기는 이곳저곳에 남아 있었다. 그리고 무엇보다 웃음이 닫혀 있었다. 다 가짜일 리는 없었지만, 마땅한 장소에 반응을 욱여넣는 행동 그 이상도 이하도 아니었다.

나는 저 애가 저렇게 어른이 될 줄 몰랐다.

아펭글로는 고개를 숙였다.

"잘 다녀오십시오."

다시 그를 바라보자, 눈빛이 이상했다.

"'내년 초'라는 말을 이해하지 못한 것 같군."

"……아니요. 들었습니다. 반년 남았군요."

"그러면 내가 그사이 시노드 신넬에 대해 알려 달라고 당신을 부른 것은 아닐까 하는 생각은 들지도 않던가? 그저 여길 떠나고 싶은 마음뿐인가?"

"……."

아펭글로는 정말 깜박했다. 십 년 넘도록 시노드 신넬에서 자란 사람에게 자신이 무언가를 가르칠 수 있다고 생각하지 않았던 것이다.

"아펭글로, 나는 묻고 싶다. 내가 기억을 잃을 때 당신에게 큰 잘못을 했나?"

"……."

"듣기로 그 전에는 그리 나쁜 관계가 아니었다던데."

"아닙니다. 제가 요새 꼼꼼하지 못합니다. 그런 뜻으로 부르셨단 걸 알았어야 했는데, 생각이 짧았습니다."

"아니. 당신 생각이 짧을 리가 없다. 단지 내 곁에 오래 있기 싫은 거겠지."

"……."

"나는 네 봉사를 바라지 않는다. 당신과 개인적으로 친밀해지고 싶은 마음도 별로 없어. 하지만 바를라암이 탈란타우에에 이어 당신의 안전을 돌보았단 사실에 가끔은 존중을 보여 달라는 뜻이다. 설마 법황이 그간 당신을 잊어서 가만히 두었을까."

"……각하, 절대 각하를 욕보이기 위한 것은 아니었습니다."

아펭글로는 에예우 수도원에 가서 처박히려던 걸 억지로 끌어낸 인간이 누구냐고 묻지 않았다. 법황도 그곳에서는 마침내 저자가 입을 다물고 살리라 믿어 주었을 텐데, 부득부득 돌려세운 자가 누구냐고……. 그렇게 심술을 부릴 마음은 없었다.

그는 자기 합리화에 능한 만큼, 안스카리우스의 수치스러운 감정도 대신 정리해 줄 줄 알았다.

그가 기억이 사라질 때 곁에 있던 사람은 둘. 자신과 탈란타우에. 그중 탈란타우에는 몸을 불살라도 진실을 말하지 않을 것이다. 게다가 권력으로 누를 수 있는 상대도 아니었다.

그러나 자신은…….

그는 안스카리우스의 휴대용 기억이었다. 그러니 가끔 손에 쥐곤 구슬을 굴리듯 옛 흔적을 되새기는 것이다. 구슬의 달그락거리는 반응을 보고, 현실감이 들면 언짢아지고…….

그에게는 기억을 잃은 것이 일생일대의 파란이었는데, 그 순간 곁에 있던 사람은 영원히 도망가고 싶어 하니 억울할 것이다.

"그러면 '소조폴'에 대해 이야기해 봐."

안스카리우스가 뒤돌아 의자에 앉느라 제 얼굴을 못 본 것이 다행이었다. 아펭글로의 얼굴은 눈에 띌 정도로 일그러져 있었다.

저자는 팔뚝을 알고 있다.

과연 어디까지?

"아펭글로?"

"천민들에게 얼굴을 보이시면 안 됩니다."

고꾸라지듯 나온 아펭글로의 목소리는 먹혀 있었다.

"그래?"

안스카리우스는 아무렇지도 않게 팔걸이를 툭툭 건드렸다.

"예. 그들은 '인간'인 지도자와는 협상하려 듭니다. 목숨이 걸려도 손익을 맞출 겁니다. 그러니 차라리 왕인 편이 낫습니다."

"'왕'이라."

"네. 저는 수십 년 전 도이도흐와 이즈버르를 근거지로 활동했지만, 지금의 소조폴이라고 무엇이 다르겠습니까? 그치들의 기본 사고는 똑같습니다. 그러니 이방인 지도자는 인간이 아니어야 합니다. 얕보이지 마십시오."

"그래. 그게 어려운 일은 아니지."

"……."

"그리고?"

"이십이 사제왕의 통치 전략을 모르기에 제가 더 드릴 수 있는 말씀은 없습니다. 전 표류자로 시노드 신넬에 갔고, 또 동료로 받아들여졌습니다. 그들의 성격을 알아 일부 조언해 드릴 수는 있어도, 지배하는 방법은 모릅니다."

"이상한데. 방금 한 것도 통치 조언이잖나."

안스카리우스는 정확했다.

아펭글로는 발작적으로 당신 얼굴을 가리라고 조언했다.

몇 년 동안이나 파수꾼처럼 경계했던 제 말, 구토 같은 추억이 너무도 쉽게 소조폴인들에게서 튀어나올까 겁이 났다. 저자의 얼굴을 보고 '옛날 우스페히 상의 안스 아니야?'라고 지껄일 속없는 인간들이 두려웠다. 그게 어떤 결과를 부를 줄도 모르고…….

다른 말들은 그를 위한 중언부언이었다. 따라서 예민한 안스카리우스가 알아차리는 건 당연한 일이었다.

"내 얼굴을 가리는 게 왜 중요하지?"

속을 꿰뚫는 질문에도 아펭글로는 태연하게 굴었다. 충격은 순간이었고, 이미 숨을 들이켠 뒤였다.

"실은…… 탈란타우에 각하께 들었습니다. 탈란타우에 각하께선 처음 소조폴을 점령했을 때 맨얼굴로 협상하셨습니다. 그 결과, 많은 시노드 신넬인들이 각하의 명령에 불복종했지요. 총포가 있어도 소용없습니다. 그건 그 사람들의 천성입니다. 그 탓에 기강을 잡기 위해 아주 많은 사람을 학살하셔야 했다고요. 각하께선 소조폴 사람들의 성정을 몰라 통치의 첫 단추를 잘못 끼셨다고 후회하셨습니다."

"……."

"저는 그 학살이 끔찍합니다. 항해를 도운 원죄가 있기에 더더욱 그렇습니다. 그런 일이 다시는 일어나지 않아야 한다고 생각합니다. 그래서 반사적으로 고한 것인데, 냉정하지 못했던 조언을 사죄드립니다."

"그래. 그 이야기는 탈란타우에에게 들었다."

그가 어디까지 설명했을까? 본인이 너를 생포했고, 죽였다는 사실까지 말했을까?

"그 학살은 있어선 안 되는 일이었지. 당신이 고통받은 것도 무리는 아니다."

"……."

"걱정 마라. 총독으로서 이유 없는 살인이 일어나지 않도록…… 아니, 학살을 떠나 점령군의 비행을 엄격히 감독하겠다."

"……예?"

"그럴 수밖에 없지. 나는 시노드 신넬에서 죽을 테니까."

아펭글로는 믿기지 않는 말에 두 눈을 크게 떴다.

"예?"

안스카리우스는 작게 웃었다.

"거기서 늙어 죽으려고."

여전히 이해가 가지 않았다.

"예? 몇 년 안에 돌아오시잖습니까."

"법황 등쌀에 항구 한둘에서 움직이지 못하는 건 십 년이면 충분하다. 이제 그만 살 만한 곳으로 만들어야지."

"아니, 알겠는데, 그거야 알겠습니다. 먼저 대답해 주시면 감사하겠습니다. 안 돌아오실 겁니까?"

제 몸속에서 뛰는 게 희망인지, 절망인지 모르겠다.

"물론 총독 임무가 끝나면 돌아온다. 하지만 얼마 안 가 시노드 신넬은 총독이 아니라도 머물 수 있는 곳이 될 테니, 어쩌면 그곳에서 죽을 수도 있겠지. 내 선택에 달린 일 아닌가."

그의 팔뚝으로 향하는 시선을 꺾기 위해 노력했다.

'소조폴 1001 26 X'

너는 상처를 보며 무슨 생각을 한 걸까.

"하지만…… 왜 하필……? 저도 사제왕의 의지를 아니, 시노드 신넬 개척은 당연한 일이라고 생각합니다. 하지만 각하께서 그곳에 죽을 때까지 머무신다니요? 한 번도 겪지 못한 곳이잖습니까? 애초에 마음에 드실지도 모르겠습니다."

"글쎄. 여기가 별로 마음에 들지 않아서 말이지."

"각하의 모든 책임과, 주께서 계신 곳입니다. 도망치시는 겁니다."

아펭글로는 그를 떠밀어야 하는지, 붙잡아야 하는지 몰라 갈팡질팡했다.

안스카리우스는 침묵했다.

아펭글로는 조금 늦게야, 제 말이 그를 흔들었음을 깨달았다.

음영 짙은 청년의 시선은 바닥 어딘가에 머물러 있었다. 빛은 등 뒤에서 들었다. 문득 얼굴뿐만이 아닌, 몸도 장성했다는 느낌이 들었다. 단순히 북부에서 단련되었다고 할 수도 있지만, 그보단 이제 더 이상 잃어버린 기억에 흔들리지 않는 사제왕이기에—

"이런 말을 꺼낼 수 있는 상대는 당신이 유일한데."

잃어버린 기억에 흔들리지 않는 사제왕이기에—

"시노드 신넬을 좋아했던 당신만이 이 유치한 욕망을 이해해 주리라 생각했지."

아니, 안스카리우스는 여전히 흔들리고 있었다.

아펭글로의 발끝이 움찔했다.

"하긴. 언젠가 가 보고 싶다는 생각과, 거기서 죽고 싶다는 생각은 분명 다를 것이다."

그는 여전히 과거를 더듬거리는 사제왕이 두려웠다.

제발 진실에 가까이 오지 마라. 바꾸지 못한다면, 차라리 그 자리에서 당신 임무를 다해라. 돌아올 수 없는 기억에 희망을 걸었던 사람들은 모두 미쳐 사라졌다.

나를 탓하지 마. 병자를 간호하는 마음이란 원래 그렇다.

아펭글로는 한 걸음 물러나며 이 방에 있는 누구도 안 믿을 거짓말을 했다.

"각하, 물론 각하의 진정한 바람이시라면 부디 성취하시길 기원하겠습니다."

"아니야. 실없는 소리를 했군."

그는 후회하는 듯했다.

"오늘은 갑작스레 불러 당신도 할 말이 없었을 테니, 열흘 뒤에 다시 만나지."

"……."

"나가라."

아펭글로는 잠깐 손안에 들어왔다 빠져나간 모래 알갱이들을 바라보았다.

솨아아.

그날은 모래가 쏟아지는 소리의 바람이 불었다.

아펭글로는 웅장하게 떠나는 범선들을 바라보았다. 돛대 끄트머리가 수평선에 묻혔다. 검은 옷을 입은 환영 인파 또한 점차 주변에서 사라지고 있었다.

마침내 모든 배가 증발했다.

안스카리우스는 더 이상 이 땅에 없었다.

마지막 '가르침'이 끝난 후, 그는 더 이상 자신을 부르지 않았다. 출항 날에 초대하지도 않았다.

자신이 지난 칠 년간 그를 얼마나 외면했는지 떠올리면 이해되고도 남았다. 안스카리우스는 끝까지 자신을 붙잡다가, 이자가 정말 기억에 대해 아무 단서도 가지고 있지 않거나, 아니면 영원히 등을 돌렸다는 사실을 알아차렸다. 그렇기에 미련이 없었다.

아펭글로는 나이 든 변명을 했다.

'너를 위해서였다.'

이번엔 정말 막다른 곳이었다. 합리화가 아니었다.

눈앞에서 안스를 놓쳤던 경험은 굴곡이 깊은 그에게도 엄청난 충격을 안겼다. 그때, 자신은 무슨 짓을 해도 무력했다. 두 번이나 놓쳤다. 첫 번째는 그래도 일부분만 잃었지, 두 번째는, 마치 너희가 이렇게 반항했기에 처형한다는 듯 목이 잘렸다.

그래서 아펭글로는 안스카리우스의 기억을 되돌리려 애쓴다면 저자가 온몸에서 피를 뿜으며 죽을 수도 있겠단 생각을 했다. 그는 진지했다. 오히려 이게 가장 양호한 상상이리라 굳게 믿었다. 첫 번째보다 나쁜 두 번째, 두 번째보다 나쁜 세 번째…….

그러다 문득 무언가를 깨달은 사람처럼 고개를 들었다.

안스카리우스가 사라진 수평선을 보았다.

자신은 입 벙긋 하지도 않았는데…… 팔뚝에 새겨진 흉터의 힘이든, 사제왕의 반항심이든, 그게 무엇이든 종내 그를 이끌어 대양 너머로 밀어 버렸다면…….

어쩌면…… 저자는 기억 없이 사느니, 차라리 피를 뿜으며 죽길 바랐을 수도 있었다.

"그러면 '소조폴'에 대해 이야기해 봐."

안스카리우스는 오늘 자신이 교읍지를 떠나 에예우에 와 있다는 걸 알고 있었을 것이다. 어쩌면 눈이 마주쳤을 수도 있다.

그럼에도 안스카리우스는 만남을 청하지 않았다. 그는 자신을 거부했다. 제 비겁함을 아는 듯, 조용히 밀어냈다. 당신은 그렇게 길이길이 두려워해라. 많은 것을 알고도 항상 실패해라.

아펭글로는 자신이 그간 또다시 비겁하게 물러났던 건 아닐지 걱정했다. 소조폴에 대해 묻던 인간이 마침내 떠나 버린 수평선을 보면서…….

내가 진실을 이야기해도, 저자가 다치지 않았을 수 있겠지?

아니. 인생은 선택이다. 너는 선택한 거다.

목소리는 지난 세월처럼 단호했다.

그는 그런 위험을 감수할 수 없었다.

바닷바람이 짰다.

아펭글로는 오랜만에 서랍 아래에서 꺼내 온 종이를 펼쳤다.

손바닥만 한 초상화. 십 년이 넘도록 묵어, 누렇고 뭉개진 초상화.

항구 바람에 후루룩 날렸지만 개의치 않았다. 놓쳐도 그만이었다. 옛날, 안스에게도 그 사람을 기억하기 위해서가 아니라, 내 희망을 간직하기 위해서라고 고백했으니까. 놓친들 제 희망일 뿐이었다.

'그 애'를 바라보았다.

"나는 이제 수평선으로 사라진 인간보다, 너를 더 잘 알게 된 것 같다."

너라는 인간이 아니라, 내 희망의 내용을.

"그러니 차라리 저자를 만나지 않길 빈다."

희망이 현실을 뛰어넘은 역사가 없지. 언제나 노력하고, 바스러지지. 너도 마찬가지다. 너도 저자를 만난다면 똑같은 고통을 겪고 말 거다.

이 소원이 안스의 뜻이라고 하진 않을 것이다. 그 애는 모든 일 이후에도 친구를 다시 만나길 빌었으니 말이다.

하지만 안스, 얕은 인연과 죄책감으로 십 년을 버틴 사람이 여기 있다.

네가 바라던 그 애는 깊은 인연과 죄책감으로 앞으로 얼마나 오랜 시간을 버텨야 할지 알 수 없다.

그럼에도 몸에 상처를 입힌 것은 네 선택이었지. 안스카리우스가 실마리를 찾아가게 두었어.

자비로운 주께서도 안타까이 여기실 거다.

오후의 햇살이 초상화를 꿰뚫었다.

눈이 부셨다. 초상화는 구멍이 난 듯 연약하게 빛을 흘려보냈다.

그러나 그 사이 굵은 필체로 난 저 애의 눈. 우스울 정도로 부리부리한 젊음. 파도를 막는 불가능한 둑이자, 영원히 달려 고꾸라질 수도 없는 열기.

두려움 없이…… 세상에 갓 태어난 것들.

아.

나는 그때 바다를 넘었지.

아펭글로는 문득 그녀의 얼굴을 바라보았다.

너도, 바다를 넘을 수 있겠니?

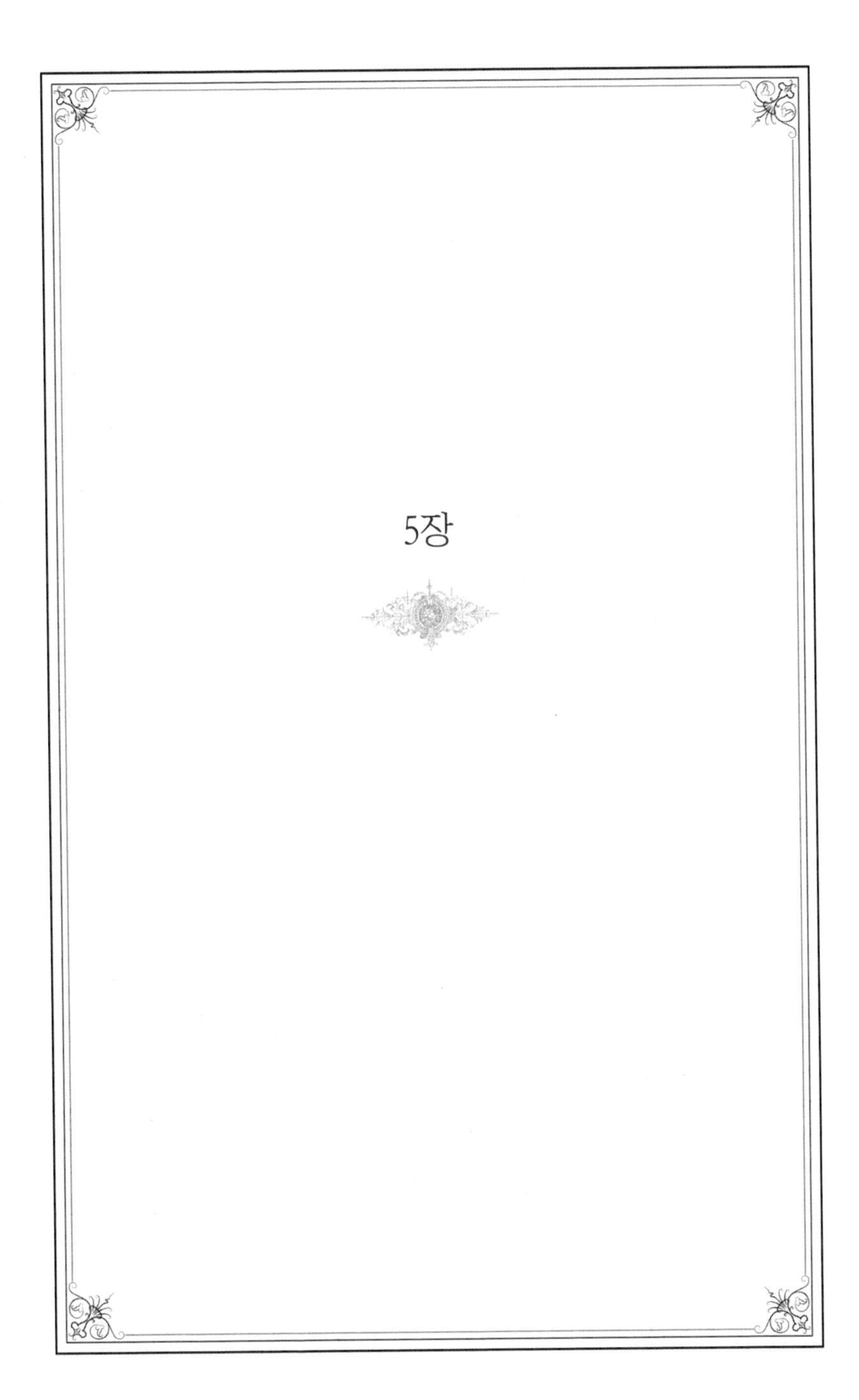

5장

5장

누워서 눈을 감은 지 벌써 여러 시간이 지난 것 같았다. 그러나 티티라는 좀처럼 잠들지 못했다.

요새 너무 자주 밤을 새우곤 했다.

이유는 분명했다……. 제 살인 계획, 혼란스럽고 위태로운 탈란타우에 살해 계획 때문이었다. 항상 골몰해 있었고 떨치기도 쉽지 않았다. 그렇게 대차게 실패하고도 또 죽이려 한다니, 멍청한 놈이 허덕인다 비웃어도 할 말이 없었다.

티티라는 뒤척였다. 눈 사이로 무시무시하게 밝은 빛이 드는 듯했지만 억지로 일어나지 않았다. 한번 아침을 보면 다시 잠들 수 없단 사실을 알고 있었다.

뭐, 어차피 밤에 잠을 좀 못 잔들 괜찮았다. 자신은 해가 떠 있을 때 수면을 보충했고, 꼬박꼬박 많이도 먹었고, 방 안에서 운동을 했고, 주기적으로 창에서 쏟아지는 햇빛을 맞았다.

절대로 건강과 정신을 상하게 하지 않을 작정이었다. 그것만이 제 유일한 자산이었으니까.

그래도 사람이 제시간에 깨어나고 잘 수 없단 사실은 좀 짜증스러웠다.

그녀는 잠들기 위해 속으로 양을 세기 시작했다.

한 마리, 두 마리, 세 마리…….

세는 숫자와, 누군가의 발소리가 겹쳤다. 티티라는 곤두섰다.

문 앞에서 나직한 대화가 들렸다. 알아듣기 어려웠다.

이윽고 문이 열렸다.

이 개자식들이, 마음대로 가두더니 마음대로 들어오기까지 하네.

티티라는 참지 않고 벌떡 몸을 일으켰다.

그리고 문 앞에 선 인간과 눈이 마주쳤다.

그녀는 당황하지 않았다.

"새벽에 무슨 용건이십니까?"

안스카리우스는 대답 없이 등으로 문을 밀어 닫았다.

그가 걸어왔다. 의자에 앉는 줄 알았는데 침대로 오는 듯하여, 티티라는 머리맡까지 물러났다. 더러운 것을 피하듯 납작해졌다.

그가 얼룩덜룩한 창 아래에서 말했다.

"아홉 시다. 아침이지."

"네. 저한텐 새벽이고요. 무단으로 들어오시는 소리에 깼습니다."

그녀는 잽싸게 말한 뒤, 따끔거리는 눈을 비볐다. 어쩐지 너무 빽빽하다 했더니 또 밤을 샜군.

그런데 그 뒤로 이어진 말은 놀랍게도—

"자해하나?"

티티라는 입을 동그랗게 모았다. 저 단어만큼 자신과 안 어울리는 말은 없을 거다—뭐, '고래' 이런 말이 아닌 한, 정말로—.

"무슨 말씀이세요?"

당황한 듯한 목소리가 나왔다. 진짜였으니 연기할 것도 없었다.

"지나치게 오래 잠들어 있었다고 들었다."

"무슨 소리래?"

아니, 진짜로. 무슨 말인데?

그녀는 그가 무슨 환청을 듣고 온 건지 의심이 될 지경이었다.

"자해하냔 이야기만큼 절 화나게 하는 것도 없을 테니 다행인 줄 아십시오. 제 입으로 고분고분 설명하게 만드신 거잖습니까— 각하, 보고드립니다. 절 가둬 두셨지만 세 끼 다 잘 챙겨 먹습니다. 그리고 해가 떠 있을 때 한 시간씩 운동도 하고 있어요."

"그리고?"

"뭐가요?"

"그리고, 뭘 하는데?"

그야 누워서—

음.

티티라는 누워서 탈란타우에 살해 계획을 짠다고 이야기할 수 없었다.

"이런저런 생각을 하죠."

살해 무기. 지금까지 파악한 그의 경비들. 재판 장소에서 그에게 어떻게 가까이 다가갈지 구상한, 수많은 대화 묶음이랄까.

"아무튼 하루 종일 잠들어 있다고 하기엔 당장 지금도 깨어 있는데요? 우습게 되셨군요, 각하."

티티라는 다시 털썩 소리가 나도록 침대에 누웠다.

마지막으로 안스카리우스를 만났을 때, 그는 자신을 협박한 뒤 가두었다. 그 사실을 되새기자니 지금 이 감정은 스스로도 조금 의외였다.

그녀는 매우 태연했다. 아마 저 사람에게 화를 낼 여유조차 없는 모양이었다.

'탈란타우에를 어떻게 죽이지?'

계속 같은 생각만 하고 있었다.

갑자기 턱이 붙잡히지 않았더라면 좀 더 발전적인 결론에 다다랐을 것이다.

그녀는 인상을 찌푸린 채 그의 손을 뿌리치려 했다. 그러나 그는 어느새 침대에 반쯤 오른 뒤였다. 그 힘은 안정적이었고, 버둥댄들 절대 떨쳐 낼 수 없었다.

"짜증 나게……."

그가 무엇 때문에 이러는지 진짜 알 수가 없었다. 그래, 좀 오래 누워 있긴 했다. 하지만 운동도 하는데? 빵부터 고기, 채소, 다 잘 먹는데?

"각하, 할 일이 없으세요? 제 상단원들을 구속하셨다면서요. 그 일은 아무것도 아니라 벌써 잊으셨나?"

그는 대답하지 않았다. 대신 무언가를 알아보려는 듯 천천히 제 얼굴을 뜯어보았다.

그러던 중, 갑자기 손이 이불 속으로 들어왔다.

미쳤나 봐!

그녀는 몸을 돌리다가 이불에 켁 하고 숨이 졸렸다.

안스카리우스는 제 양쪽 팔을 바깥으로 잡아 빼냈다.

그가 웃기는 짓을 더 저지르기 전에 발로 걷어찼다. 겨우 복부를 밀어젖혔다.

그리고 침대 반대편으로 튕겨 나왔다. 한순간 찾아왔을 수도 있던 잠은 완전히 달아난 뒤였다.

"미쳤습니까?"

"팔."

"각하, 팔은 왜요?"

"미쳤냐는 소리를 하면서, '각하'라……."

"아니, 팔이 필요하십니까? 그럼 말을 해요. 뭐가 문제라고."

티티라는 아침 햇살 아래 소매를 걷었다. 제 팔은 단단하고 미끈했다. 좀 여위었나? 모르겠는데. 아무 흔적도 없었다.

"만족하십니까? 각하, 좀 나가십시오. 지금 제 시간을 빼앗고 계십니다."

그는 침대 위에 올렸던 한쪽 무릎을 내렸다. 그러나 그 눈은 조금도 의심을 풀지 않은 채였다.

안스카리우스는 침대 반대편에 선 티티라를 노려보았다.

그녀는 이제 얼굴을 찡그린 채 혼자 팔을 살펴보고 있었다.

확실히 이상했다. 무작정 들이닥쳤음에도 딱히 신경 쓰는 눈치가 아니었다. 평소의 티티라 돔니니라면 머리끝까지 화가 나 쏘아붙였을 텐데, 달랐다. 딱딱거리는 말과 행동은 그녀의 것이었으나 모든 행동과 말이 조금씩 둔감했다.

방금 전, 안스카리우스가 전달받은 소식은 좋지 않았다.

그녀가 사흘 만에 깨어났다고.

티티라는 저택에 가둬 둔 다음 날부터 알아서 제 살길을 찾기 시작했다. 예상한 바였기에 그리 놀랍진 않았다. 그녀가 또다시 새로운 꿍꿍이를 꾸미고 있다는 소식은 차라리 파도처럼 자연스러운 일이었다.

그는 애초에 소조폴 상단을 구속한 적이 없었다. 그리고 티티라도 제 말을 전혀 믿지 않을 것이라 생각했다. 실제로 상단이 위험하다고 생각했다면 혼자서 별별 위험한 계획을 세우지는 않았을 테니까. 눈치 보며 끝없이 팔딱거리는 꼴이 그녀답다고 믿었다.

심지어 티티라를 감시하는 이는 자리를 비울 때가 많았다. 자신이 그리 두었으니 그 비행은 의도된 것이다.

다만 이상한 점은 한 가지 있었다. 오가는 수행인들로 인해 방문이 자주 열려 있었는데 탈출하지 않았다는 것. 감시자는 다시 돌아왔을 때 한 번쯤은 그녀가 없겠거니 생각했는데, 의외로 항상 방에 있어서 이상하다는 이야기를 했다.

어쨌든 자신은 티티라가 알아서 잘 살고 있다고 생각하여 이 주 정도 소식을 묻지 않았다.

그런데 점차 누워 있는 시간이 많아졌다고 했다. 깨워도 다시 자고, 자신이 무슨 말을 했는지 잘 기억하지 못했다고. 며칠간은 감시자도 가벼운 불면증, 혹은 기면증으로 생각했으나, 잠은 점점 더 길어졌다.

그녀가 연달아 사흘을 잤을 때, 정식으로 보고가 올라왔다.

밀봉된 봉인을 받자마자 읽은 첫 문장이었다.

[배계拜啓,

소조폴 상주 티티라 돔니니가 칠십 시간의 숙면 후 깨어났습니다. 건강 상태가 양호하지 않은 것으로 보여 짧게 보고드립니다.

좋은 의사를 붙였으니 곧 해결되리라 생각합니다. 일주일 뒤 다시 보고드리겠습니다.]

그는 잠시 동안 자신이 읽은 줄글을 의심했다.

잠에서 덜 깨었나.

그러나 곧장 겉옷을 챙겨 입었다. 사역관을 나서 아침이 깃든 두하 언덕을 내려왔다.

저택에 다다랐을 때 경비는 조금 놀란 듯했다. 상대가 더듬거리는 목소리로 티티라의 상태를 설명했다.

물론 애초에 '상태'랄 것이 없어 설명도 짧았다. 많이 잔다고 했다. 그뿐이었다.

방에 들어서자 티티라가 튕겨 오르듯 일어났다. 그 모습이, 한순간은 제게 거짓 보고가 올라온 것인가 착각하게 만들 정도였다. 눈이 맑지 않고 게슴츠레한 것도, 아침에 예고 없이 찾아왔으니 그럴 수 있는 일이라 생각했다.

그러나 꽤 길게 대화했음에도 좀처럼 그녀의 시선이 제대로 뜨이지 않았다. 팔은 확실히 여위었다. 모든 것이 아주 조금씩 변했다.

안스카리우스는 당장 선언했다.

"금족령은 해제한다. 이즈버르 안에만 있다면, 어디든 가도 좋다. 디아세를 붙여 주겠다."

티티라는 눈을 깜빡였다.

"애초에 감시도 안 붙이셨잖아요."

"……."

그녀는 투덜대듯 말을 이었다.

"그때 화내고 나니 아차 싶으셨죠? 굳이 그럴 일은 아닌데, 생각하셨을 겁니다. 맞아요. 굳이 그럴 일은 아니었습니다. 부끄러운 줄 아십시오."

"……."

"어쨌든…… 어차피 교국군을 꼬리에 달고 있다면 어느 곳에 가든 민폐니 여기 있을 겁니다. 적어도 재판까지는요."

안스카리우스는 침묵했다.

티티라는 다시 이불 속으로 기어 들어가고 있었다. 이전에는 어두운 곳에서의 힘을 무서워했던 것 같은데, 지금은 방금 전 일마저 까맣게 잊은 것 같았다.

그녀는 등 돌려 누운 뒤 하품을 했다.

"알아서 가세요. 저는 아직 시간이 이르니 잘 겁니다."

그는 네가 사흘 동안 깨어나지 못했다고 이야기해 주어야 할지, 짧게 갈등했다.

그러나 그녀를 동요시키기 전에 진실을 확인하고 싶었다.

그래서 침묵을 지켰다.

티티라는 잠들었다.

안스카리우스는 자리에 앉았다.

그렇게 그녀는 미동도 없이 다시 이틀을 내리 잤다.

안스카리우스는 책상에 이마를 괸 채 잠깐 눈을 붙였다. 이틀간 제대로 된 잠을 자지 못한 나머지, 누군가 제게 말을 붙이기 전까지 반쯤 정신이 빠져 있었다.

"각하?"

그는 눈을 떴다.

해가 어슴푸레하게 떠 있었다. 그녀도, 자신도 마지막으로 대화했을 때와 같은 옷을 입고 있었다. 그렇기에 그녀의 다음 말이 놀랍지 않았다.

"밤 내내 여기 계셨습니까? 재판도 코앞인데 일하러 가세요."

그는 시계를 보았다.

조용히, 어쩌면 탁한 목소리로 읊조렸다.

"사십칠 시간."

"네?"

"넌 사십칠 시간을 잤다."

만 이틀에서 조금 모자란 시간.

티티라는 잠깐 자신을 관찰하는 듯하더니 그 말이 어떤 고약한 수작이라고 생각한 모양이었다.

"제가 그냥 각하 말씀을 믿으면 되는 건가요?"

그녀를 물끄러미 응시했다.

만난 지 한 해가 가깝도록 제 몸을 해치지 않은 사람이었다. 지금보다 상황이 더 안 좋았던 이즈버르 침공 때에도 꾸역꾸역 음식을 넘기고 날뛰던 강골이었다.

그는 자신이 절대로 저 여자를 해칠 수 없다고 생각했다. 자신이 못 한다기보단, 그녀가 용납하지 않을 것 같았다. 두 가지는 달랐다.

그런데…….

"티."

"아니요, 각하. 일단 그렇게 부르지 마시고요. 사십칠 시간 잤다는 게 농담이 아니라면 진짜 큰일입니다. 의사를 불러 주세요."

큰일이라고 말은 하는데, 실제로 그녀가 심각하게 느끼고 있는 것인지는 잘 알 수 없었다. 수많은 색상으로 이루어졌던 사람이 갑자기 무채색으로 가라앉은 듯했다.

"이미 주기적으로 오고 있다. 곧…… 방문할 거다."

"네."

티티라는 잠시 두리번거리더니, 다시 이불 속에 몸을 누였다.

안스카리우스는 일어서 성큼 다가가 이불을 확 잡아당겼다.

티티라는 이불을 붙잡고 있다가 제 앞까지 굴러왔다.

"자지 마."

그녀는 여전히 무던했다.

"안 자요. 그렇게 잤는데 졸리겠습니까?"

침상을 쥔 손에 힘이 들어갔다.

눈치채지도 못한 사이 말이 튀어나왔다.

"'내게 손대지 말라.' 해야지."

"저한테 손 안 대셨는데요."

그녀는 투덜거리더니 몸을 일으켜 세웠다. 침대 등에 기대앉아 다시 눈을 감았다.

안스카리우스는 티티라를 강하게 끌어당겼다. 그녀는 깜짝 놀라 바닥에 고꾸라질 뻔하다가, 겨우 발을 디디고 섰다.

"정말 너무하다."

그는 대꾸하지 않았다. 그녀에게 신발을 던져 준 뒤 질질 끌고 문 바깥으로 나갔다.

티티라는 그에게 놓으라고 짜증을 냈다. 놓아주자, 잘 걸었다. 그녀는 한순간 멀쩡해 보였다.

"어디로 가면 되는데요?"

안도감이 순식간에 일그러졌다.

"바라시는 게 있잖아요."

자신을 고분고분하게 보고 선 사람이 이렇게 낯설 수가 없었다.

그는 방향을 잃었다.

답을 모르는 혼란 속에서 습관적으로 명령했다.

"걸어."

"아니, 무슨 미—"

'미친 부탁을 하세요.'

입 모양이 보였다.

안스카리우스는 무시한 채 그녀의 등을 툭 밀었다. 걸어.

티티라는 잠자코 따랐다. 홀 안에서 느릿느릿 걷고, 그러면서 자신을 돌아보는 모양새가 '당신이 얼마나 바보 같은 짓을 시켰는지 알겠느냐.'는 표정이었다.

사실 그에게 걸음은 중요하지 않았다. 티티라의 입 안에서 욕설이 오가는지가 더 중요했다. 그렇기에 귀를 기울였으나…… 그녀는 한밤중처럼 고요했다. 항상 부산스럽던 무언가가 움푹 가라앉아 있었다.

그녀는 갑작스레 차분해졌다. 그에게 그건 한 사람이 죽은 것처럼 느껴졌다.

"언제까지 이래야 되는데요?"

그는 대답하지 못했다.

다행인지 불행인지 그 순간 의사가 도착했다.

곧장 티티라에게 손짓했다.

"방에 들어가시겠습니까?"

"아니. 침대로 데려가지 마."

마치 그러기만 하면 저 여자가 다신 잠들지 않을 것처럼 말했다.

"예. 잠과 관련된 문제라면 충분히 예민하실 수 있죠. 여기 앉으십시오. 예, 예. 눈을 크게 떠 보세요."

티티라는 이번에도 대답 없이 잘 따랐다.

안스카리우스는 그 비현실적인 광경을 바라보았다. 잠이 부족해서 이 상황이 더 믿기지 않는 것인지도 몰랐다.

잠시 뒤, 의사는 숨길 것도 없다는 듯 말했다.

"지난 방문 때에도 말씀드렸지만 일상에 걱정이 너무 많으신 겁니다. 잠을 이루기 어려우실 테죠. 그러다 잠들게 되면 끝장을 볼 때까지 주무시는 것이고요."

"그래서?"

"예?"

"치료는?"

"아……. 따뜻한 차를 달여 드시고 평온하게 지내십시오."

그는 잠시 이해하지 못했다.

"끝인가?"

"예…… 예. 보통은 중요한 일을 앞두고 잠깐 생기는 현상일 뿐입니다. 병세가 길게 가진 않습니다. 긴장을 풀어 주려 계속 노력하시면 될 겁니다."

자신이 말을 잇지 못하는 사이, 의사는 가방을 챙겨 떠났다. 정말 큰 병이 아니라는 듯 걸음걸음이 가벼웠다.

그는 의사의 마지막 모습을 지켜보다가, 문득 고개를 돌렸다. 티티라는 여전히 같은 자리에 앉아 있었다.

그는 급하게 그녀의 팔뚝을 잡아 일으켜 세웠다.

"일어나."

티티라는 일어섰다.

고개를 절레절레 젓더니, 또 걸어야 하냐고 물었다.

"이해는 하는데, 좀 바보 같기도 하잖아요."

이상한 일이었다. 지금 그녀는 자신보다 훨씬 느긋했다. 한데, 티가 너무 '긴장'한 게 문제라고? 그는 도무지 이해할 수 없었다.

"바깥으로 나가."

티티라는 또 따랐다. 오랜만에 바깥으로 나왔다며 기뻐하는 기색은 없었다. 무료한 태도로 돌바닥을 툭툭 칠 뿐이었다.

그녀는 명령 없이도 항구를 향해 걸어갔다.

어쩌면 그 명확한 의지가 상태의 호전을 뜻하는 것은 아닐까? 그는 꽤 긴 시간 만에 처음으로 냉정해졌다. 생각했다.

항구를 향해 걸어가는 그녀의 뒷모습을 노려보았다. 여러 걸음 뒤에서 칼자루를 쥐었다.

그들은 대화 한 번 나누지 않은 채 항구에 다다랐다.

티티라는 잠시 바다를 바라보았다.

물고기처럼 멀리 헤엄쳐 나가던 인간이었는데, 이젠 바닷물에 발끝도 담그지 못할 것처럼 보였다.

그는 갑자기 두려움을 느꼈다. 한때 제 최악의 악몽. 팔뚝 상처에 담긴 뜻을 영원히 모르리라는 공포와 비슷했다.

티티라는 자리에 주저앉았다.

안스카리우스는 그제야 한 걸음 다가갔다.

그녀의 몸이 앞으로—

그 순간, 그녀의 팔을 낚아챘다. 팔이 홱 꺾였다.

티티라는 가까스로 바닷물에 빠지지 않았다.

안스카리우스는 주변을 신경 써야 한다고 생각했다. 이곳은 이프루이우호가 정박하는 부두였다. 벌써 여럿이나 제게 예를 표하고 지나간 뒤였다. 더군다나 또 다른 사제왕의 근거지이기도 했다. 몸가짐을 주의할 수밖에 없었다…….

그는 곧장 그녀를 안아 들었다.

몸을 돌려 이프루이우호로 향하려 했다.

그러나 기척을 눈치채지 못한 사이, 누군가 앞으로 다가와 있었다.

"이게 어찌 된 일입니까?"

탈란타우에였다.

"……."

티티라처럼 강철 같은 인간이 일상을 유지하지 못할 정도로 지쳤다면, 범인은 제 앞에 선 이뿐이었다. 그날 무슨 말을 했는지는 모르지만 사람을 말려 죽이는 단어였음이 분명했다.

"연회에서 당신 부하를 단속하겠다고 하더니, 오히려 죄 없는 상주를 괴롭힌 것 아닙니까? 가뜩이나 좋지 않은 소문이 돌던데."

"……."

"걸어오는 동안 보았습니다. 상주가 병에 걸렸습니까? 우리의 평판이 상할까 걱정이 됩니다. 재판이 얼마 안 남았기에 단순한 노파심이라 할 수도 없군요.”

“…….”

“요르고호의 선의를 보내 드리겠습니다.”

안스카리우스는 권력이 묻어난 단어들을 경청했다.

어떻게 해야 그만 불쾌하게 굴까.

그는 마침내 입을 열었다.

“사제왕 탈란타우에.”

“예.”

“아펭글로가 내게 무슨 말을 했을까, 생각해 보십시오.”

그의 얼굴이 삽시간에 굳었다.

안스카리우스는 더 이상 대화를 잇지 않은 채 그를 지나쳤다.

티티라는 이프루이우호 선장실에 눕자마자 깨어났다.

그녀는 그제야 심각성을 인지한 듯 진지한 표정이 되었다.

“부두에 코 박고 죽을 뻔한 거 아니에요? 그러네. 진짜 깜빡 잠이 들었어.”

깨어난 티티라는 좀 더 그녀 같았다.

“제가 진짜로 아프단 말이죠?”

믿기지 않지만, 왠지 재미있어하는 듯했다. 태어나서 처음 병에 걸렸다고 좋아하는 덜떨어진 소년처럼.

“혹시 사람들이 많이 봤나요? 제가 쓰러지는 걸?”

왜 저렇게 신이 났는지 도무지…….

“각하, 말씀 좀 해 보세요.”

“…….”

"각하."

"……."

"아, 정말, 계속 무시하려고?"

그녀는 확실히 기분이 좋아져 있었다.

"많이 봤다."

"좋아요. 혹시 '그 사람'도 제 꼴을 봤습니까?"

"……."

"봤구나. 탈란타우에, 이 개 같은 새끼. 근데 절 용케 살리셨네요?"

"나는 이미 지난 연회 직후 내 의사를 분명히 했다. 재판 전에 너를 건드리면 우리 모두 끝장이라고."

"아."

티티라가 미소 지었다.

"그러면 제 목숨은 일단 재판 이후 걱정하면 된다 이거군요."

"……."

"좋아. 좀 낫네요."

티티라는 이제 하나도 졸리지 않다면서 선장실을 빙글빙글 돌기 시작했다. 물론 조용한 것보단 이편이 확실히 낫지만—

그는 한순간, 같은 자리를 맴돌던 그녀의 손목을 꽉 움켜쥐었다.

"아!"

인상을 찌푸린다.

안스카리우스는 놓아주었다.

"아직 낫지 않았다. 넌 정상이 아니야."

티티라가 웃음을 터뜨렸다.

안스카리우스는 더더욱 언짢아졌다. 조금 돌아왔다고 생각했으나 아니었다. 여전히 지나치게 가라앉은 채거나, 혹은 너무 멀리 있었다.

"각하도 아까 의사 말을 들으셨죠. 느긋해져야 한다고 하잖습니까. 느긋. 평온. 이 단어 아시죠?"

"……."

"각하가 안 계셔야 제가 '느긋'하고 '평온'한데요. 꼭 말씀드려야 아십니까?"

"아니. 넌 내가 나가자마자 잠들 거다."

"뭘 모르시는구나."

그는 무시했다.

사람을 불러 새로운 의사, 그리고 사역관에 쌓인 서류들을 들고 오게 시켰다.

티티라는 그런 그를 물끄러미 바라보더니 말했다.

"각하, 절 그만 도우세요."

그가 잠시 멈칫했다.

"계속 발 벗고 도와주시면 제가 이룬 결과가 온전히 제 것인지 알 수 없게 되잖아요."

"내 공을 계산하지 않으면 되겠군. 바란 적 없다."

"아니요. 그렇게 뚝딱 되는 게 아닙니다. 저는 갚을 수 없는 빚을 지고 싶지 않아요."

"왜 갚을 수 없다고 생각하지?"

그는 궁금했다.

"그야 제가 드릴 수 있는 것 중 가장 귀한 건 이미 드렸으니까요."

"'가장 귀한 것'?"

"각하 기억이요. 우리 어린 시절요. 이제 알고 계시잖습니까."

물론 이젠 알고 있었다. 자신은 소조폴에 표류하여, 우스페히 상에서 저자와 십 년을 지냈고, '아마도' 자식을 원했던 아버지가 탈란타우에와 거래하여 고향으로 돌아오게 된 것이다. 그 와중에 '아마도' 제 흔적을 찾고자 아펭글로가 말했던 학살이 벌어졌으리라.

다만 기억은, 정말 사고로 사라진 것일까? 어떻게 기억을 잃을 줄 알고 팔뚝 위에 단서를 새겼을까?

사실 놀랍게도 궁금하지 않았다. 이미 답을 찾았기에 진실을 알고자 하는 욕망이 별로 없었다.

그 '답'이란…….

안스카리우스는 티티라를 똑바로 바라보았다.

다시 한번 물었다.

"왜 갚을 수 없다고 생각하지?"

"글쎄요. 그럼 제가 줄 수 있는 게 당신 과거 말고 뭐가 있나요?"

"이미 이야기했는데 다시 모른 체하는군."

"네?"

"나는 너를 바라."

대단한 선언은 아니었다. 그저 대화의 일부로 부드럽게 떨어졌을 뿐이다.

제 기억이 사라진 이유보단 티티라가 탈란타우에를 죽이려 든 이유가 더 궁금했다. 아니면 그 시선이 뚫어져라 보는 장소, 혹은 가죽 노트에 상인의 암호로 적은 줄글들, 자신이 알지 못하는 그녀의 인생 같은 것들이.

티티라가 웃었다.

"잠을 많이 자선가. 다 까먹었네."

안스카리우스는 티티라가 불안정하다는 사실을 잘 알았다. 그렇기에 굳이 답하지 않고, 곧장 들어온 선의 파르훈 오피오에게 그녀를 맡겼다.

그는 이전 의사와 똑같은 말을 했다. 소조폴 상주는 지나치게 걱정거리가 많은 것뿐이라고. 과한 피로감, 긴장. 문제가 해결되는 즉시 증상도 사라지리라. 그러니 몸을 편히 하고 느긋하게 쉬는 편이 좋을 것이다.

안스카리우스는 의사의 조언을 곰곰이 되새기며 티티라를 바라보았다.

파르훈 오피오에게 같은 이야기를 들으면서도 티티라는 침착했다. 아니, 그 이상으로 '그런' 걱정거리는 없다고 다짐하기까지 했다.

물론 안스카리우스는 티티라를 믿지 않았다. 하지만 그가 나서 추궁한다면 결국 그것이 그녀의 새로운 근심거리가 될 테니, 침묵할 수밖에 없었다.

"……."

티티라는 모두가 떠났을 때, 누군가 구석진 곳에 두고 간 선물을 뒤지기 시작했다—불쑥 튀어나온 체스판을 눈여겨보았던 것 같다—. 그렇게 말없이 판을 가져가선 이제 혼자 즐기고 있었다. 어차피 보내 주지 않을 테니 각자 시간을 보내자는 태도였다.

속눈썹 아래 얇은 물거품 같은 눈동자가 움직였다. 평소보다 느리게, 그 아래로 녹아드는 빛…….

그 순간 티티라가 자신을 바라보았다.

"각하, 한 판 같이 두시죠."

“아니. 괜찮다.”

그는 명백하게 거절했다.

지금 그녀가 자신을 평소처럼 대할 수 있는 것은 분명 병에 들뜬 덕분이었다. 아무리 시간이 지났다 한들, 저 사람 성격에 소리 높였던 싸움이 쉽게 잊힐 것 같지 않았다. 특히 소조폴 상단을 가지고 협박당했으며, 실제로 방에 갇혔다면 더더욱.

사과할 마음이 없었기에 그녀의 제안을 거부했다. 제정신으로 하지 않았던 일을 굳이 지금 할 이유가 없었다.

한데 그때, 품으로 체스 말이 떨어졌다.

고개를 들자 티티라가 말을 던진 게 분명한 자세로 있었다.

“한 판 해요.”

“일이 있어서.”

그는 무시했다.

“여기가 사역관도 아닌데. 자꾸 이러시면 다시 잡니다.”

펜을 쥔 손이 멈칫했다.

티티라는 승기를 잡았다는 사실을 깨달았는지 의기양양하게 체스판을 들고 다가왔다.

탁 하고 제 옆에 놓는다.

“각하 실력이 궁금합니다. 쳐들어온 지 오래되셨으니 이방인의 놀이쯤은 익히셨겠지요?”

“아펭글로 덕에.”

그녀의 눈이 휘둥그레졌다.

티티라는 ‘아펭글로’가 언급될 때마다 다소 벅차했다. 안스카리우스는 그 모습을 볼 때면 아펭글로가 성취한 것들을 상기할 수밖에 없었다. 물론 동시에, 그의 초라한 말년이 떠오르기도 했지만…….

굴러가는 체스 말을 바라보며 생각했다.

아펭글로는 근래 사제왕의 출항에 협조하지 않았다. 티티라가 매번 놀랄 정도의 위명을 이 땅에 쌓아 두고도, 왜?

그 옛날 바다를 넘어왔고, 또다시 바다를 넘을 수 있도록 도운 항해자, 아펭글로.

보다 젊었던 탈란타우에는 아펭글로에게 찬사를 남겼다. 시노드 신넬을 점령하기 전, 점령한 후, 그리고 돌아와서도, 그가 공식적으로 남긴 칭찬은 셀 수 없이 많았다.

그런데 어느 순간…… 탈란타우에는 아펭글로를 단절시켰다. 고장 난 시계를 버리듯이 가차 없었다.

그런 아펭글로를 바를라암이 얼기설기 주워 들었다. 만일 자신이 구하지 않았다면 그는 법황에게 죽었을 것이다.

그런데 왜 나를 끝끝내 거절했을까. 어째서 항해에도 관심을 끊었을까. 어쩌면 나와 함께 시노드 신넬에 올 수도 있었을 텐데.

집중력이 흐트러지는 시야에선 티티라가 부산스레 움직이고 있었다. 체스 말이 쓰러지고, 섞이고, 하나하나 분리되었다. 검고 흰 자리가 뭉개졌다.

그 사이로, 아펭글로 이야기를 꺼내자 당황하던 탈란타우에의 얼굴이 스며들었다. 방금 항구에서 제가 건넨 말은 그다지 영악한 대화가 아니었는데 말이다.

"아펭글로가 내게 무슨 말을 했을까, 생각해 보십시오."

그러니까 아펭글로가, 정말로 내게 무슨 말을 했던가……?

"안 해요?"

그가 곧장 몸을 바로 세웠다. 반사적인 반응이었다.

"각하?"

그는 그녀가 더 이상 잠들지 않도록, 그녀의 집중을 북돋기 위해 아무 말이나 지껄였다.

"체스에서 내가 이기면?"

티티라가 웃었다. 방금 전까지 가볍던 어조가 날카로워졌다.

"저는 제가 이긴다고 각하께 뭘 달라고 하진 않을 겁니다."

"글쎄. 나는 그러고 싶은데."

"유치하시긴. 알겠습니다. 다만 체스 한 판 가격이어야 합니다. 합리적이지 않으면 거절할 거예요."

"물론."

"'저를 바란다.' 이딴 개소리 안 돼요."

"알고 있다."

그들의 대화는 부드러웠다.

그는 그녀의 옆자리로 옮겨 갔다. 체스판보단, 티티라의 표정, 움직임, 아까처럼 갑자기 잠들면 어떻게 할지 따위를 더 신경 쓰고 있었다.

티티라는 동전을 던져 손등에 붙였다.

"앞? 뒤?"

"앞."

"이런……."

안스카리우스는 제 쪽으로 백白을 먼저 놓기 시작했다.

이방인 주제에 체스를 잘 아는 태도여서, 티티라는 잠시 신기한 듯 지켜보았다.

'아펭글로가 가르쳐 주었다고? 실력이 어느 정도려나.'

티티라는 꽤나 급한 체스 연주자였다. 안스든, 우스페히 씨든, 블리조 씨든…… 모두가 인정한 바였다. 우스페히 씨에겐 맨날 졌고, 블리조 씨에겐 맨날 이겼고, 안스와는 항상 51승 49패와 같은 전적을 가져가곤 했다.

어쨌든 그녀는 오랜만에 새로운 상대와 마주쳐서 즐거웠다.

안스카리우스는 이마를 괸 채 갸우뚱 체스판을 내려다보고 있었다. 느슨하게 기운 모양이 꼭…….

그의 시선이 제게로 올라왔다. 왠지 몸이 근질거려, 목덜미에 힘을 주었다.

대화는 없었다.

단지 그가 백을 쥐고, 조용히 옮기는 몇 초간의 정적이 있었을 뿐이다.

탁.

티티라는 고개를 숙여 판을 바라보았다.

고민하지 않고 다음 수를 냈다.

반 시간 뒤, 티티라는 잠들었다.

안스카리우스는 승패가 나지 않은 체스판을 내려다보았다.

시작한 지 얼마 안 되었던 시점부터 그녀의 눈은 반쯤 감겨 있었다. 그때 그는 적당한 소리를 내 그녀를 깨웠다.

티티라는 몇 수를 더 두다가 다시 졸았다. 안스카리우스는 급기야 손을 들어 그녀를 살짝 밀쳤다. 그러자 티티라의 턱을 괸 손이 꺾였고, 그대로 고꾸라져 탁자에 머리를 박았다. 소리가 꽤나 컸다. 그녀는 급히 현실로 돌아왔다.

티티라는 잔뜩 부은 이마를 쥐고 또 몇 수를 더 두었다. 그리고 다시…….

그는 이번에는, 수그러든 그녀의 어깨를 붙잡고 강하게 흔들었다.

그러나 깨어나지 않았다. 그녀의 고개가 꺾여 제 품에 턱 안겼다.

그 뒤론 무슨 짓을 해도 잠에서 깨지 않았다. 흔들어도 잠꼬대 이상의 반응을 이끌어 낼 수 없었다. 물에 적신 천을 뺨에 대 보았으나 정적뿐이었다.

그는 한참 노력하다가, 문득 놀라 그녀의 코 아래 손을 대 보았다. 호흡은 정상이었다.

안도하여 자리에 다시 앉았다.

동시에 방법이 없다는 사실을 깨닫곤 체스판을 노려보았다.

꽤 오랫동안.

석양이 눈을 찔렀을 때에야 정신을 차렸다. 티티라는 여전히 탁자에 상체를 파묻은 채 잠들어 있었다. 저 편안한 얼굴을 보면 꼭 아무 문제가 없는 것처럼 느껴졌다.

그동안 몸을 뒤척였는지, 그녀의 팔뚝 위 옷자락이 살짝 들려 있었다.

아무 생각 없이 그녀를 바라보다가, 얼룩처럼 남은 멍을 발견했다. 그 순간 그는 정확히 두 가지 생각을 했다. 하나는, 아직도 디아세에게 맞은 상처가 낫지 않았나. 그리고 다른 하나는…….

안스카리우스는 곧장 팔뚝을 쥐었다. 멍이 있는 자리였다. 천천히 힘을 주었다.

"아!"

티티라는 아픔에 깨어났다. 멍하니 자신을 바라보더니, 다시 깜빡, 깜빡.

그는 겨우 깨어난 티티라에게 말을 걸어야 한다는 의무감을 느꼈다.

"디아세인가?"

"……."

"상처, 디아세가 잘못 제압했나 보군. 대신 사과한다."

"……어? 아, 거긴…… 탈란타우에……. 디아세는 허벅지…… 조금이었고……."

그는 잠시 자신이 잘못 들었다고 생각했다.

탈란타우에?

티티라는 다시 졸고 있었다.

그는 멍이 든 자리를 다시 움켜쥐었다.

"악! 왜 자꾸 그래?"

"'탈란타우에'?"

"아니…… 연회 날 우리가 따로 만난 걸 알면서…… 거기서 뭐 덕담이라도 나눴을까 봐?"

"그자가 왜?"

갑자기 뒤늦은 화가 엉겨 왔다.

티티라는 그날 밤, 연회에서 있었던 일에 대해 자세히 설명하지 않았다.

탈란타우에가 제 과거만을 이야기해 주었다는 건 아무래도 이상했다. 그럼에도 그녀가 완강히 거부했기에 캐묻지 않았다. 그는 인내심이 깊은 사람이었으므로.

그러나 티티라가 폭행을 당했다면, 적어도 침묵을 지키지는 않았겠지.

"제가 각하 과거를 듣곤 울고불고해서요……. 그랬더니 질질 짜지 말라며 좀 맞았어요."

"'질질 짜지 말라고' 손을 들어?"

"귀하신 사제왕께…… 막말을 하긴 했으니까……. 아무튼."

그리고 고개가 다시 떨어졌다.

그는 그녀에게 답을 재촉하는 것보다 급한 일이 있음을 깨달았다. 당장은 아프게 해서라도 잠에서 끌어내야 했다. 또 한 번 멍을 쥐었다. 그녀는 짜증스러운 고통 속에서 깨어났다.

"자꾸 그렇게 깨우면 그게 더…… 차라리……."

"체스, 한 판만 마무리를 지어. 그 뒤론 건드리지 않겠다."

무엇이라도 그녀가 당장 신경 쓸 게 필요했다.

티티라는 입속으로 무언가 중얼거리며 팔을 뿌리쳤다. 그러곤 흑黑을 옮겼다.

안스카리우스는 그녀가 쓰러지면 언제라도 받을 준비를 하며 수手에 대응했다.

자신이 조금이라도 고민하면 다시 상대가 졸기 시작했기에, 체스는 유래 없이 빨라졌다. 그는 그녀의 속도에 맞춰 최대한 공격을 흘려넘겼다. 그게 그녀에게 '재미있는' 놀이일지는 잘 모르겠지만, 계속 관심을 끌어야 했기에 방도가 없었다.

그러자 티티라가 처음으로 입을 열었다.

"좀 빨라지니…… 이상하게 안스처럼 두시네요. 진짜로요. 너무 닮았어요."

"……."

"아펭글로한테 배웠다고 하셨죠? 신기합니다. 어떻게 이만큼이나 안스를 닮으셨지? 전 걔랑 십 년을 둬서 잘 알거든요. 보통 오래 고민할 수 없으면 가장 유치한 버릇부터 튀어나오고요."

"……."

그는 기묘한 감각으로 제 손을 바라보았다.

제게 '안스'의 기억이 남아 있어서는 아니었다.

자신은 아펭글로에게 배웠다. 언젠가 그가 묻지도 않은 신대륙의 놀이판을 들고 와 자신에게 제안했다. 그리고 하나부터 열까지, 작은 묘수부터 여러 전략까지, 그리고 그만의 지름길을 가르쳤다.

이게 '안스'를 닮았다고?

안스카리우스는 바다 건너에 있는 아펭글로의 멱살을 잡아 이 자리로 끌고 오고 싶었다.

아펭글로, 왜지?

"오, 이겼다. 그만하죠."

"……."

"그리고 제가 이겼으니 부탁할 수 있는 거죠? 잠 좀 잡시다."

티티라는 안정적으로 탁자에 팔을 모아 다시 몸을 숙였다.

안스카리우스는 한숨을 쉬었다.

"침대에서 자라."

티티라는 무시했다.

그도 그녀를 무시했다.

그는 일어서 그녀에게 다가갔다. 거칠게 안아 들었다. 깨면 차라리 다행이었고, 안 깨도 별수 없었다.

티티라는 고개를 꺾은 채 곯아떨어졌다. 고작 몇 걸음 걸어가 침대에 내려놓자, 그녀는 본능적으로 이불 속에 파고들었다.

환자는 조용히 잠들었다. 사십칠 시간을 잔 사람이 다시 잠든 몰골이라는 점만 빼면 몹시 평온해 보였다.

안스카리우스는 한참 동안이나 그녀를 지켜보다가 바깥으로 나갔다.

탁자에는 그가 패배한 체스판만이 남아 있었다.

그다음 날부터 티티라는 눈을 붙이지 못했다. 너무 오래 잤다 했더니, 이번에는 정반대되는 고통이 찾아왔던 것이다. 이젠 잠들고 싶어도 잠들 수 없었다.

그녀는 안스카리우스가 자리를 비운 선장실 안에서 빙빙 돌아다녔다. 마음대로 책을 들추고 옷장을 열어 댔다. 오래전 사역관으로 이사한 탓인지 별건 없었지만, 그가 돌아왔을 때 난장판인 모습을 보면 좋겠다고 생각했다.

티티라는 지금 자신이 평소와 같지 않다는 사실을 누구보다 잘 느끼고 있었다. 그리고 그걸 알면서도 신경 쓰지 않을 만큼 무절제했다. 멍한 상태였기에 일을 두 번 생각하지 않고 저지르곤 했다.

그녀는 자신이 왜 이런 질병에 걸렸는지 알았다.

안스를 죽이고 제 목줄을 쥔 탈란타우에.

그 구절은 날이 갈수록 소리가 커지는 종 같았다.

사천 명을 학살한 탈란타우에는 괜찮았다. 우스페히 씨를 살해한 탈란타우에도 괜찮았다. 라요나를 처형한 탈란타우에도…… 참을 만했다.

하지만 안스는, 안 되었다. 그 애를 죽인 살인자가 세상에 눈 뜨고 살아 있는 꼴을 용납할 수 없었다.

그래……. 이 생각 자체도 문제였다. 안스의 일이라면 투우처럼 달려드는 난폭함이 자신을 목 졸랐다. 안스를 죽였다는 사실에 냉정해지지 못하고 발발 떠는 어린애. 그 약점을 노린 살인자에게 당할 수밖에 없어 분노가 치솟았다.

그러나 이미 한 번 그를 죽이는 데 실패했고…… 바야흐로 탈란타우에가 더 철저히 자신을 경계할 게 뻔한 상황에서 어떻게 '계획'을 '개선'해야 할지 감이 잡히지 않았다.

정확히는…… 병을 깨닫기 전까진 그랬단 뜻이다.

탈란타우에가 제 꼴을 목격했단 사실은 정말 고무적이었다. 충격을 받아 결국 미쳤다고 생각하겠지. 저 멍청한 소조폴 상주가 아무것도 못한 채 멀거니 눈 뜬 바위처럼 살아가리라 착각할 것이다.

티티라는 이처럼 계속 미친 낯을 하고 있으면 재판에서 탈란타우에 곁에 머물 수 있으리라 생각했다. 저놈은 상대가 죽어 갈수록 가까이 두고 즐길 인간이었으니까. 자신이 돌아 버리면 더 기뻐하며 관찰할 것이다. 그러면 그때…….

물론 이렇게 자신감 넘치는 이야기를 늘어놓아도 여전히 몸은 고되었다. 너무 오래 잤을 때는 손발이 마비될 정도로 저렸고, 지금처럼 이틀 가까이 깨어 있을 때는 눈이 터질 것 같았다.

뭐—티티라는 또 실없이 위로했다—, 몸이 힘들면 적어도 목표만큼은 단단해지겠지. 탈란타우에를 못 죽이면 평생 이렇게 살 수도 있잖아. 그게 무서우면 알아서 잘하라고, 티티라 돔니니.

티티라는 따가운 눈을 몇 번 비볐다.

문득, 문이 열리는 소리가 들렸다.

눈을 문지르며 몸을 틀었다. 보지도 않은 채 말했다.

“선장실은 저한테 맡기고 사역관으로 가세요.”

눈이 너무 간지러웠다. 눈알 안쪽에 먼지가 낀 것처럼 거슬렸다.

그러다 한순간, 손을 잡혔다.

“그만 비벼.”

“잠깐…….”

티티라는 빨리 마무리해야 한다는 생각에 점점 더 강하게 눈을 문질렀다.

제 손목을 쥔 힘이 강해졌다. 곧장 뜯겨 나갔다.

코앞에 안스카리우스가 있었다.

“그만.”

티티라는 계속해서 간지러운 부분을 찾기 위해 눈을 찡그리고, 여러 번 감았다 떴다.

그에게 손을 구속당하고도 한참 뒤에야 간지러움이 사그라졌다.

그녀는 겨우 그를 마주 보았다.

“잠을 잤나?”

“아뇨. 오늘은 못 잤습니다.”

“나아지려고 노력은 하는 건가?”

“음…… 정확히 어떻게 해야 할지 몰라서요.”

“방에서 나가고 싶으면 나가라고 말했지.”

“이러고 사는데 피곤해서 어딜 가겠어요?”

안스카리우스는 눈살을 찌푸렸다.

"정말 안 나가겠다고?"
"어딜 가든 이즈버르에 민폐입니다. 다들 싫어할 텐데 배려해야죠."
"……."
"아."
"뭐지?"
"안스가 추천해 준 곳이 있긴 해요."
정말 말이 혀끝에서 바로 튀어나온다니까.
그리고 혀끝이 툭 뱉어 내면 마음도 금세 따라갔다. 그래서 서로가 서로를 북돋아 주며 아주 무지개 끝까지 달려가는 꼴이었다.
"이즈버르에?"
평소라면 방어적으로 말을 주워 담았겠지만, 지금은, 뭐. 인생 가볍게 살자고.
"네."
"안내할 수 있나?"
"가능하죠."
그가 자리에서 일어섰다. 외투를 챙기려는 듯 옆방으로 들어갔다.
티티라는 객관적으로 상황을 받아들였다. '내가 이른 아침에 어딜 가고 싶다니 곧장 따라 일어서는 총독'이군. 당연히 이상하다고 생각했다. 하지만 별로 신경 쓰이지 않았다. 깊게 생각하지 마. 머리 아프잖아.
그녀는 그가 외투를 가져와 제 팔에 끼울 때에도 눈만 깜빡깜빡 뜨고 있었다.
"일 안 하셔도 돼요?"
안스카리우스는 대답하지 않았다. 대신 몸을 숙여 단추를 잠가 주었다.

티티라는 그의 등줄기를 바라보며 생각했다.

가마가 너무 곱게 모여서 찔러 보고 싶은데.

손을 들어 찔렀다.

그는 별달리 반응하지 않고 한 발자국 물러났다.

"안내해."

"각하는 얼굴 가려요."

"가려도 나인 줄 알아."

"사실 각하랑 같이 가긴 싫은데."

"안내해."

"네."

티티라는 문을 열고 나섰다.

복도를 지나 해를 보자, 정말이지 시야가 찢어질 것 같았다. 눈이 너무 따가웠다.

그녀는 고개를 숙인 채 배에서 내렸다. 일정한 속도로 뒤따르는 소리가 들렸다.

그들은 침묵을 유지한 채 해안가 좁은 길로 들어섰다.

티티라는 그쯤 되어서야 빛에 적응하여 얕은 바다를 훑어보았다. 안으로 한참 들어온 탓에 그저 속살거리기만 하는 파도.

"그런데 각하, 어디 가는지 묻지도 않으십니까? 제가 만일 각하를 죽일 함정을 파 놓고 있는 거면 어떡해요?"

그는 무시했다.

바다 위로 자신을 뒤따르는 그림자가 보였다. 말 한마디 안 할 거면 이 길이 무슨 재미야. 아니, 애초에 재미있으려고 나온 건 아니잖아. 잠깐…… 그럼 내가 왜 나온 거지?

그녀는 피곤해서 오락가락했다. 깨질 듯한 머리를 붙잡고, 그래도 여기까지 왔으니 가자는 말이나 중얼거렸다. 걸어온 거리가 아쉬워 계속 나아갔다.

그리고 반 시간 뒤 모래를 밟기 시작했고, 다시 한 시간 뒤 고요한 만에 들어섰다.

티티라는 계속 걸었다.

그러니까 물속까지.

한순간 팔뚝이 쥐여 뒤를 돌아보았다.

안스카리우스가 말하기도 귀찮다는 듯 고개를 저었다.

티티라는 눈을 휘둥그레 떴다.

"저기 있는데요?"

그녀는 부연했다.

"안스가 알려 준 곳이 저기예요."

"……."

"몇 년 전 이즈버르에 방문했을 때 왔고, 그 뒤론 처음이네요. 아무래도 상주가 돼서 개헤엄을 치고 다닐 수는 없으니까요. 그래서 오랜만에, 제가 아무것도 아닐 때 더 생각이 났나 봅니다."

"뭘 찾고 있는 거지?"

티티라는 웃었다.

"동굴, 해저 동굴."

주섬주섬 겉옷을 벗으며 중얼거렸다.

"지난번에도 혼자 들어갔습니다. 그때는 엄청 헤맸는데, 지금은 위치를 정확히 알고 있으니 다행이죠. 안스랑 같이 왔으면 더 좋았을 텐데."

"……."

"소조폴 앞바다에 개랑 서너 번 갔던 해저 동굴이 있거든요. 거기도 멋진데, 자꾸 이즈버르엔 더 대단한 게 있다고 자랑을 하는 겁니다. 그런데 제가 우스페히에 있을 땐 배를 안 태워 줘서…… 한참 뒤에야 오게 됐죠."

티티라는 몸을 풀었다.

"각하도 관심 있으세요? 그럼 보여 드릴 수도 있고요."

"물에 들어가지 마라. 그럴 만한 상태가 아니야."

"여기서 멀지 않아요. 저기 작은 바위까지만 가면 됩니다."

"들어가지 마."

"여기까지 와서? 그럼 무슨 소용이야?"

그녀는 문득 답을 알아냈다는 듯 손바닥을 쳤다.

"아, 당신 바닷물에서 눈 못 뜨는구나!"

"……."

"그러면 어쩔 수 없죠. 다치지 말고 여기 계세요."

"……."

"그런데 웃기긴 해요. 바다를 넘어왔다는 사제왕이 바닷물에서 눈도 못 뜨면 어떡합니까? 설마 헤엄도 못 치는 거 아니야?"

"그래."

"네?"

티티라는 몸을 굽혀 종아리 근육을 늘이던 중, 멈칫했다.

그가 한 걸음 다가와 모래밭에 앉는 것이 느껴졌다. 온기가 느껴질 정도의 거리였다.

티티라는 귀를 믿지 못하고 재차 물었다.

"제가 잘못 들은 겁니까?"

"아니. 잘 들었다."

"각하……. 수영을 못하신다고요? 무슨 배짱으로 바다를 넘어오셨어요. 솔직히 삶을 되돌아봐야 하는 수준이세요. 그동안 뭐 하신 거예요?"

"기본은 알지만, 바다에선 다른 것 같더군."

"그럼요. 바다 수영과 그냥 수영은 다릅니다. 특히 파도와, 해안가 근처의 미친 소용돌이가 섞이면 그냥 죽었다고 보시면 돼요. 제일 위험할 때가 가장 뭍에 가까울 때라는 게 아이러니죠."

"그래. 잘 아는 모양이다. 지난번에도—"

"지난번에도 놀라셨던 게 수영을 못하셔서구나."

티티라는 새로운 발견에 헛기침을 했다. 라요나가 죽은 뒤 고작해야 이즈버르 등대 근처까지 갔을 뿐인데 일군의 사냥꾼을 보냈던 이유가 고작 저거라니. 수영을 못하는 '안스'와 수영을 못하는 '총독' 중 어떤 게 더 충격적인지 알 수 없었다.

그녀는 미련 없이 중얼거렸다.

"그럼 여기 안전히 계세요. 전 다녀올게요."

몸을 일으키다, 문득 팔목이 잡히자 뒤를 돌아보았다.

티티라는 약간의 충격을 받았다.

그녀는 그의 눈에서 두려움을 발견했다. 아주 짧은 순간이었지만…… 티티라는 자신이 본 것을 확신했다.

피로가 싹 달아났다.

"네가 말했듯 근해는 위험하다. 지금은 너를 끌고 나올 만큼 능한 병사도 없다."

그러나 왠지 모르게…… 그녀는 그를 설득할 수 있을 것만 같았다.

티티라는 몸을 숙여 자신을 무감동하게 바라보는 못된 머리통을 껴안았다. 곧장 떨어져 나왔다.

그를 똑바로 보며 말했다.

"저는 고래 배 속에 들어갔다 나올 수도 있어요."

안스카리우스의 눈에 그늘이 졌다.

"지난번에 제가 멀쩡했던 걸 보셨잖아요. 제게 수영의 기초를 알려 준 사람은 무려 안스니까요. 그 애는 위험하다는 해안 절벽에서 뛰어내리고, 해류가 강한 암초 사이를 돌아다니곤 했어요. 제가 그 정도는 못 된다 해도…… 이렇게 가까운 동굴이라면 숨 쉬는 것과 다름없이 쉽게 갈 수 있습니다."

안스카리우스는 대답하지 않았다.

티티라는 그의 손을 떨구며 말을 이었다.

"잠깐 다녀올게요. 잠을 자고, 안 자고, 이 피곤한 상황에 처음으로 하고 싶어진 거니까요."

그녀는 바다로 뛰어갔다.

곧장 물에 빠졌다.

몸을 숙여 머리부터 쓱쓱 나아갔다. 바닥이 살짝 깊어지는 위치에, 엉킨 해조류들 사이로 아주 가까운 곳에, 안스가 알려 준 해저 동굴이 있었다.

아침에 와서 다행이다.

쏟아지는 빛 사이로 물고기들이 유유히 떠돌고 있었다. 지난번 왔을 때보다 훨씬 각양각색으로 늘어난 지느러미들. 발 디딜 틈이 없었다. 인간인 자신이 들어간다면 불청객 취급을 받을 만큼.

예전에 왔을 땐 이 정도는 아니었는데, 몇 번의 산란기를 거쳐 더 붐비게 되었구나.

문득 세월이 흘렀단 사실이 뼈저리게 느껴졌다.

그래, 다시 보니 농어뿐만이 아니었다. 흔들리는 납작 솜털, 모자반들까지 늘어났다. 모든 삶이 소란스레 떠들고 있었다.

티티라는 이제 제 자리가 없다는 생각을 했다.

시간이 지나며, 자신이 아주 많은 곳에서 쫓겨났던 것처럼…… 이 장소 또한 낯선 이를 더 이상 받아 줄 생각이 없는 것이다.

그녀는 깊이 들어가지 않고 물 바깥으로 헤엄쳐 나왔다.

잠시 둥둥 떠 있었다. 파도를 술렁술렁 몇 번 넘기자, 시야가 깨끗해지며 여전히 바닷가에 앉아 있는 안스카리우스가 보였다.

티티라는 손을 흔들어 보였다.

들리지 않을 테니 혼자 중얼거렸다.

"죄다 변했네."

잠시 뒤, 티티라는 뭍으로 올라왔다.

옷자락을 쥐어짜며 안스카리우스에게로 걸어갔다.

이내 정적 속에서 중천에 뜬 해를 노려보았다. 잠을 못 잔 데다 바닷물까지 밴 눈임에도, 왠지 상태가 좀 나아진 것 같았다.

그녀는 햇살을 받아 금빛으로 물드는 머리를 내려다보았다.

"수영은 배워야지."

아이에게 충고하는 것 같아서, 내뱉고 나서야 웃음이 났다.

그의 고개가 올라왔다. 반지르르한 빛이 머리칼부터, 반듯한 이

마로, 콧날로, 입술로, 안개처럼 흘러내렸다.

그 입술이 열렸다.

"네가 가르쳐 준다면."

"당신을 위해 하는 말인데 왜 조건을 걸어."

여전히 어린애를 대하듯 다정했다.

안스카리우스가 희미하게 웃었다.

"내가 '안스'를 닮으면 좋잖아."

그녀는 한 걸음 물러났다. 주먹을 쥐려다가 힘없이 늘어뜨렸다.

"절대 그런 뜻으로 얘기한 건 아니었어. 어차피 나 따위한테 배우는 순간…… 당신은 안스는커녕 소조폴인도 못 돼."

"'따위'라니? 네 입으로 수영을 잘한다 하지 않았나?"

"남부 기준으론 죽지 않을 만큼 하는 거지."

"그러면, '안스'는?"

티티라는 그와의 약속을 떠올리며 꾸역꾸역 답해 주었다.

"걔는 소조폴에서 제일 잘했어."

"그렇다면 내게도 그 흔적이 남아 있겠지. 기본만 알려 줘도 잘할 거다."

"하, 뭐?"

"몸은 같잖아."

그녀는 손사래를 치며 그를 마주 보았다.

"절대 아냐. '안스'는 당신보다 훨씬……."

티티라는 손으로 무언가를 설명해 보려 했다. 그러나 이는 허우적거리는 행동에 더 가까웠고, 더 나아가 둘의 몸집을 비교하던 중 기분이 나빠졌기에 그만두었다. 안스가 저놈보다 훨씬 '말랐다.'고

말하기 싫었다. 안스의 매력은 크고 강한 게 아니란 사실을 알면서도 그랬다.

"'훨씬'?"

"아무튼 몸이 달라. 엄청 달라. 진짜 다른 사람이죠—"

안스카리우스가 그녀의 팔뚝을 잡았다. 티티라는 무관심하게 바라보다가, 그가 잡아 내리기에 천천히 주저앉았다.

"궁금한 게 있다."

"말씀하세요."

"정말 내가 네 '친구'였던 게 맞아?"

"뭘 물어보고 싶으신 겁니까?"

"'연인'은 아니었는지 묻고 있지."

"아, 각하. 매번 주책이세요."

"그래? 그런 태도로 묘사하면서 날 탓하는군."

티티라는 조금 당황했다. 내가 어떤 태도였길래?

물론 안스카리우스를 보면서 안스의 벗은 몸을 떠올리긴 했지—아니, 말이 이상한데. 비교하려면 어쩔 수 없었다. 아니, 이 말도 조금, 아니라니까! 걔는 일 년의 절반은 웃통을 까고 다녔어. 그냥 떠올리면 동네 강아지 꼴인 적이 더 많았단 말이야—

티티라는 갑자기 얼굴에 열이 오르는 것을 느꼈다.

안스의 맨몸은 아무렇지도 않았지만, 그걸 상상하면서 저 인간을 봤다는 사실이 너무도 이상하게 느껴졌다.

그녀는 엉덩이로 슬금슬금 물러났다.

모래가 옷 안으로 조금씩 들어왔다. 젖은 자락에 알갱이들이 달라붙자 맨살이 쓸렸다.

한순간, 그가 몸을 돌려 제 허리를 붙잡아 당겼다. 꾸준히 물러났는데도 저자에게는 한 번 움직이면 다다를 수 있는 거리란 게 놀라웠다.

티티라는 숨을 들이켰다. 얼굴에 오른 열이 아직 떨어지지 않은 것 같았다. 그는 자신을 덮을 만큼 컸다.

안스카리우스가 코앞에서 자신을 바라보았다. 숨소리만 들렸다.

제 가슴팍이 크게 들렸다 내려갔다. 모든 것이, 잘 이해되지 않았다.

그러다 갑자기 급격하게 피로가 몰려왔다. 스스로를 지지하고 있던 힘이 서서히 풀렸다. 빠르게 눈이 감겼다.

그가 제 목덜미 옆으로 살짝 고개를 숙이는 것이 느껴졌다.

"……."

아무 말도, 심지어 호흡도 없었다. 자신이 흐려진 탓에 그렇게 느꼈을 수도 있지만…….

몹시도…… 조용한…… 긴장.

티티라는 다시 눈을 떴을 때 낯선 천장을 볼 수 있었다.

그녀는 끔뻑끔뻑 동그란 무늬를 응시하다가, 이내 방 안을 둘러보았다. 지금껏 자신이 이즈버르에서 지냈던 방들보단 훨씬 평범했다.

여기가 어디지?

머리가 욱신거리는 것을 보니, 그다지 오래 잠들진 못한 것 같았다.

잠시 기다리자 문이 열렸다.

그 사이로 나타난 안스카리우스의 얼굴에 놀라지 않았다.

그 역시 자신이 깨어 있는 것을 보고 놀라지 않았다. 대신 시계를 돌아보았다.

"언제 깨어났지?"

"한 오 분 전이요. 여긴 어딘가요?"

"해변에 가장 가까이 있던 젤렌추치 외곽 부상관."

"아아. 그럼 얼마나 지났죠? 옷……. 으, 냄새……. 이 꼴인데 침대에 들여보내 줬다니, 아량이 넓군요."

"잠든 지 세 시간 정도. 씻을 물은 받아 놨다."

"왜 안 가셨어요? 혼자 돌아갈 수 있습니다."

"널 두고?"

"……."

"마차를 부르기 위해 방금 사역관에 사람을 보냈다."

"……잠든 사람 끌고 가는 게 어려운 일은 아닐 텐데요."

안스카리우스는 침묵했다. 티티라는 약간 긴장한 채 그의 말을 기다렸다. 내가 무슨 실수를 했나?

"네 옷이 마르길 기다렸다."

흠칫 놀라 반문했다.

"해변에서요?"

"그래."

평소라면 '할 일도 없으시군.' 했을 텐데 왠지 입이 떨어지지 않았다.

그녀가 인상을 찌푸리자, 안스카리우스가 빠르게 말했다.

"널 눕혀 놓고 기다렸을 뿐이다."

그녀는 여전히 찡그린 채였다.

대화를 돌아본 그가 정정했다.

“나는 멀리 있었어.”

티티라는 그제야 그가 무슨 생각을 하고 있는지 깨닫곤 재빠르게 대답했다.

“아뇨. 굳이 말씀해 주실 필요 없습니다. 제가 언제 그런 것에 신경이나 썼나요?”

다음 문장은 좀 더 급했다.

“씻을게요.”

“그래. 저 안쪽 방.”

티티라는 걸음을 옮기다 문득 그를 돌아보았다.

“나가 계세요.”

안스카리우스의 눈이 가늘어졌다.

티티라는 엄격한 보호 귀족 부인처럼 문 쪽으로 손가락질을 했다.

그가 조금 웃으며 바깥으로 나갔다.

티티라는 그가 왜 웃는지 모르겠다고 생각했다. 씻는데 나가라는 게 웃긴가?

투덜대며 욕조 안으로 들어갔다.

그러곤 여러 가지 생각을 곱씹어 보았다.

생각해 보니 병에 걸리기 전의 일이 너무 아득해서 그렇지, 저 사람은 내내 이상했었다. 그녀는 안스카리우스가 자신을 향해 가진 감정이 기억에 대한 집착이면서, 동시에 성애라는 것을 일찌감치 파악해 두었다.

그러니 제 뜻대로 안 풀리던 연회 날 밤의 저택에서 화를 낸 거고, 화를 냈는데도 내게 진짜로 해를 입힐 순 없어서 그저 지켜본 거고, 그러고도 내가 병에 걸렸다니 걱정되어 헐레벌떡 뛰어온 거잖아.

티티라는 다 알고 있었다.

그런데 방금 전 그가 지었던 웃음은 해석할 수 없었다. 그리고 잠들기 전 모래사장에서 가빴던 숨도, 아주 조금 붉어졌던 뺨도……. 왠지 전부 한 다발처럼 느껴졌고, 전부 이해할 수 없었다.

그녀는 일부러 몸을 벅벅 씻었다. 피부가 벌게졌다.

수영을 가르쳐 달라니, 그걸 말이라고 하나? 그렇게 날렵하던 안스의 몸을 가지고— 아니, 안스의 몸과는 하나도 안 닮았지만.

티티라는 그만 생각하기로 했다.

그녀는 한참 뒤에야 씻고 나왔다. 두리번거리다 누군가 개켜 둔 옷을 입었다.

그리고 제가 누운 모양대로 눅눅해진 침대를 노려보다가, 염치없이 방 바깥으로 나왔다.

아무도 없었다.

맨발로 복도를 쿵쿵 가로질렀다. 누구라도 마주치면 마실 물을 가져다 달라고 하려 했는데, 이 층은 휑하기만 했다.

그녀는 계단을 찾았다. 요란스레 돌아가자 아래층에 넓은 대기실이 보였다. 안스카리우스가 어떤 이와 이야기하고 있었다.

티티라는 계단 난간에 기대어 두 사람이 대화를 마치길 기다렸다.

곧 안스카리우스 앞에 선 자의 시선이 돌아왔고, 안스카리우스 또한 자신을 바라보았다.

티티라는 발언권을 얻어 말했다.

"마실 물을 좀 주시면 감사하겠습니다. 그리고 신발이 없네요."

"일단 물은……."

그가 시선을 돌리자 상대가 재빠르게 사라졌다.

티티라는 둘만 남은 홀에서 목을 다듬었다.

"신발이 없습니다. 신발은 왜 가져가신 거예요?"

그는 태연하게 대답했다.

"네가 정신이 없었잖아."

"그래서요?

"너는 안고, 벗어 둔 신발은 온통 젖어서 따로 들었다."

"……."

"바깥에 있어. 파도를 맞아 말려야 했지."

티티라는 그에게 선택지가 없었을 거라고 생각했다. 내가 남들에게 '그런' 모습을 보이는 게 부담스럽다고 백번 말한들…… 먼저 곯아떨어진 것부터가 잘못이겠지. 생각해 보면 안스카리우스는 부두에서도 똑같이 굴었다. 달라질 리가 없었다.

그녀는 그사이 상단 관계자가 들고 온 물을 벌컥벌컥 마셨다. 목이 탔다.

"감사합니다."

상단 관계자는 고개를 주억거린 뒤 급히 떠났다. 그는 심지어 안스카리우스에게 인사도 하지 않았다.

티티라는 불쾌한 의심을 품은 채 총독을 바라보았다. 설마 내가 알고 당신도 아는 그 소문을 가만히 내버려 둔 건 아니겠지?

물론 연회에서도 웃고만 있던 사람이 별달리 반응했을 것 같지는 않았다.

티티라는 좀 너무하다고 생각했다.

"각하—"
"아, 마차가 왔군."
"……."
그녀는 떨떠름해하며 맨발로 그를 성큼성큼 따라갔다.
안스카리우스는 문을 나서자마자 몸을 숙여 무언가를— 신발을 집어 들었다. 그렇게 순식간에 문 앞 마차에 들어가선, 제게 손을 내밀었다.
"들어와."
"전 다리 멀쩡해요."
그녀는 그의 손을 무시한 채 마차 안으로 들어갔다. 그 와중 그의 손에서 신발을 빼앗아 신었다.
티티라는 의자에 털썩 앉곤 커튼을 두텁게 쳤다. 혹시라도 누가 볼까 두려웠다.
그가 마차 문을 닫으며 물었다.
"커튼은 왜?"
"누가 보면 어떡합니까?"
"그런 오해는 신경 안 쓴다면서."
"그땐 진짜 아무것도 없었으니까요."
"……."
"그러니까, 며칠 전 부두 일이나 오늘 같은 일이 없었을 때 말입니다. 사람들은 가장 단순하게, 보이는 대로 이해하잖아요."
"……."
"그리고 각하께선 제가 이상한 짓을 하면 좀 막아 주세요. 잠이 너무 많거나 줄면 판단력이 떨어집니다. 각하도 아시잖아요. 그런데 여기까지 각하를 끌고 나오게 두시다뇨. 물론 제가 나오자고 한 거니 죄송하지만…….”

“나는 나와서 좋은데.”

티티라는 신발 안에서 꽉 힘을 주었다.

안스카리우스는 무감동한 얼굴로 소파 어딘가를 바라보고 있었다. 그 덕분에, 겨우 들키지 않았다.

“이제야 네가 좀 제정신으로 돌아온 것 같아서.”

그 말을 끝으로 그는 더 이상 입을 열지 않았다.

티티라는 동의했다. 그의 말이 옳았다. 그녀도 자신이 해저 동굴을 보고 온 뒤 보다 냉정해졌다고 생각했다. 잠에 대한 문제는 여전했지만, 더 이상 정신을 빼놓은 양 굴지는 않았다.

병에 적응한 것인지, 아니면 정말 조금 나아진 것인지는 아직 알 수 없었다.

단지 제 발끝에 닿은 다른 이의 신발이 신경 쓰였다.

이 거슬리는 과민함도, 아마 잠 때문일 것이다.

티티라는 꼬박 하루를 깨어 있다가 다시 같은 시간 동안 잠들길 반복했다. 굳이 회복하려 노력하지 않았단 점을 감안하면 확실히 처음보단 발전을 한 셈이었다. 어쨌든 '규칙적'이지 않나.

안스카리우스는 해변에 다녀온 뒤로 자꾸만 자신에게 디아세를 붙여 산책하도록 시켰다.

해변에서 나아진 만큼 무언가를 기대하나 본데, 티티라는 꿋꿋이 부두를 벗어나지 않았다. 교국군에게 '저 미친 여자'라는 소리를 들을 때까지 비슷한 자리를 맴돌았다.

그러다 마침내 탈란타우에와 마주쳤다. 그때 자신은 정말 수면 부족으로 정신이 없어서 횡설수설을 했다.

사제왕은 별다른 대답을 하지 않은 채 자신을 내려다보았다. 그 순간이 날숨 정도였는지, 아니면 노래 한 소절, 혹은 메아리가 오갈 만큼의 시간이었는지 정확히 알 수 없었다.

단지 제게 내리꽂히는 묘한 경멸의 시선을 느꼈을 뿐이었다. 그게 얼마나 강렬한 감정이었던지 그녀는 뒤에 선 디아세의 존재도 잊어버리고 말았다. 그 정육면체 공간에 자신과, 저자와, 인세의 경멸만이 응축되어 있는 듯했다.

탈란타우에가 떠난 후, 자신은 주춤거리다 이프루이우호로 돌아갔다.

그 뒤 눈이 벌게질 때까지 책을 한 권 뽑아 읽고, 글자가 머릿속에 하나도 들어오지 않자 탁자 위로 엎어졌다.

이처럼 멍하니 시간을 보내다 보면 문이 열렸다.

자신을 못 나가게 가둔 것도 아닌데, 문이 열릴 때마다 조금쯤 반가웠다.

안스카리우스는 하루 일을 마치고 돌아와 제 상태를 확인했다. 파르훈 오피오, 디아세의 보고를 경청하고, 그들을 내보낸 뒤 제게 교차 검증을 하려 들었다.

티티라는 논리적으로 답변하는 것이 너무 고통스러웠다. 하지만 이 저녁의 일과마저 해내지 않으면 정말 백치가 될 것 같아 견뎌냈다.

그러면 안스카리우스는 따뜻한 차를 타 주었다. 자신이 졸려 휘청이면 침대로 인도했다. 잠들지 못해 시체처럼 앉아 있으면 제 양 뺨을, 그러니까 목덜미와 귀까지 감싼 채 한참을 바라보곤 했다. 그 온기에 곤두선 신경이 무너지는 것 같아 거부하기 어려웠다.

이자와 이렇게 지낸다는 사실을 믿을 수 없을 만큼 밤은 평온했다.

선장실의 불은 항상 켜져 있었다.

안스카리우스는 그렇게 두세 시간을 이프루이우호에서 보낸 뒤 사역관으로 돌아가곤 했다.

그리고 다음 날 아침 다시 배를 방문하는 게 일상이었다. 짧게 제 상태를 확인하고 떠나는 그의 모습이 정말 익숙했다.

티티라는 이 일과가 두려웠다. 태어나서 한 번도 이렇게 무력한 상태로 돌봄당한 적이 없었다. 애초에 무력함을 치욕이라 생각하여 굴러떨어지지 않으려 했으니 당연한 일이다.

그러나 지금은 병세에 도저히 반항할 수 없었고, 반항할 마음도 없었다. 그렇기에 팔다리를 쭉 편 허수아비가 되었다.

이런 허수아비를 책임자가 돌보려 드는 것은, 그래, 어쩔 수 없었다. 그래서 안스카리우스를 거부하지 않았다.

하지만 아픈 시간 동안 누군가 자신을 간호해 주는 감각에 익숙해진다면 병이 낫고도 그 시절을 조금쯤 아쉬워하게 될 것 같아 두려웠다. 한순간 스며든 물렁한 마음을 평생 숨기고 살아야 하는 거다.

다행히 아직은 익숙해지지 않았다.

내겐 할 일이 있단 말이지.

티티라는 제 앞에서 재판에 대해 이야기하는 안스카리우스를 뚫어져라 응시했다.

"만일 대리인에게 답변할 일이 생기면……. 아니다. 지금 네 상태는 이즈버르 내의 온 교국인이 다 알 거다. 물어보지도 않을 테지."

"……."

"일주일째 같은 몰골인데 노력은 하는 건가?"

"각하 기억이 노력한다고 돌아오지 않듯, 세상엔 노력으로 안 되는 게 더 많아요."

티티라는 불쑥 내뱉곤 다시 단검을 만지작거렸다. 안스가 준 단검이었다.

안스카리우스는 그 모습이 마음에 들지 않은 모양이었다. 그는 탁자에 놓인 칼집을 들어 단검에 꽂았다. 예리한 날이 덜걱하고 어둠 속으로 사라졌다.

"조심해라."

"……."

"어디까지 했지? 그래, 14조에……."

티티라는 단검을 빼앗기자 꾸벅꾸벅 졸기 시작했다. 방금 전까지 빠릿빠릿하게 깨어 있다가 이게 웬일인가 싶을 만도 하지만, 이미 둘 모두에겐 한참 전에 익숙해진 일이었다.

그녀는 잠에 발을 담갔다.

그사이 큰 손이 어깨에 얹혔다.

"내일은 일찍 깨라."

"……내일…… 아니면 모레겠죠……."

잠은 범선만 한 높이로 몰려왔다. 철썩. 자신을 때렸다.

티티라는 그의 힘에 의지해 일어섰다. 엉기적엉기적 걸어가다가 침대에 코를 박고 엎어졌다. 무릎이 구부러졌다. 지금은 잠을 빼면 세상 모든 게 의미가 없었다.

그렇게 바닥에 무릎을 꿇은 채 깜빡깜빡 자다 보면, 누군가 제 신발을 벗기는 감각이 느껴졌다. 그리고 습관처럼 꽉 졸라맨 조끼, 셔츠의 단추를 풀고, 모든 것을 느슨하게 해 주었다. 힘이 쭉 빠졌다.

그녀는 어느새 침대 이불 속에 누워 있었다.

선장실의 등은 그 뒤에야 꺼졌다.

티티라는 아무도 곁에 없다는 사실을 깨닫곤 안심했다. 그제야 작은 불처럼 깜빡이던 의식이 완전히 사라졌다.

그리고 늦은 저녁에 깨어났다.

티티라는 다시 고통스레 눈을 뜨고 있어야 하는 스물네 시간이 걱정되었다. 잠들 때는 그저 사라지는 느낌이지만, 깨어날 때는 영혼이 산 채로 잡아 뽑히는 것 같았다.

지금은 탈란타우에와 재판 때문에 견딜 수 있었다. 그러나 만일 일이 끝난 뒤에도 병이 남아 있다면……. 이건…….

호흡 곤란은 귀여운 수준이었다. 그건 적어도 다룰 수 있었으니까.

그녀는 막막했다. 그렇기에 오히려 더 생각하지 않으려 했다.

'해결하면', '나아질 거야.'

해결하지 못하면……?

그녀는 넋 놓고 있다가, 방문이 열릴 때에야 제정신을 차렸다.

이번에는 고개를 돌리지 않았다. 빈 책상만 바라보았다.

따뜻한 손이 한쪽 뺨을 감쌌다. 이제는 어떤 말도 낌새도 없이 제게 와 닿는 온기였다.

티티라는 부르르 떨며 시선을 올렸다.

"잠은?"

안스카리우스는 절대 식사를 했는지, 얼마나 쉬었는지 따위를 묻지 않았다. 그건 그녀 자신이 누구보다도 잘 챙긴다는 사실을 알기 때문이겠지. 그렇기에 중요한 것은 오로지, 그녀가 다룰 수 없는 '잠'.

"두 시간 전에 깼습니다."

그는 시계를 보지도 않은 채 대답했다.

"스물여섯 시간."

"네."

"더 나빠졌군."

"오르락내리락하는 거죠."

"이틀 뒤가 재판이다."

"제 재판도 아닌데요. 각하께서 어련히 잘 준비하셨을 거라 믿습니다."

"……."

"죄송합니다만, 솔직히 아프기 전에 머리에 익혔던 내용을 제하면 전부 뒤죽박죽입니다. 외우기 쉽지 않습니다. 노력은 하겠지만 아마 더듬을 테고, 그런 제가 얼마나 믿음직스러운 증인이 될지 잘 모르겠습니다. 그래서 애써 이 몰골로 부두를 산책한 것이니, 그간 제 꼴을 봤던 교국의 높으신 분들이 이를 헤아려 주시길 바라고 있습니다."

"말은 이렇게 잘하는데."

그는 어느새 제 눈앞에 앉아 있었다. 뺨을 감싼 손은 여전했다.

시선이 자신을 꿰뚫을 듯했다. 한순간 걱정하는 듯하다가도, 언뜻 분노가 들어찬 것 같기도 했다. 그러나 그 대상이 누구인지는 잘 알 수가 없었다.

"믿는 구석이 있나?"

"네?"

“노력하지 않는 것 같아서.”

“병에 ‘믿는 구석’이라니요? 신이라도 믿으면 나아지려나.”

뺨을 감싼 그의 손에 갑자기 힘이 들어갔다. 꽉, 움켜쥐었다.

티티라는 아픔에 얼굴을 찡그렸다.

손을 떨치려 했으나…… 상대의 얼굴 위로 옛 기억이 스쳐 그녀를 상처 입혔다.

정말 똑같은 기억이었다. 안스와 함께 일을 하던 중 제게 묻은 잉크를 씻던 날 밤. 드디어 깨끗해졌다고 생각하여 돌아섰는데, 갑자기 내 얼굴을 쥐더라고. 그 힘보다, 그때 보았던 안스의 얼굴이 더 선명하게 남아 있었다.

등 뒤로 가물가물하게 스며드는 빛. 부하게 떠오르는 먼지, 혹은 수증기. 깨끗한 흰자 위 어두운 동공. 살짝 떨리는 고개에도, 핀에 꽂힌 듯 내게만 고정된 시선.

티티라는 기억을 지우기 위해 급하게 중얼거렸다.

“각하의 신앙을 모독한 건 아닙니다. 그냥 말해 본 거예요.”

“또, 탈란타우에를 죽이려 든다면.”

티티라는 반응하지 않도록 노력했다.

그리고 기다렸다.

‘이번에야말로 널 책임지지 않겠다.’, ‘재판일에는 손을 묶어 두겠다.’ ‘어차피 탈란타우에에겐 손도 못 댈 거다.’ 그의 다음 말을 백 가지도 더 셀 수 있었다.

“…….”

티티라는 조심스레 제 뺨 위의 손을 떼어 내려 했다.

그러자 마치 꺼진 등에 불이 들어오듯, 그가 말했다.

"선택하게 만들지 마라."

정적.

순간 어디서 용기가 났는지 몰랐다.

너무 오랜 잠에서 깨어나 얼떨떨한 정신일까, 아니면 그렇게 싸우고도 병마 한 번에 부드럽게 뭉개진 관계일까, 그것도 아니면 해변을 함께 보고 왔던 기억일까. 그러니까…… 그가 잠든 이를 보고 있었다던 세 시간…….

그녀는 중얼거렸다.

"날 선택할 거잖아."

안스카리우스는 대답하지 않았다.

대신 제 얼굴을 감싼 손에 힘이 풀렸다.

티티라는 그가 자신을 포기한 거라고 생각했다. 제 말이 맞든 틀리든, 이 지경에 와서도 고집을 피우는 인간이라면 맥이 빠질 수밖에 없겠지. 어쩌면 기특하게도 날 구속한 것부터가 잘못이었단 사실을 깨닫고, 재판이 끝나자마자 풀어 주기로 결심했을지도.

그러나—

이마가 닿았다.

티티라는 눈만 여러 번 깜빡였다. 문득 정신을 차리니 아직도 뺨에 온기가 남아 있었다. 아직— 아니, 오히려 더— 그가 가까이 느껴졌다.

"널 선택하면."

그에게 닿은 이마가 아찔했다.

"내게 오기는 하고?"

이마에 엉겨 붙은 열기가 뺨을 타고 내려왔다. 숨소리가 들렸다.

그가 아니라 제게서 흘러나온 숨이었다.

물러나려 했으나 이내 입술이 닿았다.

처음도 아닌데 발끝이 뻣뻣해졌다. 그의 어깨를 밀쳐 냈다.

안스카리우스는 애초에 그다지 열의가 없었다는 듯 바로 떨어져 나갔다.

티티라는 그제야 깨달았다. 그가 입을 맞추든 맞추지 않든…… 그건 전혀 상관이 없었다. 그녀는 오히려 그의 '시선'에서 도망가고 싶었다. 그림자 속 흰자와 푸른 동공이 선명하게 분리되어 있었다. 그 테두리가 집요하게 자신을 쫓아왔다. 초조했다. 심장이 쿵쿵 뛰었다.

"티, 대답해 봐."

"……."

"내가 널 선택하면, 내게 올 건가?"

"……'온다'는 덴 여러 뜻이 있잖아."

"내가 무슨 말을 하는지 알 텐데."

티티라는 잠깐 침묵했다. 다음 말을 준비하기 위한 침묵이었다.

"내 답은 그날 밤이랑 똑같아. '나랑 떠날래?' 내가 당신을 따라가진 않을 거야."

안스카리우스는 그날 밤, 똑같은 질문에 화를 냈다. 자신이 그를 원하는 것이 아니라, 제 아래에 있어 안심이 되는 어떤 증거를 원하는 것뿐이라고 언성을 높였다.

그래서 티티라는 이번에도 그가 성을 낼 줄로만 알았다…….

"그래, 알겠다."

그녀는 얼떨떨하게 그를 바라보았다.

그는 다시 한번 고개를 기울여 입을 맞췄다. 그리고 그녀가 반응할 새도 없이 물러나 탁자에 기댔다. 너무도 자연스러워서, 마치 아무 일도 없었던 듯했다.

티티라는 손등으로 입술을 문지르며 쏘아붙였다.

"지난번엔 싫다면서?"

"너도 바뀐 이유를 알 텐데."

"무슨 뜻이야?"

"그때와 상황이 다르지."

"똑같은데!"

"기다리면 알아."

티티라는 선문답에 인상을 찌푸렸다. 그러나 마침 파르훈 오피오가 문을 두드려 입을 다물 수밖에 없었다.

"들어와라."

티티라는 그날 밤 내내 안스카리우스를 의심스럽게 바라보았다. 한숨도 못 자는 바람에 감시하기는 쉬웠다. 물론 별다른 성과는 없었지만.

그때와 무엇이 달라졌고, 기다리면 무엇을 알 수 있단 걸까?

재판 날은 날씨가 맑았다. 누군가에게 시노드 신넬 남부를 소개한다면 바로 오늘 보여 주고 싶을 정도로, 바람이 비현실적으로 좋았다.

티티라는 삐걱거리는 이프루이우호 주갑판의 의자에 앉아 있었다.

그녀는 실용적인 시노드 신넬인으로서 배 위에서 재판을 진행한다는 사실이 잘 이해되지 않았다. 코앞에 이즈버르 재판소도 있고,

그게 싫다면 항구에 판을 차려도 될 텐데, 바득바득 좁은 갑판 위로 사람들을 모은 것이다.

한데 이야기를 듣자 하니 '신성한 교국의 땅' 위에서 재판이 진행되어야 한다는 모양이었다. 아직 시노드 신넬은 '신성한 교국의 땅'이 아니라나 뭐라나. 아니면 '교국의 땅'은 맞는데 신성하진 않다는 건지 뭔지.

어쨌든 결론은 주갑판이 사람들로 빽빽하게 들어찼다는 것이었다. 고귀한 재판을 내려다볼 수 있는 이는 신뿐이라는 해괴한 논리로 선미루와 반 갑판은 싹 비운 뒤, 주갑판에만 사람을 몰아 둔 것이다.

주갑판에는 재판의 주요 인원들, 그러니까 고발인이자 법관인—정말 놀라운 조합이다.— 법황의 대리인 소존데, 참심參審[1] 직을 수행하는 탈란타우에, 피고 안스카리우스, 보증인이 된 티티라 돔니니—나—와 이즈버르의 어용상인들, 또 교국군의 대대장, 수석 백인대장들이 일개 호위처럼 빳빳이 서 있었다.

시장 바닥도 이보단 덜 복잡할 것 같았다.

투덜댔지만 물론 긍정적인 점도 아주 많았다. 아니, 사실 제게는 행복투성이였다. 갑판이 빽빽하고 복잡한 만큼 살인이 쉽사리 눈에 띄지 않을 것 같았으니까. 또, 선장실 바로 앞인 덕분에 저에 대한 수색이 매우 소홀했다는 점도 잊을 수 없었다. 지금 제 소매 속에는 안스의 단검이 있었다.

티티라는 멀리 떨어져 앉은 탈란타우에를 보며 작게 한숨을 내쉬었다. 그 옆에는 호위가 있었지만, 기껏해야 두 명이었다. 저 인간

---

1) 선출된 시민이 법관과 동등한 자격으로 재판에 참여하는 일.

만 내 곁에 있었더라면 딱 최고였을 텐데. 재판이 시작하기도 전에 죽였을 텐데.

"……로 인해 안스카리우스 드라수스 바를라암의 자의적인 행동이 주의 영광과 교국의 안위에 심대한 영향을 미친 점……."

티티라는 한참 재판이 진행되는 도중 의자에 가만히 있질 못한 채 발을 꼼지락거렸다.

이 재판 때문에 고작 아홉 시간 만에 깨어나서, 점차 집중력이 흐려지고 있었다. 그 전에 스물세 시간 동안 눈을 부릅뜨고 있었으니 적어도 스무 시간은 잤어야 했는데, 오늘은 깨어나지 않으면 바다에 던질 기세로 난리기에 비척비척 일어났다. 그렇게 일어나서 의관을 갖추고 이제 세 시간째, 슬슬 체력이 능선에 다다르고 있었다.

게다가 재판이 안스카리우스가 몇 주간 준비시킨 것에 비하면 너무 시시하기도 했다. 대리인 소존데는 벌써 한 시간째 혼자 안스카리우스의 잔악한 죄를 떠들어 대는 중이었다.

해가 서서히 정오로 치닫고 있었다. 다들 집중력이 떨어지진 않았을까 궁금하여 슬쩍 돌아보았다.

제 곁 보증인들은 긴장하여 꿈쩍도 안 했고, 탈란타우에는 알 수 없는 시선으로 대리인을 노려보고 있었으며, 안스카리우스는 법관의 모든 문장마다 고개를 끄덕이고 있었다. 그 사이사이 꽉 찬 군인들은 밀랍 인형처럼 단단했다. 아, 디아세 혼자 바닥을 노려보고 있는 모습이, 여기서 저 인간만이 그나마 사람처럼 느껴졌다.

그녀는 한바탕 감상을 끝낸 뒤, 다시 제 자리에 주의를 기울였다.

그리고 깜빡.

티티라는 자신이 졸았다는 사실을 느끼곤 소스라치게 놀랐다. 실제로도 '헉' 소리가 났다. 옆자리에 있던 이즈버르 상인이 팔꿈치로 자신을 아프게 찌르는 것이 느껴졌다.

"……교국 신민의 소중한 조세를 불필요한 전투에 낭비한 죄……."

"……부정합니다. 사전 제출한 증거물 일 호에 따르면 소조폴과 도이도흐의 안정적인 통치를 위해 권역을 확대할 필요가 있었음을 알 수 있습니다. 사유를 정리하자면 첫째……."

깜빡.

"……상주 티티라 돔니니의 증언을 요구한다."

다시 누군가가 자신을 아프게 찔렀다.

티티라는 놀라서 깨어났고, 방금 전 자신이 들었던 언어를 해독해 냈다.

"상주 티티라 돔니니의 증언을 요구한다."

젠장, 뭐에 대한 증언이지? 하나도 못 들었다.

그러나 온 갑판의 시선이 제게 몰려 있었다. 벌써 얼굴이 일그러진 대리인 소존데, 무표정한 안스카리우스, 웃고 있는 탈란타우에.

웃고, 있는, 탈란타우에.

티티라는 벌떡 일어섰다.

"예하. 저, 소조폴 상주 티티라 돔니니가 증언합니다. 증거물 십칠 호에 따르면, 저희 소조폴 상단이 이즈버르의 제안에 상단의 존폐를 오가는 위기를 겪었음을 확인하실 수 있습니다. 311년 초, 이즈버르는 남부 사탕수수 농장을 독점하고자 하는 야욕을 드러냈습니다. 남부 사탕수수 농장 거래 권한을 가진 모든 남부 상단에, 거부하기가 불가능한 협박성 제안을 해 왔습니다. 저희의 경우는, 저희가 이즈버르에 가진 모든 항로로 협박당했습니다. 이즈버르가 항로를 차단하면 저희 매출의 삼 할 이상을 차지하는 중부 교역로가 막힙니다. 처음에는 소조폴 상단의 힘만으로 살길을 모색했으나 역부족이었습니다. 이에 언제나 소조폴 상단을 돌보시는 각하께, 안스카리우스 드라수스 바를라암 총독 각하께 도움을 청했습니다."

그녀는 살짝 헐떡이며 짧은 발언을 마쳤다. 안스카리우스가 가장 줄이고 줄인 요약본이었다. 흘끗 바라보자, 그가 시선을 살짝 트는 모습이 보였다.

됐다.

"잘 알겠다, 소조폴 상단주 티티라 돔니니."

대리인은 여전히 인상을 찌푸린 채 그녀를 바라보고 있었다. 영 내키지 않는 문장을 씹어 내뱉는 듯했다.

어쨌든 자신의 임무는 멍청하게나마 완수했다. 그녀는 안도의 숨을 내쉬며 주저앉으려 했다.

그리고 의자에서 미끄러졌다. 한순간 눈앞이 흐려졌다. 끔찍한 무게의 잠이 닥쳐 왔다가, 다시 멀어졌다가…….

티티라는 다시 정신을 차렸다.

무시무시한 정적이 흘렀다.

그녀는 흘끔 주변을 훔쳐보며 조심스레 의자 위로 기어 올라왔다. 겨우 의자에 안착한 뒤 주변을 둘러보았다.

탈란타우에가 아까보다 더 웃고 있었다. 뺨 끝까지 머무르는 미소가 가증스러웠다.

"소조폴 상단주. 주 앞에 판결을 내리는 신성한 재판장에서 행동

거지를 주의하라."

"……죄송합니다, 예하."

그녀는 먹힌 목소리로 대답했다.

대리인의 입속에 맴도는 욕설이 실제 문자로 보일 지경이었다.

병든 닭처럼 부두를 돌아다니는 꼴을 보고 진작에 증인석에서 물려야 했는데. 사제왕들의 고집에 패배해 올렸더니 이 고귀한 자리를 모욕하는군.

티티라는 고개를 푹 숙였다. 사실 대리인이나 군인들에겐 부끄럽지 않았다. 그러나 단 한 사람, 탈란타우에가 제 꼴을 조롱하고 있다는 사실에 속이 울컥댔다. 그의 말 때문에 저가 병든 것은 맞으니……. 자신을 작은 공격에 무너진 비리비리한 놈으로 취급해도 할 말이 없었다.

그나마 스스로 아파 탈란타우에가 경계를 낮추게 되었단 점을 위안 삼아 보려 했으나, 정말 힘을 잃으면 그의 경계가 낮아진들 무슨 소용이란 말인가. 그가 무방비하게 다가오든 어쩌든 나는 병자처럼 길게 누워 있을 뿐인데.

티티라는 졸지 않으려 필사적으로 애썼다. 그동안 머릿속에서 세운 수만 개의 계획은 어쩔 거냐고. 탈란타우에가 인사라도 하러 올 때, 나를 제압하려 고개를 숙일 때를 노려야 하지 않겠어…….

그러나 눈이 계속 감겼다. 자꾸만 옆으로 미끄러지려는 몸을 보증인들이 붙잡았다. 보증인, 그러니까 이즈버르 상인들은 이 작자가 중요한 자리에서 이렇게 구는 꼴이 믿기지 않는지 이를 갈았다. '같은 상주로서 쪽팔리니 죽기 싫으면 정신 차려라.' 입을 열 수 있다면 아마 이렇게 말했겠지.

자신도 기가 막히는 것은 마찬가지였다. 물론 그녀에게는 의미 없는 재판이었지만, 아무리 그래도 안스카리우스가 꾸준히 강조했던 결전의 날 아닌가.

대리인 소존데로 인해 그가 가장 아끼던 군인들이 숙청당했고, 돈이 얼마가 들지 모르는 교회를 건축하도록 명 받았지. 만일 여기서 그에게 불리한 결과가 나온다면 정말 크게 다치거나 죽을 수도 있는 거였다.

꾸벅.

인간의 몸이란 너무도 나약했다. 머릿속에서 자지 말라고 수백 번을 외쳐도 통 정신이 들지 않았다.

안스카리우스가 아니라 너 자신을 생각해서 깨란 말이야! 지금 네 소매에는 안스의 단검이 있잖아. 탈란타우에가 이 멍청한 모습을 비웃으러 접근할 때를 노려야 하잖아. 그것 때문에 부두에도 자주 나갔던 거 아냐? 그가 너를 충분히 조롱하도록…….

꾸벅.

시간이 얼마나 지났는지 몰랐다.

그녀는 이번에도 옆자리 상주에게 발을 밟혀 깨어났다.

"……이상 다섯 가지 조항을 법황 성하께서 갸륵히 여기신 바, 피고인 사제왕 안스카리우스 드라수스 바를라암에게 다시 한번 신민에게 봉사할 기회를 부여한다. 선지자께서 가로되, 주의 자식은 언제나 주 앞에 죄인이니라. 그러므로 샘으로 바위에 구멍을 뚫듯 인생을 수고롭게 살아야 나아갈 수 있는 것이다. 그 삶의 궤적으로 말미암아 여러 날 뒤에야 주께서 너희를 진정으로 심판하심을 알라."

티티라는 안스카리우스가 무죄라는 선언을 듣고도 그다지 극적으로 깨어나지 못했다. 그렇게 될 거라고 생각했고, 그렇게 되었을 뿐이었다.

아, 생각해 보니 오늘을 기점으로 그에게 더 이상 자신을 묶어 둘 핑계가 없어지는 것 아닌가. 그러면 이젠 무슨 변명을 할까 아주 잠깐 궁금하긴 했다.

그리고 다시 졸려 했으나— 이번에도 옆자리 상주에게 팔뚝을 붙잡혀 일어섰다.

두 발을 디디고 서자 그래도 아까처럼 정신 나간 듯이 졸지는 않았다. 겨우겨우 앞을 바라보았다.

선고가 끝나고, 대리인 소존데가 단을 내려가는 모습이 보였다. 흰 깃털을 꽂은 호위군 여럿이 그를 따라 소란스럽게 동선을 짜 맞추는 듯했다.

대리인은 돌아보지 않은 채 갑판에서 사라졌다. 그제야 사람들 사이의 긴장이 풀렸다.

부두에서 새로운 군인과, 재판용 단을 해체할 인부들이 올라왔다. 빈 공간이 웅성대기 시작했다. 제 옆자리 상인들도 값비싼 옷자락을 들춘 뒤 겨우 난 틈으로 돌아 나가려 했다.

티티라는 상인들을 피하며 흐릿한 시선으로 주변을 둘러보았다. 탈란타우에 또한 자리에서 일어서고 있었다. 호위병이 그를 따랐으나, 그는 곧장 이프루이우호를 뜨지 않고 오히려 안쪽으로 몸을 틀었다.

그녀는 자기도 모르게 그에게 여러 걸음 다가갔다.

탈란타우에의 시선이 제게로 향했다. 금세 그의 얼굴에 희미한 미소가 스며들었다. 네깟 병자가 여기까지 와서 뭘 할 수 있는지 보자는 듯…….

어?

티티라는 공간이 일그러지는 것을 느꼈다.

멋진 바닷바람이.

습기에 수런거리는 소음이.

디아세가…….

쾅쾅쾅. 갑판을 짓밟으며 달려.

탈란타우에의 앞에 다다랐다.

이미 팔이 들려 있었다. 언제 꺼냈는지 모를 중검이었다. 정확하고, 신속했다.

티티라는 넋을 놓은 채 그 광경을 바라보았다.

탈란타우에의 앞섶 위로 칼이 스쳤다.

'스쳤다.'

단 한 순간이었다. 주변 군인들이 소리 지르며 모여들었다. 무수히 많은 손이 디아세를 덮쳤다.

탈란타우에는 디아세의 칼에 스친 가슴팍을 꽉 누르며 뒤로 물러났다. 그는 아슬아슬하게 죽음을 피했다. 저만큼 나이를 먹은 인간이 갑작스러운 공격에도 반사적으로 몸을 틀 만큼 날래다니 믿기지 않았다.

늙은 사제왕은 고작 한 걸음이 아니라 여러 걸음, 아니, 끝없이…… 뱃전에 다다를 때까지 물러섰다. 배에 등이 턱 하고 걸리자 목이 덜컥였다. 그 정도로 정신이 없었다. 주름진 얼굴이 일그러져 있었다. 사제왕이 저만치 당황스러워하는 표정은 처음 보았다…….

디아세는 검은 정복들 사이에 갇혀 있다가, 순식간에 제압당해 양팔이 꺾였다. 몸부림쳤지만 십수 개의 손에 꿈쩍도 할 수 없었다.

디아세가 이를 드러냈다. 그간 내내 침착했던 그를 생각하면 저 인간은 지금 확실히 제정신이 아니었다— 다만 그를 붙잡은 이들도 당황해 있기는 마찬가지였다.

모든 광경이 매우 느리게 흘러가는 기분이었다.

사람을 조이는 공기 속에서…… 그녀는 디아세와 눈이 마주쳤노라 확신했다.

티티라는 그 순간 자신이 무엇을 해야 할지 알았다.

그녀는 조용히 걸어갔다. 아무도 작은 상주에게 관심을 두지 않았다. 소매 속, 서늘한 칼자루가 느껴졌다.

시선은 앞을 향했다. 다들 우왕좌왕하며 도망가거나 범인에게 소리를 지르는 가운데, 제게는 오로지 한 사람뿐이었다. 빠르지도 느리지도 않게, 곧지도 구부리지도 않은 채, 살지도 죽지도 않은 존재처럼 희미하게 다가갔다.

그러다 왼손을 틀어잡혔다.

찰나, 어마어마한 분노에 휩싸여 고개를 들었다.

어느새 곁에 다가온 안스카리우스였다.

굳은 용암에서 터져 나오는 불꽃처럼 화가 치솟았다. 온몸이 뜨거워졌다.

안스카리우스, 죽일 거야! 저놈을 못 죽이게 하면 널 죽일 거야! '너부터'가 아니라 '널' 죽인다고! 차라리 너라도 세상에서 없어지면 안스를 잊을 수 있겠지!

안스카리우스가 제 눈을 바라보며 입술을 달싹였다.

티티라는 이를 악문 채 팔을 뿌리쳤다. 제 행동이 사람들의 눈에 띌까 걱정되어 욕설을 내뱉지도 못했다. 모든 소리를 참아야 했다.

공기에 스며들어야 했다.

그녀는 그를 반걸음 지나갔다.

뒤에서, 아주 조용한 목소리가 들렸다.

"티티라 돕니니."

하지만 티티라 돕니니는 아랑곳하지 않았다. 그 목소리와 함께 달음박질쳤다.

뒤에 있는 사람이 어떻게 되든 제 알 바 아니었다. 오히려 이번에 실패했다간 정말 다시는 기회가 오지 않겠다는 생각만 강해졌다.

모든 사고가 한 점으로 좁혀 들었다.

'죽여야 해.'

탈란타우에는 그때까지 디아세를 노려보고 있었다. 그에게서 시선을 떼지 못하는 모양새였다. 디아세가 왜 그랬는지 전혀 모른 채 단지 교국군이 미쳤다고 생각하는 것일지, 아니면 정반대로 너무 잘 알아서 교국군의 수치로 여기는 것일지, 알 수 없었다.

티티라는 마침내 마지막 발자국을 내디뎠다. 처음 시작한 곳부터 이곳까지 고작 몇 초도 걸리지 않았다. 그사이 누군가에게 잡히고 뿌리쳤던 기억은 흔적조차 없었다.

그녀는 탈란타우에의 허리를 껴안았다.

다리를 걸고, 불시에 몸을 비틀었다.

이번에는 오트카저트 때와 달리 체중이 승리하지 않았다. 그때는 마음보다 몸이 더 무겁던 어린 시절이었다. 이제는 몸보다 마음이 더 자라고 말았다. 그렇기에 건강한 몸보단 귀신처럼 미쳐 버린 정신이, 고통스러운 숙원이 승리했다.

그녀는 그를 뱃전으로 넘겼다.

그를 껴안은 채 함께 바다에 떨어졌다.

바다 면이 제 뺨을 갈겼다. 만반의 준비를 하고 물보라를 맞이했기에 놀라지 않았다.

머리부터 발끝까지 따뜻한 여름 바다에 잠겼다. 사지가 긴장하여 찌릿찌릿했다.

떨어지기 전 잠금쇠를 풀었으므로, 어느새 칼자루가 제 손으로 내려와 있었다. 그녀는 급하게 자루를 쥐고 탈란타우에의 가슴팍으로 내리 찔렀다.

칼이 부드러운 살을 살짝 베었으나, 그뿐이었다. 두터운 갈비뼈가 가로막았다. 물속에서 힘을 주기가 쉽지 않았다.

그리고 그렇게 한 번의 기회를 놓치자 탈란타우에가 달려들었다. 그는 자신을 반쯤 껴안은 그녀에게 반대로 힘을 주었다. 숨이 턱 막혔다.

그녀는 어설프게 단검을 뒤로 숨겼다. 곧장 빼앗길 줄 알았는데 그는 자신을 잡고 흔들기만 했다. 아니, 정확히는 '더듬었다.' 제 어깨를 쥐어 도망가지 못하도록 한 뒤, 장님처럼 더듬어 갔다.

티티라는 그제야 그가 바닷속에서 제대로 눈을 뜨지 못한단 사실을 깨달았다.

용기를 얻어 다시 발버둥 치며 칼을 들었다. 이번엔 그의 목을 찌르려 했다.

그러나 계속해서 자신을 더듬던 탈란타우에에게 팔을 잡혔다. 괴물 같은 힘이 저가 공격한 팔뚝을 순식간에 거슬러 왔다. 칼을 빼앗으려는 듯했다.

티티라는 놀라서 단검을 바닷속으로 밀어 버렸다.

그렇게 그녀는 탈란타우에와 단둘이, 맨몸뚱이로, 바다에 남았다.
그는 곧장 그녀의 목을 찾아 감쌌다.
순식간에 목이 단단히 졸렸다. 눈은 부릅뜬 채로, 새하얘지는 얼굴이 느껴졌다.
'이러다 진짜 죽어.'
버둥거렸다. 걷어찼다. 탈란타우에의 두터운 양 손목을 떼어 내려 노력했다. 어림도 없는 힘이었으나…… 다행히 바다가 자신을 비늘 달린 물고기로 만들어 주었다.
그녀는 물결에 맞추어 몸부림치며 벗어났다.
순식간에 여유를 두고 멀어진 뒤, 자신이 밀어낸 단검을 확인했다. 그놈은 혼자 하늘거리며 빛 사이에서 부유하고 있었다.
'잡아야 해……!'
탈란타우에는 눈을 뜬 채로도 적이 사라진 방향을 찾는 듯 자꾸만 주변을 헤맸다. 당연한 일이다. 바닷물을 모르면 눈을 뜬들 엉성한 그림자만 보일 터. 심지어 여긴 배 아래라 그조차도 구분하기 어려울 것이다.
그녀는 빙글빙글 떨어지던 단검을 다시 잡았다.
그사이 탈란타우에는 위로 헤엄쳐 나가기로 결심한 모양이었다. 방향을 잡은 선지자처럼 몸을 쭉 빼고 있었다.
순간 심장이 철렁 내려앉았다. 막아야 했다. 그가 물 바깥으로 나가면 겨우 확보한 우위마저 사라질 게 분명했다.
다행히 그들이 싸우며 한참 동안이나 아래로 떨어졌기에, 그녀에게는 아직 시간이 있었다.
티티라는 재빠르게 헤엄쳐 갔다.

나는 사실 아프지 않았던 거야. 오로지 이 순간 극한으로 나를 몰아넣기 위해, 오랫동안 힘을 저축한 것뿐이지.

확신했다. 그 정도로 모든 감각이 맑았다.

탈란타우에의 발목을 쥐었다. 적을 느낀 그가 곧장 제 얼굴을 걷어찼다. 그러나 이미 그녀의 다른 손이 그의 다른 발목을, 또 다른 손이 그의 무릎을 타고 올라가고 있었다. 그녀는 다시 한번 턱을 맞았다. 또 맞았다.

수영에 익지 않은 인간이라면 숨이 달릴 시점이었다. 당연히 그의 힘은 아까보다 훨씬 약해져 있었다. 그녀도 이미 아슬아슬했다. 그 숨을 지탱하는 것은 오로지 증오뿐이었다.

티티라는 그의 몸 위를 기어오르며 허벅지에 칼을 박아 넣었다. 탈란타우에의 흐린 색 눈이 크게 뜨였다. 앞을 제대로 보지 못하는 주먹이 곧 멍청한 투우처럼 물결을 두들겼다.

그사이 티티라는 칼을 잡아 뽑았다. 또다시 그를 타고 올라가 복부를 찍었다.

그는 이번에야말로 막았다. 정말로, 막았다.

그러나 육지에 사는 동물은 아가미가 돋은 신을 이길 수 없다.

티티라의 입이 벌어졌다. 참지 못한 숨에 물이 보글보글 들어찼다.

칼은 탈란타우에의 팔뚝을 밀어냈다. 그리고 연약한 살을, 포유류의 수많은 장기가 엉켜든 배를 해쳤다. 갈랐다.

아, 드디어.

짠물이 입 안으로 스며들었다.

고통스러웠다. 그러나 적보다 조금이라도 더 길게 산다면 그게 바로 '전능'이란 거지.

눈앞이 흐려져, 자신이 어느 정도 깊이의 물에 들어와 있는지 가늠할 수가 없었다. 사고력을 완전히 상실한 것 같았다.

티티라는 추위 속 미쳐서 옷을 벗는 사람처럼 비이성적이었다. 적을 밀친 뒤 급하게 앞으로 앞으로 헤엄쳐 갔다. 제 앞에 있는 것이 거대한 배의 바닥일지, 아니면 망망대해일지 알지도 못하면서. 위로 가고 있는지, 아래로 가고 있는지도 모르면서 손발이 닳을 때까지 발버둥 쳤다.

그러다 한순간 익사자처럼 힘이 빠져나갔다. 앞이 캄캄했다. 입은 완전히 벌어졌다. 물이 꾸역꾸역 자신을 채웠다.

가당치 않은 힘으로 적을 이겨 낼 수 있던 게 누구의 도움인 줄 아느냐고, 누군가가 강하게 물었다.

그래. 그녀는 바다에 값을 치러야 했다.

그런데 적어도 내가 죽는 거면, 저자도 죽었겠지? 이야기 속에 나오는 계약이란 모름지기 목숨을 주고 목숨을 취한다, 그런 거잖아.

그렇겠지……?

작은 불안감이 엄습했다.

티티라는 그 감정을 제대로 돌보지도 못한 채 정신을 잃었다.

티티라는 헐떡이며 일어났다.

눈에 빛이 한 줄기 새어 들자마자 구역질이 났다. 곧장 몸을 돌려 단단한 바닥을 짚었다. 그러곤 미친 듯이 속을 게워 냈다.

한참 뒤에야 줄줄 흐른 눈물 너머로 주변을 둘러볼 수 있었다.

그녀는 바위 사이에 기대 있었다.

살아남았다고 감격하기에는 그녀의 정신이 너무도 협소했다. 당장 온몸이 멍들어 괴로울 뿐이었다. 사지가 두들겨 맞은 듯 아팠다. 바위틈에서 몸을 빼내려 했으나, 종아리가 끼어 있었다.

제정신이 아닌 상태에서 끼인 다리를 몇 번이나 빼내려다 실패했다. 이제는 끼인 게 아니라 부어터진 것 같은데. 고통에 다리가 아릿아릿했다.

티티라는 다시 주변을 둘러보았다.

한참 떨어진 인가人家에 불이 들어와 있었다. 희미한 빛 사이로 시노드 신넬 중부 특유의 양식이 보였다. 한둘이 아니었다. 바위 해변 위로, 완연한 마을이었다.

살았다…….

그런데 얼마나 지났지? 주변은 어두컴컴했다. 재판이 이른 오후에 끝났으니, 적어도 너덧 시간?

일단 추측해 보자면 이즈버르 근교 마을인 모양이었다. 그렇다면 이즈버르 만을 빠져나왔단 소리인데, 해류를 감안하면 자신은 그대로 대해까지 흘러 나갈 수도 있었다. 소름이 돋았다. 여기에 끼인 것이 천운이라는 생각이 들면서 갑자기 온몸의 고통마저 감사하게 느껴졌다.

티티라는 다시 한번 다리를 빼내려다가 뒤로 쓰러졌다.

설마 사람 사는 곳을 앞에 두고 굶어 죽진 않겠지.

티티라는 초조하게 하늘을 바라보았다.

별이 아름다웠다.

더 이상 잠이 부족하지도, 너무 많이 잔 것 같지도 않았다. 딱 알맞았다.

그녀는 조용히 중얼거렸다.

"어…… 진짜야?"

탈란타우에와 사투를 벌였던 기억이 혼란스러웠다. 몸짓 하나하나가 뚜렷하니 꿈은 아닐 텐데, 그의 마지막 모습을 못 보았기에 그가 죽었다는 확신이 없었다.

그러니 멍하니 혼잣말을 지껄일 수밖에.

한참 뒤에도 티티라는 바위 위에 늘어져 있었다. 다만 그 전과 다르게…… 웃어 보았다.

"하, 하하."

처음에는 쥐어 짜내는 듯했다.

"하하하……."

그러나 소리 내어 웃자, 점차 마음이 가벼워졌다. 밤하늘이 훅 가까워졌다.

처음 정신이 들었던 때와 그다지 달라진 것은 없었지만, 왠지 자신이 살인을 해냈다는 생각이 강하게 들었다. 이제 제 손엔 탈란타우에의 핏자국이 묻어 있었다. 손을 내려다볼 때마다 죽인 자들의 피가 선명히 남아 있길 빌었다.

티티라는 실실 웃다가, 오른팔을 들어 보였다.

아무것도 없는 허공에 주먹을 흔들었다.

"이겼어……."

힘이 하나도 없었다. 그녀는 다시 한번 입을 열었다.

"이겼어!"

방방 뛰고 싶었지만 여전히 바위 사이에 다리가 끼어 있었다. 결국 혼자 신이 나서 상체만 이리저리 흔들었다.

물론 그러자, 싸우는 동안 멍들고 찢어진 곳이 재차 자신을 두들겨 팼다.

그녀는 곧 신음을 흘리며 고꾸라졌다.

"아…… 아파."

티티라는 움찔거리며 무릎을 양손으로 쥐었다. 방향을 돌려 보았으나 옴짝달싹할 수 없었다.

아직까지 위기감이 들지는 않았다. 인가가 이토록 가깝다면 아침에 목청 높여 사람을 부를 수 있을 것이다. 그러니 일단은, 그냥 바보처럼 있기로 했다.

그녀는 탈출을 포기한 뒤 다시 드러누웠다.

"이거 꼭 안스 같네."

툭 내뱉었다.

안스도 아마 브즐롬 군도 근처에 있는 어느 바위섬에 이 꼴로 버려져 있었을 것이다.

이 경험은…… 꽤나 외롭고, 약간은 두렵고…… 또, 스스로를 다시 만나는 듯했다. 땅에 붙어 있으면서도 앞은 망망대해뿐이라 혼자 있다는 기분이 물씬 들었다.

두 번째 살인으로 그녀의 삶은 다시 완벽해졌다.

……적어도 티티라는 그렇다고 확신했다. 한 해 넘도록 겪은 고생이 오로지 오늘을 위한 것이라 해도 감사할 정도였다. 아니, 오트카저트를 죽인 이후의 제 삶 전부가 오늘을 위한 것이라 말해도 과분했다.

그녀는 안스의 살인자를 죽였다.

아주 많은 우연과—

—디아세 덕분에.

티티라는 문득 생각난 이름에 한숨을 쉬었다.

왜 그렇게 드러내 놓고 뛰어들었는지 자신은 정말 알 수 없었다. 그간 그와 사적인 대화를 나누지 않았기에 이런 일이 일어날 줄 꿈에도 몰랐다. 미리 말이라도 해 주지…….

혹시 디아세가 전부 노렸던 걸까?

요주의 인물이었던 내겐 아무 말도 하지 않고, 대신, 내내 탈란타우에를 향했던 증오를 보며 대담한 믿음을 가진 것일까?

마치 지난 연회에서 내가 덤볐을 때 본인은 아무 의심 받지 않고 탈란타우에에게 접근할 수 있었던 것처럼……. 이번에 그가 먼저 덤비면 그 뒤 들어간 내가 공격에 성공할 수 있다고 생각했을까?

디아세와 마주쳤던 시선이 우연일 리 없었다. 그는 정말로 자신을 바라보았다. 그때 그녀는 고개를 끄덕이지도 않고 동의했다. 생각하기도 전에 몸이 응했다.

티티라는 허공을 움켜쥐었다. 뜨끈한 밤하늘을 향해 눈을 부릅떴다. 그렇게 천천히, 천천히…… 움켜쥔 손으로 눈꺼풀을 짚었다.

남부인들의 애도 표시였다. 그녀만의 추모식이었다.

그녀는 안스카리우스가 디아세를 편히 죽여 주었으리라 믿었다. 그것만이 자신이 그에게 가진 믿음이었다.

손이 살짝 미끄러져 내려왔다. 그녀는 어두컴컴한 밤하늘에서 구태여 죽은 이들을 불러낼 필요가 없었다. 그들이 말하기도 전에 이미 들을 수 있었기 때문이다.

'티티라 씨, 그러게 내가 말했죠.'

아, 정말 싫어하는 문장.

그러나 자신은 라요나에게 이길 수 없었다. 라요나의 가치관은 처음부터 끝까지 옳았다. 적어도 그녀 본인의 인생에 있어선 그랬다.

난 네가 아니야. 너처럼 생각하지도 않을 거야.

하지만 네가 옳았어.

이제 디아세가 왜 혼자 너를 묻으러 갔는지 알겠단 말이지.

'내게는 기억이지만 네겐 삶일 테니, 값을 치러야지.'

그에게도, 삶이었다.

탈란타우에는 삶에 값을 치렀다.

티티라는 아침 해가 뜰 때 다시 깨어났다.

그녀는 눈부시게 떨어지는 햇살과 함께 다시 한번 확신했다. 자신의 수면병은 치료되었다. 정말로 '문제를 해결하니', '나아졌다.'

티티라는 주변을 두리번거렸다. 이제 배가 고팠다.

허리를 주욱 빼자 먼 해변에 점점이 세워 둔 조각배와, 몇몇 사람들이 보였다.

그녀는 숨을 들이켠 뒤 곧장 낮고 긴 음성을 냈다. 살려 달라는 언어도 뭣도 아니었다. 그저 뱃사람들이 자주 쓰는, 바다에서 가장 멀리 가는 소리를 냈을 뿐이다.

손을 흔들며 똑같은 짓을 하길 일곱 번째, 해변이 금세 어수선해졌다.

곧이어 작은 배가 얕은 해안가로 밀려 나오는 모습이 보였다.

티티라는 한시름 놓은 채 바위에 기댔다. 그리고 한쪽 손만 머리 위로 올려, 사람이 있다는 표시를 했다.

반 시간 뒤, 그녀는 구출되었다.

그들은 여기가 이즈버르 근처인 누체트라고 했다. 인구가 오백 명도 안 되는 작은 마을이었다.

그녀는 절뚝이며 자신을 구해 준 사람들에게 감사 인사를 했다. 그리고 그들이 세태에 어둡다는 사실을 알자마자 입술에 침도 안 바르고 거짓말을 했다.

본인은 원래 '검은 밀물 상단—즉석에서 지은 이름이었다—'의 수행인이며, 남부로 내려가는 배를 탔다가 파도에 삼켜졌다고. 어찌 여기에 다다르게 됐는지는 모르겠지만, 이곳까지 온 것이나 여러분을 만나 뵌 것은 실로 천운이라고.

티티라는 조끼에 붙은 단추를 떼서 구조자들에게 주었다. 상단이 수행인들의 체신을 중요시 여겨 귀한 옷을 선사했는데, 지금 이 상황에서 제 목숨만큼 귀한 게 어디 있겠느냐, 청산유수처럼 지껄였다. 금으로 된 물건이니 유용하게 쓰되, 단지 잘 녹이라는 말을 덧붙였다.

그들은 그 대가로 적당한 방과 끼니를 제공했다. 또한 상단의 일원이라는 말을 듣곤 자신들 회관의 장부까지 들고 왔다. 사실 반쯤은 도둑놈인지 검증해 보려는 목적이었겠지만, 그녀가 실제로 상단의 단순 수행인이었다면 아무것도 몰라 쫓겨났을 것이다. 참 엉성하기 그지없었다.

티티라는 그들의 장부를 보기 쉽게 고쳐 주었다. 원래 그 임무를 도맡았던 청년에게 앞으로 어떻게 기재하면 되는지도 설명해 주었고, 또 물건이 들고 나는 방식을 개선해 주었다. 정말 어렵지 않았다.

여기까지가 딱 이 주.

그들은 의심을 놓고 그녀의 소박한 청을 들어주었다. 다리가 다 나으면 바로 떠날 수 있도록 여행 짐을 마련해 준 것이다.

떠날 준비는 급하다면 급했고, 느긋하다면 느긋했다. 솔직히 본인도 갈피를 잡을 수 없었다.

잡히면 죽을까? 죽겠지?

당장 남부를 다스리는 안스카리우스는 자신을 데려간대도 죽이지 않을 것이다. 그러나 최고 권력자인 법황이 어떻게 대처할지는, 잘 몰랐다.

그래서 일단은 도망가기로 마음먹었다.

물론 마음 깊은 곳에…… 안스카리우스를 영영 못 본다는 사실이 조금쯤 괴로웠던 것 같기도 했다.

그런 자신을 다독이기 위해 사람들에게 떠날 날짜를 말해 두었다. 그들은 너무 일찍 간다고 아쉬워하면서도, 그날에 맞춰 착착 준비를 해 주었다.

그녀는 나귀 한 마리와 짐 보따리 하나만 들고 누체트를 떠났다.

교국군의 추적 능력에 대해선 그다지 높은 평가를 내리지 않았다. 어쨌든 이즈버르 위로는 그들의 땅이 아니며, 교국은 단 한 번도 그 경계를 벗어나지 않았기 때문이다.

그래서 별로 긴장하지 않고 여행길을 떠났다.

여러 마을을 거쳐 이즈버르의 북부에 위치한 항구 도시, 아두커에 도착했다. 물론 큰 도시일수록 위험은 더 커질 테지만, 여기서 반드시 챙겨야 할 소조폴 상단의 문서들이 있었다.

내륙으로 들어가도 최소한의 자산이 있어야 무엇을 하든 말든 할 것 아니야.

그녀는 두 시간 만에 도시에서 달려 나올 자신이 있었다. 우편국, 등기 보관소, 몇몇 상단의 사무국. 가짜 수염을 붙인 채 헐레벌떡 뛰어다녔다.

마지막 순회를 마친 뒤 뿌듯하게 나귀의 등에 짐을 얹었다. 이것만 있다면 낯선 곳에 들어가도 최소한의 벌이는 할 수 있을 터였다.

티티라는 모자를 당겨쓴 뒤 빠르게 성벽으로 향했다. 아직 해가 기울어지지 않아 몹시도 환한 낮이었다. 자신은 정말 두 시간 만에 모든 일을 해낸 것이다.

한데 그때, 갑자기 머리 위로 두건이 씌워졌다.

티티라는 당장 몸을 비틀어 사람의 가랑이를 걷어찼다. 비명이 치솟으며 상대의 힘이 빠졌다.

그녀는 급하게 도망가려 했지만—

한 명이 아니었다.

자신을 쥐는 손이 최소 다섯 개. 티티라는 꼼짝없이 붙잡혔다.

그녀는 사색이 되어 발버둥 쳤다. 어느 쪽을 더 두려워했는지 알 수 없었다. 교국에 끌려가는 것, 혹은 이놈들이 돈과 함께 혼자 다니는 여자를 눈치챈 것.

둘 다 공포스러우면서…… 사실 별로 두렵지 않았다.

그 순간, 티티라는 칼날에 베인 듯 깨달았다. 아주 많은 것들을, 동시에.

'문제를 해결'해서 '삶이 완벽'해졌는데, 어떻게 죽는 게 아무렇지 않을 수 있어?

상황이 혼란스러웠다.

주변이 갑작스레 왁자지껄해져, 혼란은 더욱 심해졌다.

그녀는 고개를 흔들어 상념을 지우고, 상대에게 박치기를 했다.

"악! 여러분, 신고하지 마세요! 이자는 수배범입니다! 이거, 이, 수배지 보이세요?"

"아니야! 이 개새끼야, 헛소리하지 마! 살려 주세요! 꺄아악!"

욕하기 전에 비명부터 지를걸.

"보이시죠? 보셨죠? 무려 천 금입니다! 남부 억양도 들으셨죠? 대체 남부에서 무슨 죄를 지었으면 현상금을 천이나 걸었을까요, 여러분!"

일천 금.

그녀는 그 액수에 숨이 막혔다. 소조폴 대상주 우스페히 씨의 '전 재산'이 일만 금이었다. 고작해야 한 사람을 잡는 데 그 십분지 일. 대체 어떤 각오로 현상금을 건 것인지 소름이 돋았다.

"미친 개잡종 새끼야, 놔! 저 수배지를 건 곳은 교국입니다. 전 교국에 대항한 죄로 현상금이 걸린 거라고요! 아무 죄도 안 저질렀습니다!"

"저는 아두커 시청의 아르모니에 포파입니다! 저 현상금으로 지난 폭풍에 무너진 제방을 보수하고, 델로르보다 큰 극장을 짓겠습니다!"

"미친놈, 여기서 선거 운동을 하고 지랄이야!"

"보셨죠? 보셨죠?"

상대는 군중의 환심을 사려는 듯 자신을 때리지 않았다. 단지 두건을 꽉 틀어쥔 뒤 계속해서 떠들 뿐이었다.

"여러분, 길을 비키세요! 항구로 가야 합니다!"

희미한 시야 속에서, 사람들은 정말로 길을 비켰다.

개자식들, 너희가 이러니까 안 되는 거야……. 내가 진짜로 교국에 대항하던 인간이면 어떡하려고…….

그녀는 질질 끌려선 짠바람이 부는 곳까지 갔다.

티티라는 마침내 조용히 물었다.

"수배지는 언제 받은 거야?"

"한 달 전."

"여기 말고 다른 곳도?"

"슈티우, 로아이카, 아코르드, 첼첼레, 모데르니, 쿨투랄, 포란아눌—"

"아니…… 됐다."

항구 도시부터 내륙까지, 내륙부터 라주마 산맥까지 샅샅이 수배지를 뿌려 둔 모양이었다. 자신이 이즈버르를 떠난 지 육 주. 수배지가 아두커까지 다다르는 데 이 주.

교국은 자신이 물리적으로 다다를 수 있는 반경— 아니, 그 세 배가 넘는 곳에 황금 미끼를 던져두었다. 그것도 어마어마하게 빨리. 일천 금이라는 액수가 큰 힘이 되었겠지만, 그렇다고 교국의 장악력을 얕볼 수도 없었다.

아두커에 들르든 들르지 않든…… 어느 도시를 갔어도 잡혔을 것이다.

일천 금이라니…….

시노드 신넬인들은 그런 것에 약하지.

티티라는 퀴퀴한 냄새가 나는 선실에 던져졌다.

줄줄이 도시 이름을 읊던 멍청이 이후 아무도 제게 말을 걸지 않았고, 자신도 그게 나았다. 그렇기에 제 수중엔 침묵뿐이었다.

배는 급히 출항했다. 이즈버르까지는 아마 일주일 정도.

예전이라면 최악의 순간에도 열심히 머리를 굴렸겠지만, 이번엔 조금 어정쩡했다. 달아나겠다는 의지가 그리 확고하지 않았던 만큼, 잡혔을 때도 한순간의 분노 외에는 별로 인상적인 게 없었다.

티티라는 자신이 평온한 이유를 잘 알고 있었다. 우선 —아마— 탈란타우에를 죽여 숙원을 풀었단 사실이 하나, 어차피 살인자로서 목이 매달릴 거라면 안스카리우스와 재회하는 것도 나쁘진 않겠다는 사실이 하나.

다시 말해, 그녀는 이제 처형당해도 조금 억울하고, 끝이었다. 일단 살인을 저지르긴 했잖아. 열심히 도망쳤지만 잡힌 걸 어떡해.

이렇게 정리하자, 아두커 놈들에게 처음 붙잡혔을 때와 마찬가지로 희한한 감정이 들었다.

정말이야?

'처형당해도 조금 억울한' 정도라고? 드디어 '문제를 해결'했다던 사람이?

사실…… 티티라는 아두커에서 붙잡혔을 때, 제 믿음을 아주 조금 수정했었다. '문제를 해결'한 건 맞지만 그게 인생을 해결해 주진 않는다고, 새로이 생각했다.

잠이야 나아졌지. 그러나 그건 문제의 일부에 불과해.

생각해 보면 오트카저트를 죽인 뒤 삶이 나아지긴커녕 오히려 호흡 곤란이 닥친 것처럼, 탈란타우에를 죽인들 인생이 해결될 리 없었다. 너무도 당연한 이치였다.

티티라는 인간의 문제란 대개 영원하다는 것을 깨닫고 말았다.

인생에서 가장 중요한 —안스의 살인자를 죽이는— 문제를 해결한 뒤에도 열정적으로 살 수 없다면, 다른 대단한 목적이 있다기보단 그냥 삶이 원래 그런 식으로 돌아가지 않는다고 생각하는 게 좀 더 합리적이다.

티티라는 합리성을 중요하게 여겼다.

결국 합리적으로…… 삶의 어느 하나를 풀어냈다고 제 세상이 매듭지어지진 않는다는 결론을 내렸다. 오트카저트도 탈란타우에도 정말 어마어마한 살인이었는데, 고작해야 문제의 목, 팔뚝, 발가락 몇 개 정도만 사라진 느낌이었다.

실망스러웠다. 희망을 가진 사람은 좀 더 크게 실망하는 법이다.

종내 그녀는 도주 실패자로서의 운명을 순순히 받아들였다.

사흘째 되던 날 새벽, 갑자기 배가 소란스러워졌다.

티티라는 흠칫 놀라 깨어났다. 제 하찮은 방에는 손바닥보다 작은 창이 뚫려 있을 뿐, 바깥을 볼 수 없었다.

무슨 일이지? 해적의 습격을 받았나?

티티라는 고민하며 기둥을 붙잡았다. 손발이 묶인 채 무력한데 어떻게 공격을 쳐 내야 할지 몰라 골치가 아팠다.

여의치 않으면 편하게 자살하는 방법 없나? 귀찮아 죽겠군. 옛이야기에 혀를 깨물면 죽는다는데, 진짜 죽나?

티티라는 궁금해서 혀를 깨물었다가 끔찍한 고통에 신음을 흘렸다.

"어…… 으."

그때, 갑자기 발걸음 소리가 들렸다.

티티라는 귀를 쫑긋 세웠다. 이건 싸우는 소리가 아닌데.

쾅, 쾅, 쾅.

그녀는 긴장한 채 문을 노려보았다.

문이 벌컥 열렸다.

……기둥에 천천히 기댔다.

술을 마신 것처럼 어지러웠다. 주춤거리다, 괜히 빈자리를 응시했다.

침묵.

아무도 입을 열지 않았다.

적敵은 기둥을 돌아와, 꼼꼼하게 묶인 자신의 손과 발을 풀어 주었다.

티티라는 반항하지 않고 얌전히 있었다. 사실 그 무엇보다 저 인간의 입으로 탈란타우에가 진짜 죽었는지 듣고 싶었으나, 당장은 질문하기가 어려울 정도로 냉담한 분위기였다.

자유로워지자마자 그에게 팔뚝을 잡혔다. 그는 돌아보지도 않은 채 성큼 걸음을 내디뎠다.

티티라는 이게 처형대로 가는 길인지, 아니면 시한부 환자에게 베풀어진 마지막 자비인지 구분할 수 없었다. 두 가지는 같은 듯 보이지만 분명 달랐다.

갑판에 오르자 자신을 붙잡았던 이들이 어마어마한 크기의 궤짝을 옮기고 있는 모습이 보였다. 교국이 이들에게 정말로 예고했던 만큼의 보상을 내린 듯 보였다…….

'일천 금짜리 인간이 된 기분은 어떠신가요?'

'그게 다른 도시에서 나라는 멋진 상주를 섭외하는 값이었다면 더 좋았을 것 같네요.'

그녀는 혼자 투덜거렸다. 그러나 더 농담할 새는 없었다. 곧장 뱃전에 달라붙은 다른 배로 끌려갔다.

티티라는 이 배를 잘 알았다.

한숨을 쉬며 이프루이우호에 들어섰다. 주변을 둘러볼 틈도 없이 익숙한 복도 공기가 느껴졌다.

그는 자신을 내팽개치다시피 선장실에 던졌다.

티티라는 등 뒤로 탁자를 꽉 쥐었다.

제 첫마디는…… 당연했다.

"탈란타우에는 죽었나요?"

안스카리우스는 문을 닫았다. 돌아섰다.

그의 시선은 읽기 힘들었다.

"그게 네 질문인가?"

아, 목소리는 읽을 수 있었다.

그는 매우 '침착'했다.

물론 협상을 잘 아는 이라면 저 태도가 허풍이라는 사실을 짚어 줄 것이다. 그리고 그녀는 협상을 잘 아는 사람이었다.

때문에 티티라는 안스카리우스의 질문을 무시했다.

"천 금이나 주고 절 찾으셨다면, 죽은 거죠? 제가 죽였죠?"

"……."

"각하, 이것만 확인해 주시면 이후 무엇을 하문하시든 정직하게, 조리 있게, 성실하게 대답하겠습니다."

"어떻게 도망갔지? 조력자가 있었나?"

"각하! 탈란타우에는 죽었나요?"

"너는 내가 질문을 양보하리라 생각하는군."

"……."

"왜?"

"……."

"네 말처럼, 천 금을 주고 너를 찾았는데, 내가 왜?"

안스카리우스가 다가왔다. 티티라는 꿈쩍도 하지 않았다.

그가 가까이 올수록 실없는 속마음만 속살거렸다.

설마 저자가 반가운가? 아니, 진심이야? 그러니까, 보고 싶지 않았다는 건 아니고, 고작해야 한 달인걸. 저 얼굴을 안 보고 살아온 십 년이 있단 말이지. 그리고—

"제가 도망갈 수 없다고 생각하셨으면서, 왜 이렇게 유난이세요?"

그랬다. 티티라는 도망가면서도 교국에 언젠가는 잡힐 거라고 생각했다. 자신을 믿으면서도 믿지 않았다. 열심히 노력하되 어쩐지 마지막은 될 대로 돼라는 심정이었다.

"네가 도망갈 수 없으리라 생각했다고?"

"네? 네."

저 침착한 목소리는 순 허풍인데, 그렇다면 허풍 안쪽엔…… 뭐가 있는 거지?

티티라는 고개를 기울였다.

"각하, 배를 수 척 건조할 만한 돈을 걸어 두고 절 못 찾을 거라고 생각하셨나요? 잘 아시겠지만 배금은 저희의 미덕이거든요."

벌써 오래전 소조폴 언덕에서 그가 건넸던 말을 돌려주었다. 칭찬이자 비난이었다.

"그리고 전갈을 그리 빨리, 멀리 보내시다니 나중에 내륙까지 점령했을 때를 걱정하지 않으셔도 되겠습니다."

안스카리우스는 제게서 한 걸음을 남겨 두고 멈췄다.

"아…… 그러고 보니 그때 제 이름을 부르고서 몸은 괜찮으셨습니까? 돌아볼 겨를이 없었습니다. 죄송하지만 제가 각하 때문에 기회를 놓칠 수는 없잖아요."

티티라는 하나하나 꼽다가, 아무래도 정답을 못 맞힌 모양이라 한숨을 쉬었다.

"또…… 그날 손목을 놔주셔서 감사합니다. 각하께선 제가 무슨 짓을 저지를지 알고 계셨잖아요. 그런데도 놓아주셨죠. 그 도움으로 제 소원이 이뤄진 거나 마찬가지입니다. 정말 감사해요."

한순간 손을 꽉 붙잡혔다.

티티라는 그를 올려다보고, 다시 붙잡힌 손바닥을 응시했다. 그 자리는 상처 하나 없이 깨끗했다.

"각하……?"

그제야 그의 얼굴을 제대로 들여다보았다.

안스카리우스는…… 피곤해 보였다.

설마 그때 제 이름을 부른 것이 너무 큰 고통을 준 것일까. 이미 네 번째로 자신을 부른 셈이니, 그게 누적되어 저자를 아프게 하지는 않았을까. 갑자기 덜컥 겁이 났다.

"각하, 건강은 괜찮으세요?"

티티라는 붙잡히지 않은 손으로 그의 뺨을 감쌌다. 눈 아래를 매만졌다. 단단하고, 거칠고, 움푹 파여 있었다.

"각하."

"도와준 자가 있나?"

질문을 받아들이는 데엔 시간이 걸렸다.

그녀는 황당하다는 듯 눈을 깜박였다.

"저는 이즈버르에서 내내 잠을 제대로 못 잤어요. 선장실과 부두에서 벗어나 본 적도 없고요. 디아세가 있을 때면 디아세가, 그가 없을 땐 다른 수많은 당신 부하들, 파르훈 오피오가 저를 감시했습니다."

"너는 연회에 독을 가져왔지. 그레슈카가 도왔어."

"……사실이 아닙니다. 연회 전까진 절 자유롭게 두셨잖습니까. 그 덕에 독을 마련할 수 있었던 거고요. 그 뒤론 정말 아무 짓도 못 했습니다."

"병세도 가짜였나?"

"각하!"

티티라는 그의 뺨에서 손을 떨구었다. 소리를 질렀지만 화가 난 건 아니었다. 단지 얼토당토않은 오해를 고쳐 주어야겠다는 생각뿐이었다.

"각하께선 지금 냉정하지 못하십니다. '저를 도운 사람'이요? 제 뒤에 누가 있다고요? 아니, 백번 양보해서 그렇다고 칩시다. 그런데 놈이 저만 이용했으면 이 살인이 성공했겠습니까?"

"……."

"디아세가 없었다면 저는 이미 실패해서 까마귀 밥이 되었을 겁니다. 전 달려들어 칼을 꽂은 게 전부라고요. 이만큼 병든 멍청이를 고기 방패 외의 역할로 이용할 인간은 없어요. 게다가 디아세 없이는 실패했을 텐데, '그놈'이 저와 디아세를 함께 회유했다고요? 말도 안 됩니다. 그게 불가능하단 건 각하께서 누구보다 잘 아십니다."

그녀는 누체트 마을에서 깨달았다. 돌이켜보니 자신은 정말 아무 계획도 없이 재판장에 서 있었다. 그녀가 코앞에서 단검을 휘두른들, 탈란타우에는 자신을 완벽하게 제압하고도 남았을 것이다.

디아세가 없었다면, 살인은 불가능했다.

"디아세가 먼저 달려들지 않았다면 탈란타우에는 당황하지 않았을 겁니다. 혼자 물러나지도 않았을 거고, 고작 제 힘에 바다로 떨어지지도 않았을 거라고요……. 그러니 다시 말씀해 보세요. 어떤 놈이 저와 디아세를 함께 회유했다고요? 한 놈은 시노드 신넬 금덩이 숭배자, 한 놈은 교국 광신자인데?"

잠깐의 침묵 뒤, 안스카리우스가 답했다.

"둘 모두 탈란타우에를 증오했으니…… 목적이 같은 이가 있었겠지."

목소리는 어쩐지 내키지 않는 듯했다.

"각하…… 저는 탈란타우에를 죽일 수 있다면 법황 발바닥이라도 핥을 수 있어요. 하지만 디아세는 절대로 불신자의 명령을 받지 않습니다. 그렇다고 교국인 공범자였다면 절 구해 줬을 리 없고요. 앞뒤가 하나도 안 맞습니다. 각하도 그 사실을 아세요."

그는 대답하지 않았다.

"각하."

"그때 왜 너를 놓았을까."

문장은 불쑥 튀어나왔다.

"……제가 탈란타우에를 죽일 거란 사실을 누구보다 잘 아셨잖아요. 이제 와 배 위에서 손을 놓아준 게 실수였다고 하시면 안 됩니다."

"'실수'? 실수는 아니었어."

"네……?"

"너나 탈란타우에 중 하나가 죽길 바랐지."

"……."

티티라는 한 걸음 물러서려 했다.

그러나 꽉 쥐인 손이 자신을 옴짝달싹 못 하게 했다. 방금 전 저 남자의 뺨을 감쌌던 것이 꼭 한낮의 꿈처럼 느껴졌다.

문득, 이 방에서 자신이 자신감 넘치게 내뱉었던 말이 기억났다.

"날 선택할 거잖아."

그때, 그는 대답하지 못했다.

아마 재판일에도 그는 대답하지 못했을 것이다.

그러니 투기장에 두 사람을 던져 넣고 신이 선택하게 만든 것이다.

"그러나 적어도 '너'와 '탈란타우에'였다. 조력자가 있을 거라곤 생각지 못했다."

티티라는 손을 잡아 빼려 했다. 분노가 스멀스멀 차올랐다. 아마 내내, 그날의 그가 오로지 자신을 돕기 위해 놓아주었다고 생각했기 때문일 텐데…….

그래. 티티라는 안스카리우스가 제 등을 떠밀어 주었다고 믿었다. 결투를 벌이라며 바다 아가리에 처넣은 것이 아니라.

단순히 생각의 차이였지만, 사실 그게 전부기도 했다.

그녀는 그제야 스스로, 그가 자신을 선택할 거라고 철석같이 믿었던 사실을 깨달았다.

역겨웠다. 이 감정이 누구를 향한 것인지 알 수 없었다.

단지 온 힘을 다해 그에게서 멀어지려 했을 뿐이다. 물론 도망갈수록 사제왕의 힘은 점차 강해졌다. 결국 한순간은 신음을 흘리며 몸을 틀어야 했다.

"……각하의 의견은 잘 알았습니다. 전 그만 감옥으로 가겠습니다. 보내 주시죠."

그러자 다시 힘이 조여들었다. 티티라는 반사적으로 소리를 질렀다.

"아……!"

손이 어떻게 움직였는지 보지 못했다. 손아귀에서 풀려났으나 끝은 아니었다. 이젠 멱살을 틀어잡혀, 순식간에 발끝으로 동동 서 있어야 했다.

"어떻게 살았지?"

목소리는 지독히 낮았다.

제대로 들은 건가……?

"제가 어떻게 살아남았느냐고, 물어본 거예요?"

숨이 가빠서 말은 다소 빨랐다.

"대답해."

"그냥 바다에 떠내려갔는데."

"……."

"조력자……? 그게 그래서 궁금했어요? 조력자가 있어야 살 수 있었을 거라 생각해서?"

"탈란타우에의 시체는 곧장 떠올랐다."

말문이 막혔다.

안스카리우스는 그 질문에 대답하지 않겠다던 본인의 결심을 까맣게 잊은 모양이었다. 사실, 그에겐 더 이상 그게 중요해 보이지 도 않았다.

"하지만 넌 없었어."

"해저 해류에 떠밀려 갔나 봐요."

"누가 도왔지?"

"각하."

"이즈버르를 샅샅이 뒤졌다. 해안가 거주민에게 던진 보상이 천금이었지. 그럼에도 넌 사라졌어."

"각하, 시노드 신넬의 여름 바다는 엄청나게 따뜻해요. 저는 곧장 정신을 잃어서 쓸데없이 발버둥 치지도 않았고요. 그러니 운 좋게 두 시간 거리의 해변가 마을로 떨어진 겁니다. '누체트'라고요. 바위에 끼었어요. 사람을 보내 물어보십시오. 그 이상도 이하도 아니에요."

"……."

"절 도운 사람은 디아세, 그리고 각하 정도일까. 이제 각하는 아니시라니 디아세 하나겠네요."

"……."

"멱살 좀 놓으세요."

안스카리우스의 표정은 여전히 해석하기 힘들었다.

하지만 힘이 조금 풀렸다. 발뒤꿈치가 가까스로 땅에 닿았다.

티티라는 몸을 뒤틀며 방금 전 했던 말을 다시 끌어왔다.

"어차피 감옥에 보내실 거잖아요. 좀 놓고, 그냥 보내요."

"내가 널 왜 감옥에 보내?"

그녀는 계속 반항하다가 우뚝 멈췄다. 오늘 들었던 말 중 놀랍지 않은 것은 없었지만, 이 질문은 정말이지 최고였다.

"예? 전 탈란타우에를 죽였는데요."

몹시 자랑스러웠다.

"아니. 탈란타우에를 죽인 건 디아세다."

뭐라고?

순간적으로, 심장이 쿵 뛰었다.

"네?"

"그자는 디아세의 공격으로 가슴과 복부에 상처를 입었고, 그 고통에 못 이겨 바다로 떨어진 거다."

"각하, 제가 그 인간을 붙잡고 밀어 넣었는데요."

"너는 그 상황을 보고 탈란타우에를 도우려 다가갔으나, 실패하고 바다에 같이 빠졌다."

"말도 안 되는……. 각하, 갑판 위에 몇 명이 있었는지 아세요?"

"시선은 전부 디아세와, 피를 토하는 내게 쏠려 있었다. 탈란타우에는 갑자기 사라졌다."

티티라는 문득 깨달았다.

"티티라 돕니니."

그날, 그는 일부러 제 이름을 불렀다.

둘 중 누가 살아남는지 보려 했다며 '허풍'을 부렸지만, 결국 속내는 만에 하나 탈란타우에가 패배할 경우 자신을 사형대에서 끄집어내기 위한 계략이었다…….

그녀는 뒤늦게야 그의 침착한 허풍 안쪽에 있는 것을 발견했다.

"……설마 내가 죽은 줄 알았어?"

그렇게 말하면서…… 스스로 얼마나 위험한 상황에 처해 있었는지 그제야 깨달았다. 누군가 도움을 주지 않았다면 생존할 수 없었으리라 그가 생각했을 만큼 거대한 바다였다.

"……누체트에는 군인을 보내겠다. 네 말이 진실인지 확인을 해야지."

저 인간은—

결국 그날 배 위에서 자신을 선택한 것이다.

꽉 잡혔던 멱살이 놓였다. 그 손에 담긴 것은 제가 처음에 짐작했던 분노가 아니었다. 초조함, 고통, 혼란…….

그는 말을 더하지 않았다. 단지 뒤돌아 걸어갔다.

"부선장실로 가라."

하지만 티티라는 정반대로 안스카리우스에게 걸어갔다.

그리고 그를 뒤에서 껴안았다.

등에 쿵 하고 이마를 박았다. 부드럽다거나 어루만진다는 표현을 사용할 순 없었다. 그보단 달려들어— 충돌했다는 말이 맞을 것이다.

그가 우뚝 섰다.

"안스카르, 날 걱정하면 네 손해야. 내가 말했잖아……. 나는 어떤 대가를 치르더라도 탈란타우에를 죽일 거라고. 그래서 잡힌 뒤에도 놀라지 않았어. 내 모습이 홀가분해 보였지? 그건 그냥 죽을 생각을 한 거라서 그래. 너희들이 사제왕 살인자를 눈 까뒤집고 찾을 거라고 믿어 의심치 않았거든. 반드시 날 찾아 고문해서 죽일 테니, 마지막 여행은 그냥 생각을 정리하기 위한 시간이었다고……."

아무렇지 않은 체하면서도 습기에 가득 차 있었다. 말이 너무 빨라 제 입김과, 공기에 스며든 바다의 짠 흔적이 뒤엉켰다. 헤엄치듯 밀려 나갔다.

"그런데 대체 무슨 헛짓거릴 한 거야……. 갑판 위의 사람들이 진짜 하나도 못 봤을까? 아니면 모른 체해 주는 걸까? 당신도 답을 알잖아……."

저 인간은 자신이 살아 있길 바라면서도, 시간이 지날수록 제 생존이 배반의 표식이라는 사실을 깨달았을 것이다. 그렇기에 다시 죽길 바라다가도, 정신을 차리면 더 미친 사람처럼 일천 금의 수배지를 뿌리고 있었을 테지.

긴장으로 손끝이 찌릿찌릿했다.

"난, 당신이 '선택'하길 바란 적 없어……."

"……아니. 넌 바랐다."

그의 몸이 조용히 울렸다.

"바란 적 없다고……."

말끝이 흐려졌다.

"티, 너는 나를 따라오겠지."

"……난 협박 안 당해."

"협박한 적 없다."

"난……."

"너는 '내가 너를 따랐기'에 보답하려 할 거다. 넌 살인을 저질렀고, 나는 따랐어."

티티라는 그제야 이전 날의 대화를 깨달았다.

"티, 대답해 봐. 내가 널 선택하면, 내게 올 건가?"

"내 답은 그날 밤이랑 똑같아. '나랑 떠날래?' 내가 당신을 따라가진 않을 거야."

'나랑 떠날래?' 그 질문은 결국 탈란타우에를 죽일 때 나를 선택하라는 비명이었다.

티티라는 그가 정말로 갑판 위에서 선택한 것인지, 아니면 아주 오래전부터 이 행동을 예비해 둔 것인지 분간하기 힘들었다.

답을 내는 대신, 그를 껴안은 손에 단단히 깍지를 끼었다.

그는 가만히 서 있다가…… 결국 제 손 위로 손을 포갰다.

그리고 자신을 돌려세웠다.

티티라는 그 순간 처음으로, 그가 제 이름을 부르지 못하도록 막은 걸 후회했다. 상대가 지나치게 참는 시선이었기에 속이 쓰렸다.

결국 먼저 입을 열었다.

"티티라 돔니니."

그의 시선에 의문이 담겼다.

티티라는 주먹을 꽉 쥔 채 고집 센 애처럼 반복했다.

"티티라 돔니니, 티티라 돔니니, 티티라 돔니니."

"……."

"당신이 내 이름을 부른 거야. 부르고 싶었던 거 다 알아. 대체 그딴 걸 왜 맹세해서…… 날 미안하게 만들어."

"……."

"혹시 '티 돔니니'도 안 돼? 사실 '티'도 내 이름이나 마찬가지란 말이야. 안스는 십 년 동안 나를 '티'라고 불렀어. 걔는 화날 때도 '티'였다고."

안스카리우스는 약간 웃는 듯했다. 가까스로 긴장에서 풀려난 것 같아 자신도 몸이 떨렸다.

"그래 놓고 그간 그게 사람 이름이냐, 말한 건가?"

"……."

"정말 아무것도 모르고 불렀으니 다행이지. 그 이름마저 얻지 못했다면 견디기 어려웠을 거다."

"'티 돔니니'."

"안 돼. 성은 네 이름이잖나."

"그럼 죽을 때까지 '티'인 거야?"

제 시선이 조금 애달파 보였나 보다. 안스카리우스가 고개를 숙여 가까이 다가왔다.

온기가 느껴졌다. 털이 긴 동물의 바짝 선 긴장에 스치는 듯했다.

"티."

티티라는 온몸에 힘을 주었다.

"괜찮아."

이번 목소리는 좀 더 뜨거웠다.

"네가 돌아볼 이름이면 된다고 했잖아."

메마르고 무른 입술이 관자놀이에 닿았다.

숨을 들이켰다. 이유 없이 죽을 것 같았다. 상대가 어떤 사람인지는 생각도 나지 않았다. 안스, 총독, 시노드 신넬, 교국. 이따위 것을 무시한 것은 물론이고, 아니, 애초에 저자가 인간인지 괴물인지도 관심 없었다. 단지 무시무시하게 크고 뜨끈한 무언가가 제게 붙어 있다는 사실만 신경이 쓰였다.

그는 그렇게 가벼이 입 맞추었다.

그리고 귓가에, 목덜미에…….

그렇게 바보처럼 웅크린 자세로 한동안 멈추었다.

티티라는 주먹을 꽉 움켜쥔 채 꼼짝도 못 했다. 그의 어깨가 제 눈앞에서 조금씩 오르락내리락했다. 어쩌면 제 시선이 그만큼 흔들렸을지도 모르겠다.

그들은 서로 엇박자로 부딪히는 접경지대의 파도 같았다.

그녀가 내려갈 때면 그가, 그가 내려갈 때면 그녀가…… 상대를 잡아먹을 듯 부풀어 올랐다.

한참 뒤, 그가 몸을 일으켰다.

“나는 이 주 뒤에 교국으로 떠난다.”

그녀는 그게 무슨 의미가 있냐는 듯 반문했다.

“따라오게 될 거라면서? 당신이 원하는 대로 따라갈 건데.”

“아니. 넌 안 돼.”

한순간 제 귀를 의심했다.

“뭐?”

“나는 탈란타우에 살해를 막지 못했다. 그러니 법황이 그 죄목으로 나를 소환하는 것은 당연한 일이다. 네겐 적당한 변명을 쥐여주었으니, 바다 건너에서 안전하겠지.”

목에서 숨구멍이 잡아 뽑히는 기분이었다.

“뭐……? 무슨 소린데? 따라올 거라면서?”

“그래. 그러리라 생각하여 미리 경고했다.”

“장난해? 그럼 애초에 나는 왜 찾은 거야? 천 금이 남의 집 개 이름이야?”

“네가 살아 있는지 알고 싶어서.”

와, 이건, 무슨…….

티티라는 새하얘졌다가, 시뻘겋게 달아올랐다.

"티, 지금 배가 움직이는 것처럼 느껴지나?"

아니.

뒤늦게야 깨달았다.

"잠시, 저쪽으로."

그녀는 거의 영혼이 빠져나간 사람처럼 당황해 있었다. 그의 말 한마디, 한마디가 믿기지 않았다.

내가 들은 게 맞아? 지금 본인은 탈란타우에 살인자를 관리하지 못한 죄로 법황에게 소환당하면서, 살아 있는 내 얼굴 한 번 봤으니 됐다고?

그녀는 주춤거리며 그의 인도를 따랐다. 그는 익숙한 부선장실로 자신을 이끌었다.

부선장실에는 제가 사역관에, 저택에 들고 갔던 물건들이 있었다. 누군가 짐을 정리해 둔 것이 분명했다.

"뭐야……."

"네 물건을 이곳에 두었다. 필요한 게 있다면 가져가."

"내가 왜?"

"넌 '내가 찾던 사람이 아니'니까. 아두커인들에게 넘겼던 금은 회수할 예정이다."

그녀는 끝없이 질문할 수도 있었다.

그러나 그 대신, 침대에 주저앉았다. 기둥을 꽉 잡았다.

"미쳤다고 그러게 둘 줄 알고?"

"……."

"디아세는 어떻게 됐어?"
"감옥에서 자살했다."
"……당신 도움이 있었어?"
"아니. 관리 소홀이다."
"지금 그러면…… 살인이 벌어진 것도 당신 잘못, 살인자가 죽은 것도 당신 잘못인 거야?"
"그렇게 될지도."
티티라는 숨을 들이켰다. 그러나 생각만큼 큰 소리가 나진 않았다. 너무 기가 막혀 분하지도 않았으니까.
"……그렇게 될 거잖아. 절대 안 돼. 날 본 사람들이 한둘이 아닌데 당신네 우두머리도 바보가 아닌 이상 진실을 알겠지. 누군가 벌을 받아야 한다면 더더욱 내가 가야 해."
"그래서…… 아니다. 그러면 우선 이즈버르까지는 함께 가고, 그 뒤 처분을 논하자. 물론 그 경우 중요 목격자가 되어 강제로 교국에 가야 할 공산이 높다."
"당연히 그렇게 되겠지."
"일단 지금은 구속될 테니 여기서 중요한 것들을 골라. 따로 보관해서 나중에 주거나 소조폴 상단에 보내겠다."
언젠가 소조폴 상단을 박살 내겠다던 사람이 저런 말을 하고 있네. 티티라는 작게 혀를 차며 책상 위를 뒤졌다. 몇 가지 서류와 도장을 골랐다.
"여기, 전달해 줘. 오벰한텐 내가 잘못한 게 크니까."
"네 물건은?"
"소조폴이 망했을 때부터 가진 적 없어."

"알겠다."

그녀는 한숨을 푹 쉬곤 양손을 내밀었다.

"자."

안스카리우스가 한 걸음 다가왔다.

티티라는 보란 듯이 손목을 계속 흔들었다.

잠깐 이상한 것을 보았다고 생각했다. 그의 눈에 비친 웃음 같은…….

그 순간, 지독한 충격이 느껴짐과 동시에 숨이 막혔다.

숨이 막힌다고 느끼는 것조차, 눈을 깜빡일 정도의 찰나였다.

티티라는 그대로 기절했다.

티티라는 깨질 듯한 머리를 누르며 깨어났다.

멍하니 천장을 바라보다가, 상황을 직감하곤 벌떡 일어섰다.

안스카리우스가 자신을 기절시켜 감옥에 던져 두었다고 생각하지 않았다. 그는 계략이라 부를 수 없을 정도로 단순한 방법을 썼다.

그녀는 이프루이우호에서 쫓겨났다.

급하게 문을 열어젖혔다.

"이봐!"

문 앞에서 노름을 두고 있던 두 사람이 고개를 들었다.

"아, 깨어났군. 포파에게 가 봐."

"뭐?"

"'아르모니에 포파'. 갑판에 가서 물어보면 알려 줄 거야."

티티라는 다시 물어볼 시간이 없었다. 갑판으로 뛰어 올라가 고래고래 소리를 질렀다.

"포파! 아르모니에 포파!"

이미 그 이름을 알고 있었다. 아두커에서 자신을 질질 끌고 왔던 시청 소속 놈.

곧이어 반 갑판에서 누군가 빠른 걸음으로 뛰어 내려왔다.

“아, 미안하게 됐소.”

말투는 어느새 올라가 있었다.

“됐고, 상황 설명해.”

“아니…… 여기선 말고.”

그는 제 ‘실수’에 당황하는 듯했다. 자신이 애꿎은 사람을 때려서 배까지 데려왔고, 그 과정에서 여럿 고생시키기까지 했단 사실을 만천하에 알리기 싫은 모양이었다.

그들은 함께 지붕 아래로 들어갔다.

아르모니에는 손님실의 문을 단단히 닫았다.

몸을 돌린 뒤 내뱉은 첫 마디는 여전히 멍청했다.

“미안하오.”

“아니, 됐다니까. 어떻게 된 건지나 설명하십시오.”

“이즈버르에서 파견된 이들이 확인한 결과…… 당신이 수배당한 게 아니라 하더이다.”

“보상금 내놔.”

“아…… 그건 당장은 어렵소. 책정된 예산이 없어서…….”

“미쳤습니까? 재판소에 고발할 겁니다. 아무리 아두커 재판소라 해도 수십 명이 지켜보는 가운데 억울하게 붙잡혀 간 인간을 무시하진 못할걸.”

“아니! 당장은 어렵다는 이야기야, 이 사람아. 딱 일주일만 기다려 주시오, 딱 일주일만! 그러면 삼백 은 정도는 지급할 수 있을 것 같소. 진심으로 죄송하다는 말씀을 드리오……."

자신이 겪은 고초에 비하면 턱없이 적은 액수라고 생각했지만 당장은 따질 여유가 없었다. 저 정도면 이즈버르로 가는 여비로 충분했으니까.

"언제 도착합니까? 아두커로 돌아가는 거죠?"

"그래요."

"교국 배과 갈라진 지는 얼마나 됐습니까?"

"반나절 정도? 찾던 사람이 아니라면서 한 시간도 안 되어 돌려주더군. 망할, 지들이 찾던 사람인지 아닌지 바로 보면 모르나? 눈깔이 뽑힌 것도 아니고. 세고 있던 금이 눈앞에서— 아차, 이는 드릴 말씀이 아니군요……."

"전 이즈버르로 가야 합니다."

"뭐, 그러시오. 다만 아두커에서 남부로 가는 배의 검역이 강화된 건 하루 이틀 일이 아니오. 입항 일주일 전에 미리 허가를 받아야 할 정도니까."

티티라는 한숨을 쉬고 방향을 틀었다.

"육로는?"

"그야 가능하지. 여행이 좀 길어지겠지만 도시를 봉쇄한 건 아니잖소."

"그럼 삼백 은 대신 이즈버르에 최대한 빨리 갈 수 있도록 수배 좀 해 줘요. 시청에서 찾으면 좀 싸잖아."

"그래요. 이십 일 정도로 잡으면 될 것 같소."

"잠깐, '이십 일'? 그게 가장 빠른 거라고? 내가 열흘 만에 주파한 사람을 알고 있는데?"

"뭐? 요새는 불가능하오. 남부가 교국 장악 이후 빡빡해졌어. 사설 파발소가 많이 망했다고."

"안 돼. 이 주 안에 가야 합니다."

"그럼 배를 타야 하는데……. 내 말했잖소. 사전 허가 없이는 어렵다고. 급히 허가가 나오는 경우는 대상단 일원이나 시청 공식 사절밖에 없어요."

"……."

티티라는 살짝 떨었다.

남자는 제 실수가 조금 미안한지 더듬거렸다.

"내 몇몇 대상단에 청을 넣어 보지요. 이즈버르에 방문할 일이 있으면 시청 명의로 손님 하나를 끼워 달라고. 다만 정말이지 항구 통과하기가 낙타 바늘구멍 뚫기라……."

"일단 부탁합니다."

그녀는 이성적으로 생각했다. 지금 당장 이 배를 협박해 돌린다 해도 이즈버르 만에 도달하지 못할 테니, 앞으로 며칠간 여기 갇혀 아두커로 돌아가는 수밖에 없었다.

결국 이프루이우호가 이즈버르로 가는 사이, 자신은 거꾸로 질주하게 된 것이다.

티티라는 문득 안스카리우스에게 화가 치솟는 것이 느껴졌다. 미친놈, 미친놈…….

안스카리우스를 만났던 단 몇 분이 꿈 같았다.

탈란타우에가 죽자마자 법황청에서 소환 명령이 떨어졌음이 분명했다. 모든 걸 정리한 뒤 두 달 내에 교국으로 출발하라고.

안스카리우스는 그 명령을 받아들이고, 자신을 찾고, 살아 있다는 사실을 똑똑히 확인하고, 하잘것없는 애착을 보여 주고, 유언처럼 비겁한 단어들을 내뱉고, 마침내 일방적인 작별을 했다…….

소환령 이후 내내 이럴 계획이었겠지. 돌아오라는 지시에 따라야 하므로, 마지막으로 자신을 보고 미련이 없게 하려고. 우리가 만나는 게 위험하단 사실을 알면서도 욕망을 이길 수 없었을 거야.

멍청한 자신은 그 기간 중 육 주나 헤매고 있었으니— 이제 남은 시간은 고작 이 주였다.

그런데 아두커에서 이즈버르까지 돌아가는 건 가장 빠른 배로 열흘.

눈앞이 아찔했다.

지금 자신은 손에 쥔 게 하나도 없었다. 아두커 시청에서 도움을 준다지만, 그조차 실현 가능성이 낮단 사실을 잘 알고 있었다. 대상주들은 확실한 보상 없이는 요청을 들어주지 않을 것이다.

육로도 안 돼, 해로도 어려워.

티티라는 지끈거리는 이마를 감쌌다.

어쨌든 배는 제 고민을 기다리지 않았다. 작은 배는 쾌속으로 달려 사흘하고도 반나절 만에 아두커에 도착했다.

"시청에 함께 갑시다."

티티라는 배 위에서 한참 생각하고도 뾰족한 수를 내지 못한 상황이었다.

"아니요."

"시청에 안 가오?"

"당신이 먼저 시장님께 설명할 일이 많을 테니까요. 저는 바다매 여관에 있을 테니 연락 주세요. 신용증 하나만 써 주시면 비용은 시청 앞으로 달아 두겠습니다.”

“에휴…… 그래요.”

그는 성의 없이 휘갈긴 종이를 건넨 뒤 한숨과 함께 떠났다. 제 보상금을 제하더라도 불필요하게 배를 띄운 값이 꽤나 나갈 것이다.

티티라는 문득 종이를 내려다보았다.

[이자의 바다매 여관 투숙 비용은 아두커 시청에서 지불하겠음. 복도 쪽 객실. 일 1회 식비만 포함. 아르모니아 포파.]

누가 시청 소속 아니랄까 봐 흔들면 소금이 떨어질 듯 인색했다.

그녀는 여관까지 터벅터벅 걸어갔다.

자신을 못마땅하게 바라보는 주인 앞에 턱 하고 종이를 내려놓았다. 그는 깐깐하게 살펴보더니, 심부름꾼에게 자신을 넘겼다.

“이 층 두 번째 방 남지? 그쪽으로.”

“식사 먼저 주세요.”

“짐 풀고 내려오시죠.”

“짐이 없는데요.”

“거지인가?”

주인은 들으라는 듯 중얼거렸다.

티티라는 아두커 시청에서 그간 너무 자주 외상을 쓴 것 같다는 생각에 쓴웃음을 지었다.

“계속 장사하고 싶으면 식사 마련해 둬요. 시청에서 받은 건 없어도, 밉보이긴 싫잖아.”

“어디서……!”

"더불어 좀 삽시다."

남자가 자리에서 벌떡 일어섰다.

티티라는 몸을 뒤로 젖히다가— 누군가에게 턱 하고 부딪혔다.

등 뒤로 매우 마르고 작은 사람이 느껴졌다.

그녀는 사과하기 위해 몸을 돌렸다.

침묵.

"……."

"아두커 시장이 시정잡배처럼 구는 건 하루 이틀이 아니지. 그러니 신용증을 못 믿을 수밖에. 내 대신 지불함세, 두흐."

"아니, 그러실 필요는 없습니다. 절대!"

"글쎄, 내가 낸대도."

"절대! 그레슈카 상주께선 무료로 저희 특실에 머무르셔도 저희의 영광입니다."

"그래? 그러면 나는 무료로 머물고, 이자의 비용은 내가 지불하지."

남자는 울상이 되었다.

그러나 그레슈카가 은화 몇 개를 집어 탁자에 올려 두는 것이 먼저였다.

"측백나무 식당으로, 식사 좀 잘 부탁하겠네."

"예, 옛!"

그레슈카는 티티라의 어깨를 툭툭 두드렸다.

"오랜만이다. 따라와."

그녀는 반항하지 않고 상대를 쫓았다. 많은 생각이 휘몰아쳤다. '어떻게 여기에 있지?'는 가장 사소한 질문이었다. 그레슈카 상주가 아두커에 머무르는 건 오히려 미리 생각했어야 하는 내용이니까.

그러니 그보단 '어디까지 알고 있지?', '바깥세상은 어떻게 떠들고 있지?', '날 언제부터 쫓아왔지?'와 같은 질문들이 수없이 맴돌았다.

그래서 분리된 방에 다다랐을 때 그녀는 벌써 지쳐 있었다.

"소식은 들었다."

"……몸은 괜찮습니까?"

"내가 왜?"

"내가 당신에게 연회 날 독을 받았단 사실을 알더라고요."

"그래? 그런 것치곤 별로 쫓아오는 것 같진 않더군. 반면 네게 걸린 금은 한 달 전부터 질리게 봐 왔다."

"……계속 아두커에 계셨어요? 이즈버르랑 이렇게 가까운데 배포도 좋아."

"탈란타우에가 죽었더군?"

티티라는 말없이 찻잔에 차를 따랐다. 뻣뻣하게 일어선 채 대중없이 움직이자 결국 찻물이 넘쳤다. 그녀는 성마르게 도자기를 내려놓았다. 밑 접시와 쨍그랑 부딪히는 소리가 둘 사이의 공기를 건드렸다.

자신을 바라보는 상주의 시선이 느껴졌다. 아주 집요하게, 추궁하는 듯한 시선.

"그레슈카 씨, 왜 저를 그런 눈으로 보고 계시는지 모르겠는데요."

"잘했다."

"……."

"어떻게 칭찬하나, 고민 중이었지."

"들으셨겠지만 그를 죽인 건 제가 아닙니다."

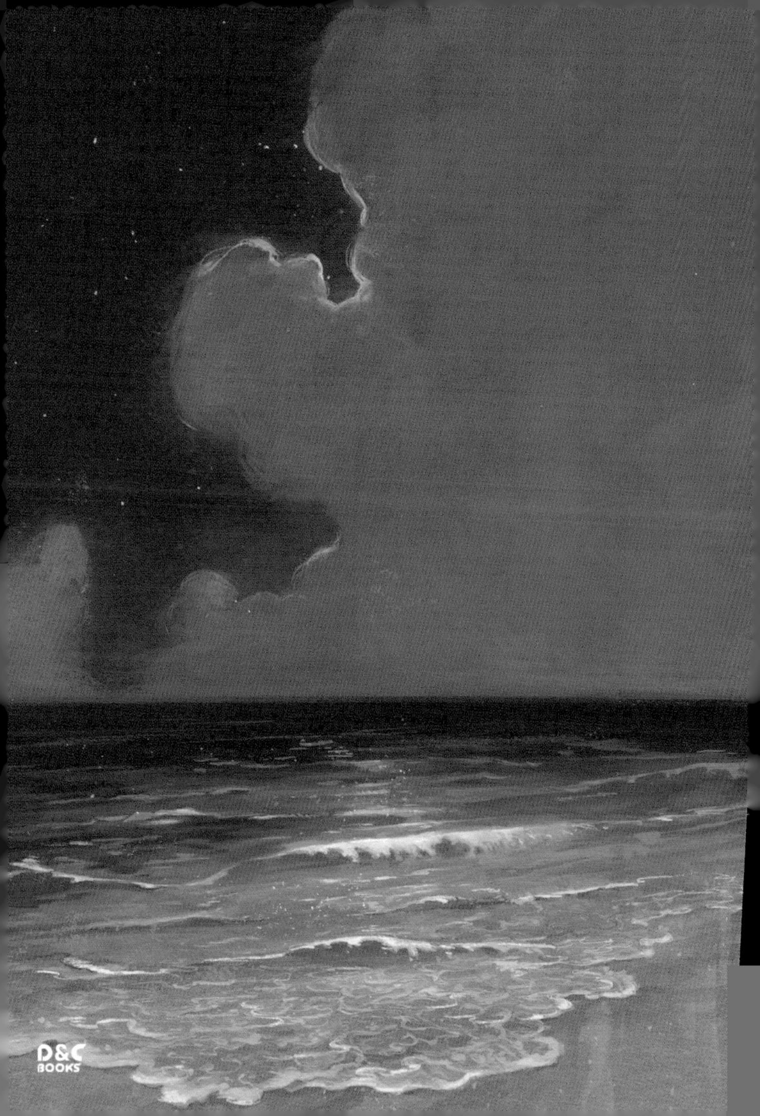
D&C
BOOKS

사마귀가
친구에게

삶은 온통 엎질러진 물이고,
사랑은 그 위를 미끄러지는 날랜 배였다.

『사마귀가 친구에게』 4권 초판 한정 부록 | 비매품
윤진아 지음 | NOMA 그림

티티라는 안스카리우스의 놀음에 맞춰 주기 위해 애썼다.
"그런가? 그럼 일천 금짜리 수배서는 어떻게 된 거지?"
"재판 날, 사건이 벌어진 자리에 있었거든요. 그런데 사라졌으니—"
"그건 나도 알아. 하지만 네가 탈란타우에를 구하러 바다에 뛰어들었단 소린 안 믿는다."
그녀는 바닥을 노려보았다. 이놈의 노친네, 또 다 알고 물어보는군.
그레슈카는 그녀가 입을 다물자 드디어 미소 지었다.
상주는 원탁을 돌아 자리에 앉았다. 그러고 보니 그녀에겐 지팡이가 없었는데, 이제야 그것도 어떤 가면이었다는 사실을 깨달았다.
"네 웃기는 드레스 리본이 아직도 기억나는군. 그렇게 연회 날 내륙으로 떠났는데 몇 주가 지나도 내게 통 관심이 없는 게야. 내 부상주에게 물어도 공문조차 온 적 없고, 심지어 최근 사탕수수 매매권을 추가로 얻었다지 뭔가. 물론 속임수일 확률도 있지만, 글쎄, 굳이?"
"……."
"어차피 너는 그때 탈란타우에를 죽이지 못했다. 바를라암 총독은 피해자가 없다면, 차라리 약점을 쥔 동반자가 되는 편이 낫겠다고 생각했을 게다. 적어도 내가 아는 그놈은 그렇다."
"……."
"그래서 느긋하게 볼일이 있던 아두커에 도착했는데, 갑자기 우리 상관에 수배지가 들어오지 뭔가. 네 얼굴에, 일천 금이라고? 그 뒤 한발 늦게 도착한 부상주의 편지에서, 사제왕 탈란타우에가 부하의 반란으로 사망했음을 알 수 있었지."
티티라는 여전히 앉지 못했다. 조금 긴장해 있었다.

"돔니니, 네 수배지는 상단과 공공 청사로만 들어왔다. 대중에게 뿌려진 게 아니다. 그 어마어마한 돈을 어떤 식으로 투자하여 불릴지 계획이 확고한 인간들만이 널 잡을 기회를 가졌단 말이지. 나는 그 사실을 알게 된 순간 네가 무슨 짓을 했든, 총독이 네게 죄를 물을 의도는 없단 걸 깨달았다."

"……."

"금을 노리는 인간들은 절대 이 귀한 정보를 공유하지 않고 물밑에서 널 찾을 게다. 널 찾은 뒤엔 쾌속으로 교국에 소환시키겠지. 그사이 어떤 '오해'나 '소란'이나 '파손'이 없도록 말이야. '속도'와 '품질'에 신경 쓰다 보면 연루된 사람도 적어질 테고……."

"……."

"그렇다면 사실은 본인들이 찾던 인간이 아니라며 널 '반품'시키기도 쉬워지지. 신뢰는 깨지 않고, 돈은 아끼고, 상대의 노동력과 욕심은 착취하고."

"……."

"아니나 다를까, 저 멍청한 아르모니에 포파가 널 잡아가더니 결국 우물쭈물 돌아오더군. 하인이 네가 간 여관을 알려 주기에 슬슬 따라왔다. 이쯤이면 반겨 주겠지, 하고."

그레슈카는 혀를 쯧 찼다.

"너, 이즈버르에서 무슨 짓 했어."

"……말씀 주셨듯 달아났습니다."

"그날 배 위에서 있었던 일은 어찌나 잘 밀봉했던지 나조차 알아낼 수 없었다. 그래도 넌 그 자리에 있었잖나. 무슨 일이 있었지?"

"말씀 주셨듯 달아났다니까요."

"널 즉결 처형이라도 하려 하더냐?"

"얼토당토않은 소리. 꼭 구구절절 설명해야 하나?"

"그래. 자세하게."

"아, 그러니까 바다에 빠지긴 했어요. 다만 저놈들 말과는 달리 실제론 탈란타우에를 죽이려 했습니다. 그런데 바다에 같이 빠졌을 때 그놈은 이미 죽어 있었다고요. 그래서 그냥 도망간 겁니다. 그런 상황이면 '설마 나한테 살인죄를 씌우려나? 죽이려곤 했지만 안 죽였으니 이걸로 처벌받긴 억울한데.' 싶겠죠? 그러니 바로 배로 기어 올라가지 않고 헤엄쳐 나간 겁니다."

"그래. 수배지의 일천 금은 네가 멍청하게 도망간 것으로 설명이 된다. 하지만 아르모니에 포파가 널 그렇게 성대하게 잡아갔는데 교국이 다시 돌려보냈다고?"

"……."

"아두커 시청의 일 처리는 믿을 만하다. 그러므로 교국과 접선한 건 확실하고, 교국이 더 이상 네가 필요 없다고 했거나, 아니면…… 수배자가 아니라고 말했나 보군. 두 경우 모두 교국이 이해되지 않긴 마찬가지야. 탈란타우에를 죽였단 오해가 풀려서 보내주었다? 지나가는 개도 안 믿을 소리를 하는군. 진실을 말해."

티티라는 조금 지쳐선 의자를 잡아 뺐다. 구부러져서, 주저앉았다. 정면에 앉은 그레슈카를 빤히 응시하며 말했다.

"먼저 제 부탁 하나만 들어주세요."

그레슈카는 눈썹을 치켜세웠다. 말해 보라는 뜻이었다.

티티라는 헛기침을 몇 번 했다.

"전 열흘 안에 이즈버르로 가야 합니다."

"……."

"그레슈카 상단에 문제가 없다고 말씀 주셨죠. 그러니 이 정도 사소한 일은 도와주실 수 있을 겁니다."

이즈버르가 육로 여행자를 전혀 단속하지 않는 모습을 보면, 결국 교국이 경계하는 건 '항구'의 안전일 것이다. 그러니 항구만 통과하면 그자가 뿔 달린 괴물이라도 신경을 안 쓸 게 분명했다. 별로 위험하지 않은 일이었고, 자신이 잘 해낼 각오도 있었다.

"왜?"

……물론 제 앞에 앉은 그레슈카는 까다로운 상인이었다.

"……그것보단, 제가 치를 수 있는 대가를 물어보셔야 하는 거 아닙니까?"

"질문이 '대가'야. 나는 이유가 궁금하다."

이것까지 거짓말을 하고 싶진 않았다. 여태껏 그레슈카에게 진 빚이 상당했기 때문이다.

티티라는 마른 입술을 다셨다.

"총독을 보러 가요."

그렇게 내뱉고서야 그 말이 지닌 무게가 다가왔다. 머리가 조금 아팠다.

"……총독을 다시 보러 간다고? 이미 널 돌려보내 준 것으로 끝난 일 아닌가?"

"정확히는, 총독이 단독으로 저지른 짓입니다. 그자는 제가 결백하단 말을 신뢰했죠. 하지만 다른 사람들이 저를 곧이곧대로 믿어줄 리 없습니다. 그래서…… 솔직히 총독에게 저라는 목격자조차 없으면 어떻게 될지 걱정됩니다."

"……."

"그러니 돌아갈 겁니다. 무슨 일이 있어도 탈란타우에의 죽음에 총독의 잘못이 없다는 사실을 증언해야 합니다. 그걸로 제가 피해를 입은대도—"

"접붙었군. 아주 미친 갈대 한 쌍처럼 붙었어."

그레슈카는 투덜댔다.

"잘들 놀고 있다. 내 누누이 말했거늘, 애먼 사랑이나 찾고."

"사랑 아닌데."

"시끄럽다. 기한은 왜 '열흘'이지?"

잠깐 거짓말을 할지 고민했다.

하지만 여전히, 그레슈카에게 진 빚이 많았다.

"총독이 교국으로 소환될 겁니다."

그레슈카의 눈이 살짝 커졌다. 광기를 지닌 예술가처럼 번득였다.

"교국으로 소환되는데, 가장 가까운 목격자인 널 자유롭게 해줘? 저쪽도 제정신은 아니다."

"그러니까요. 그렇게 하면 누가 고마워할 줄 알고? 제가 돌아가 증언해야 해요."

"말인즉슨, 교국으로 간다는 거군."

"네."

나이 든 상주의 말은 자신을 객관적으로 바라볼 수 있게 해 주었다. 티티라는 엉망인 옷을 개키듯 상황을 정리했다.

"전 총독을 위해 증언할 겁니다. 그러기 위해 교국에 가야 한대도, 두려울 거 없습니다."

말하고 보니 참 대단한 머저리였다. 그레슈카가 자신들 사이를 오해하는 것도 그럴 법했다.

고개를 들자 노인 표정이 확실히 가관이었다.

“총독 놈은 자기 연인이 고초를 겪을까 밀쳐 내고, 너는 그래도 사랑한다며 달려들고…… 염병들을 떠는군.”

“…….”

“돔니니, 잘 들어. 탈란타우에가 죽었으니 교국은 한동안 시노드 신넬에 적극적으로 나서지 못할 거다. 봐라. 벌써 법황이 총독을 불러들이며 위세를 부리지 않나.”

“…….”

“사제왕들은 몸을 숙여야 할 게야. 탈란타우에 같은 거물이 죽었다면, 그 이유가 무엇이든 싸움의 큰 축이 사라진 것과 진배없다.”

티티라는 이 대화가 어디로 향하고 있는지 알았다.

“그러니까 너는 이제 교국 권역 바깥, 예를 들어 아두커 같은 곳에서 다시 삶을 시작할 수 있다. 아무도 널 붙잡지 않을 거야. 그런데 지금 누굴 따라 어딜 가겠다고?”

그리고 제 대답도 정확히 알고 있었다.

“총독을 따라 교국에 가려고요.”

그레슈카는 답답한지 얼굴을 찡그렸다.

“가면 돌아올 수 없다.”

“돌아오도록 노력해 볼게요.”

“그깟 한낮의 열병에 목숨 걸지 마라. 내가 이야기했지. 젊고 아름다운 애들은—”

“‘저 남자가 존경스럽다.’는 생각을 아예 하질 말라고요. 네. 기억납니다. 전 총독을 존경하지 않습니다.”

"—둘이 흘레붙은들 너 혼자 다친다는 사실도 충분히 배웠겠지. 이번에도 똑같을 거다. 저자가 그래, 너를 아낀다고 치자. 하지만 상황이 급박해져도 사람 마음이 같을까? 애당초 네가 챙겨 준답시고 유난 떨 필요가 없는 인간이다. 네 딴엔 저놈 세상이 무너진 것 같을 테지만, 첫째로 저놈은 사제왕이니 안전하고, 둘째로 솔직히 저놈이 죽은들 무슨 상관인가? 정신 차려!"

티티라는 깜짝 놀라 눈을 깜빡였다.

차근차근 말하다가 불같이 화를 내는 그레슈카의 모습이 영 익숙지 않았다.

"네……?"

"내가 제 무덤을 찾아가려는 멍청한 녀석에게 도움을 줄 성싶으냐? 천만의 말씀이지."

티티라는 갑자기 유쾌해졌다. 그레슈카처럼 여유로운 사람도 화를 낸다니 재미있었다.

"그레슈카 씨."

"거절한다."

"아펭글로에게 전달할 편지를 써 주세요."

찻잔을 툭툭 치던 손이 우뚝 멈췄다.

"살아 있다니 좋은 기회잖아요. 교국이 모험가를 냉대해서 잡스러운 글이나 가르치며 산다는데."

"관심 없다."

"애 같으세요."

"네 마음대로 생각하거라."

"뭐라도 보답해 드리고 싶었는데 아쉽습니다. 그레슈카 씨께서 저를 위하시는 마음을 잘 알거든요."

"다행이군."

"그러니 제 결정을 지지해 주세요."

"그런 건 네 부모에게서나 찾아라."

"저는 부모가 없는데요."

"……."

"물론 저를 지지하는 부모가 필요해서 그레슈카 씨에게 말씀드린 건 아니고요. 단지……."

몇 가지 진실을 털어놓으니, 왜 이리 입을 단속하기 어려운지 몰랐다.

아니…… 사실 이미 알고 있는지도……?

'나는 교국으로 갈 것'이라는 말은 솔직히 자살 선언이었다. 실제로 죽을 확률도 높지만, 그보다, 죽지 않더라도 다시는 시노드 신넬로 돌아올 수 없다고 생각해야 했기 때문이다.

그러니까…… 시노드 신넬에서의 티티라 돔니니는 죽는 것이다.

그래서 마지막으로 마주할 그레슈카에게 유언처럼 털어 내고 싶었다. 티티라는 스스로를 다독였다.

'말해도 돼.'

"그레슈카 씨, 저는 총독을 전혀 사랑하지 않습니다."

"그래. 내일 해와 달이 안 뜬단다."

"제가 총독을 따라가려는 이유는 그자가 제 친구이기 때문입니다."

"사랑이 아니라 우정이라고 믿고 싶겠지."

"총독은 이번에 시노드 신넬에 처음 온 것이 아니거든요."

그레슈카의 눈이 가늘어졌다.

티티라는 모든 걸 고백하지 않으면서도, 상대가 충분히 파악할 수 있도록 말했다.

"총독은 훨씬 전에, 지위가 없을 때 바다를 따라 왔었습니다. 저는 그자를 우연찮게 만나 친구가 되었습니다."

노인은 긴장하다가도 맥이 빠진 듯했다.

"어디까지 헛소리를 하는지 내 들어 보지."

"제가 왜 그레슈카 씨께 수없이 아펭글로에 대해 이야기할까요? 생각해 보신 적 없으세요?"

"그야……."

"예. 젊은 상주에게 애정사가 따라붙으면 역겨워지는 주변 반응이요. 압니다. 하지만 처음 이야길 꺼낸 뒤에도, 왜 굳이 그자가 생존해 있다고 이야기하고, 또 지금 이 순간 편지를 써 달라고 간청하겠습니까?"

"……."

"저는 당신이 친구를 추억하길 바랐습니다. 서로 출신이 상관없을 때 쌓았던 우정을 보고 싶었습니다. 저는 총독과 그런 관계였거든요."

그레슈카는 전부 농담이라고 생각하는지 혐오스러워하는 표정이었다.

"그간 제 뒷조사를 엄청나게 하셨을 텐데 왜 모르시는지, 사실 전 그게 더 놀랍습니다."

"아, 네가 옛날 어디서 나타난 무직 총독과 우정을 나누셨다?"

그레슈카가 비아냥댔다.

"네. 좀 더 알아보세요."

"정신이 나갔군."

"다만 제가 떠나고 나서요. 시간이 없습니다."

이제는 아예 미친 사람을 보는 눈빛이었다. 티티라는 아무도 믿지 않을 이야기를 해내곤 조금 즐거워졌다.

"그레슈카 씨라면 아펭글로가 돌아와 제 발로 불구덩이에 쳐들어가면 말리지 않으시겠어요? 보세요. 굳이 굳이 배를 끌고 와서 친구가 잘 있는지 본 다음, 이제 상관 말라며 혼자 떠나잖아요. 그 꼴을 어떻게 가만히 두고 봅니까? 누가 자기 잘난 척만 하게 둘 줄 알고?"

"총독이 친구라고? 완전히 돌았군."

"전 안 미쳤습니다."

티티라의 말은 빠르고 깨끗했다. 몸을 살짝 앞으로 기울인 채, 견갑골에 힘을 준 젊고 건강한 사람으로서 선언했다.

"저는 제 옛 친구에게 빚을 갚기 위해 교국으로 갈 겁니다. 당신에게 믿어 달라고 맹세하지는 않습니다. 수천 금에 맹세하는 것보다 제 말이 더 가치 있으니까요."

"......."

"아, 그리고 보답으로 소조폴 상단의 전권을 드리겠습니다. 제 상비도 새로운 주인이 그레슈카라는 사실을 알면 알아서 따르겠지요."

"유언을 남기는군. 총독이 제 친구라 죽을 각오를 했다니. 그러고도 여전히 미치지 않았다네."

티티라는 육십 노인의 볼멘소리에 빙그레 웃었다.

"제가 미쳤다면, 그냥 보내 주세요."

"......."

"하지만 믿지 않으시니 계속 만류하시는 거잖습니까."

"……."

"제가 미치지 않았다고 믿어서 이즈버르에 보내 주시든가, 미쳤다고 믿어서 미련을 끊으시든가, 둘 중 하나입니다. 편도 뱃삯으로 소조폴 상단을 받는다는 게 얼마나 이득인지 아실 텐데요."

이야기를 듣고 있던 그레슈카가 자리에서 일어섰다.

티티라는 그녀가 느릿느릿 제게 다가오는 모습을 지켜보았다. 자신은 저 사람을 꽤나 좋아했다. 다른 시간에 다른 곳에서 만났다면 정말 무덤까지 함께할 친구가 되었을지도 몰랐다.

그레슈카가 가까이 다가와 손을 뻗었다. 어깨 위에, 바스라진 낙엽처럼 떨어졌다.

"티티라 돔니니."

"네."

"너는 사랑에 미친 게야."

"아, 부끄러워."

"네 말처럼 미친 사람에겐 미련을 끊어야지. 내가 백번 만류해도 들을 정신머리가 아니니."

"감사합니다."

"나는 차라리 네가 내 경고를 잊길 바란다. 나중에 그자에게 배신당할 때 '그레슈카의 말을 들을걸.' 하고 후회하지 않았으면 한다. 내가 그런 순간에 남겨진다는 것조차 치욕이니, 그저 홀로 고이 죽어라."

"네."

"나는 너를 이해할 수가 없다. 명민한 젊은이 앞엔 독이 드는 숙명뿐인고."

"미친 사람한텐 미련을 끊는다고 하셨잖아요. 그만 끊으세요."

그레슈카의 입에서 욕설이 튀어나왔다. 끝끝내 자신을 놓지 못하는 비난이었다.

하지만 사실 그녀가 욕을 한다는 건, 이미 포기했다는 이야기기도 했다.

그래서 티티라는 문장으로 정리하기 힘든 욕을 경청했다.

"—여기서 막은들 너는 육로로 이즈버르 사역관에 가겠지. 이프루이우호가 떠난 지 오래인데도, '목격자가 여기 있소.' 스스로 죽으러 들어갈 게야. 그럴 바엔 차라리 총독에게 붙어 그의 흥미가 떨어질 때 죽는 게 좀 더 오래 살 수 있는 방법이라는 생각이 드는군. 그렇게 추하게, 구질구질하게 좀 더 살아 보거라."

"감사합니다."

"처음 만났을 때 아량을 두지 말 것을."

"잘 살아 볼게요."

"망할 년."

"네."

그레슈카는 마지막으로 자신을 노려본 뒤 방을 떠났다.

티티라는 그레슈카 상단원과 함께 소조폴 상단 인계 문서를 썼다. 감정이 상했대도 거래에는 철저한 사람이라 유쾌하게 느껴졌다. 같은 부류로서 안심이 되기도 하고 말이다. 이봐요. 날 그렇게 비난하고 안 해 주는 척하더니 착착 준비시키는 것 봐.

티티라와 그레슈카 상단원은 곧장 아두커 항구에 정박되어 있는 그레슈카의 배로 찾아갔다. 상단원이 제 가명을 등록하고, 항해에 필요한 짐을 챙겨 주었다. 여기까지 정말 반나절도 걸리지 않았다.

그렇게 전광석화처럼 진행된 일 처리 덕분에, 티티라는 출항할 때까지 늙은 상주의 코빼기도 보지 못했다. 그녀의 마지막 말은 확실히 '망할 년', 그뿐이었다.

좀 교양 있는 말씀으로 마무리하시지. 투덜거렸다.

티티라는 조금씩 멀어지는 아두커를 구경하다가 선실로 돌아왔다. 침대에 털썩 앉아 배낭을 뒤집었다.

그렇게 욕해 놓고 어떤 짐을 챙겨 주었는지, 한번 볼까.

소조폴 상단 계약서 사본, 여행객용 잡기, 위생용품, 깃펜……. 옹기종기 쓸데없는 것들을 잘도 넣어 두었네.

티티라는 소조폴 상단을 팔아먹고 받은 것이 편도 여행길과, 이처럼 조촐한 물건들에 불과하다는 사실을 다시 한번 깨달았다. 정말 미친 짓을 하고 있구나, 새삼 웃음이 났다.

지금껏 이뤘던 모든 성취를 처분하고 죽으러 가는 거지……. 결국 제 손에 남은 게 이뿐이라는 사실이 기묘하게 다가왔다.

배낭을 뒤집어 탈탈 털었다.

몇 가지 더 쓸모없는 물건들이 투두둑 떨어졌다. 마침내 완전히 비어 있다고 생각하여 천을 흔들었는데, 무언가 안에서 바스락대는 소리가 났다.

그녀는 손을 넣어 숨어 있는 것을 잡아 뺐다.

가죽으로 감싼 종이였다. 겉면에 길고 가느다란 글자가 새겨져 있었다.

[아펭글로.]

입가가 실룩였다. 콧김이 살짝 나오다가, 결국 웃음으로 스며들었다.

그녀는 다시 편지를 배낭에 넣었다.

아마 바다 너머에 기다리는 사람이 있을 것이다.

안스카리우스는 난간으로 다가갔다.

티티라의 손목을 놓아준 뒤에야 바다 아래를 확인하는 것이 무슨 소용일지, 찰나 생각이 들었지만 그보단 몸이 움직이는 게 더 빨랐다.

두 사람이 빠진 물은 고요했다.

"방금……."

그는 옆에서 들려오는 목소리에 고개를 돌렸다.

사색이 된 군인이 난간을 붙잡고 있었다. 모두가 디아세에게 집중한 상황에서도 배 가장자리의 군인이 탈란타우에를 놓치지 않은 것이다. 군인은 한순간 바깥으로 상체를 기울였지만, 이내 냉정을 찾았는지 바르게 서서 자신을 바라보았다.

안스카리우스는 명령을 기다리는 시선에도 잔뜩 지체했다. 스스로 정확히 무엇을 바라는 것인지, 사고思考가 겹겹이 둘러싸여 좀처럼 정리하기 어려웠다. 탈란타우에가 죽지 않기를 바라나? 아니면 티티라가 성공하기를 바라나?

결국 혼란에 빠져선, 시간이 꽤 지난 뒤에야 가까스로 입을 열었다.

"들어가 봐. 중심을 잃은 듯한데 둘 다 나오질 않는군."

군인이 급하게 무거운 무기를 바닥에 풀어냈다. 오래 걸리지 않았다. 가장자리를 짚고 넘어가려는 순간…….

검은 무언가가 바다 위로 올라왔다.

숨이 달아올랐다.

푹 젖고, 무생물에 가까운 등.

군인이 바다에 뛰어들어 그 몸을 뒤집은 것은 거의 동시였다.

군인은 사색이 되어 탈란타우에를 밀쳐 냈다가, 그 행동에 더더욱 놀란 듯 다시 사제왕의 팔을 끌어당겼다.

안스카리우스는 자신이 행동해야 한다는 사실을 정말 오랫동안 깨닫지 못했다. 일종의 충격 상태에 빠져 있었던 것이다.

그는 정말로 탈란타우에가 죽도록 방치했다. 어쩌면 마음 한편에선 티티라가 해내지 못할 것이라고 생각했는지도 모르겠다. 아니, 아니다. 그렇게 비관적이었다면 그녀를 보내 주면서 등골이 서늘하지는 않았을 것이다. 티티라는 꾸준히 상대를 죽이겠다고 선언해 왔다. 그렇다면 지금 제 시야에 보이는 것은 당연한 결과에 가까웠다.

"각하."

"……."

"각하!"

바다 아래에서 목소리가 울렸다.

그제야 정신을 차렸다.

"급소에서 피를 흘리고 계십니다……. 송구하오나 숨이 들리지 않습니다."

티티라가 수면 위로 고개를 내밀었다면, 훨씬 빠르게 냉정해졌을 텐데……. 그제야 의혹이 들었다. 바다를 훑어보았지만 그녀의 흔적이 없었다.

안스카리우스는 뒤로 돌았다. 아직도 대부분의 참관객이 디아세를 제압하여 끌고 가는 군인 무리에 집중하고 있었다. 디아세는 그답지 않게 미친 사람처럼 악을 쓰고 몸부림을 쳤는데, 사제왕 살해 미수에 저런 태도라면 상황이 소란스럽지 않기란 불가능했다.

물론 가장자리에 있던 사람들은 서서히 이상한 낌새를 눈치챘다. 한두 마리가 고개를 돌리자 무작정 따라가는 쥐 떼처럼 관심이 돌아왔다.

마침내 그들은 뱃전에 둥둥 떠 있는 검은 시체와, 벌벌 떨고 있는 군인을 발견했다. 사람들 사이에서 경악한 시선이 오갔다.

안스카리우스는 그제야 나직이 말했다.

"사인을 파악해야 한다. 끌어 올려."

이제 반대편 뱃전에서도 무슨 일인지 물으며 웅성대기 시작했다. 디아세가 아무리 큰 소란을 일으켜도 더 이상 막을 수 없었다.

"해산. 이프루이우호 소속 군을 제한 인원은 배에서 떠나라."

재판에 참가한 사람들은 궁금해하면서도 목덜미를 잡혀 끌려갔다.

얼마나 많은 사람들이 얼마나 정확하게 봤을까? 안스카리우스는 고민했다.

그러나 시간이 지나고, 탈란타우에의 시체가 이프루이우호의 갑판에 오르자 고민할 필요가 없다는 사실을 깨달았다.

이제 이곳에 사제왕은 단 한 사람이었다. 다른 이와 진실을 겨룰 필요가 없으므로 자신이 말하면 모두가 믿어야 했다.

그는 흠뻑 젖은 주검을 바라보았다. 이미 군인 여럿이 숨을 살리려 노력했지만, 익사가 아니기에 소용없다는 사실만 확인했다.

한 걸음 다가갔다.

몸을 숙여, 아무도 감히 손대지 못한 그의 외투를 헤쳐 단추를 풀었다.

정적이 흘렀다.

안스카리우스는 다시 상의를 정돈한 뒤 일어섰다.

"날붙이에 공격받았다."

주위의 군인들이 바짝 긴장하는 것이 느껴졌다.

그는 딱딱하게 말을 이었다.

"므니모니오 디아세의 공격이군. 불측한 의도를 관철시켰으니 엄중 심문이 필요할 것이다."

몇몇 시선에 당혹이 담겼다.

그런 반응은 이미 예상했기에, 유독 당황한 듯한 군인에게 턱짓을 했다. 그는 티티라와 탈란타우에가 함께 떨어지는 것을 보고, 실제로 바다에 잠수한 장본인이었다.

"보고할 내용이 있나?"

"……감히 말씀드리자면, 사제왕 탈란타우에 각하께선 소조폴 상주 티티라 돔니니와 함께 떨어지셨습니다. 확인이 필요합니다."

"그래. 나도 보았다. 그자는 바다에 떨어지는 사제왕 탈란타우에를 붙잡으려다 함께 빠졌다. 이를 지적하려 했는데 내가 미덥지 않나 보군."

"아…… 아닙니다. 말씀이 옳습니다."

"소조폴 상주에게 물어야 한다. 어디 있지? 네가 잠수하지 않았던가?"

"……죄송합니다. 각하의 주검을 보고 순간적으로 냉정을 유지할 수 없었습니다. 잠수하지 않고 총독 각하의 명령을 기다렸습니다."

"같이 빠졌다면 지금쯤 올라와야 할 텐데, 의아하군."

"찾아보겠습니다."

안스카리우스는 총독에게 잘못된 말을 했다는 생각에 귀뿌리까지 벌겋게 달아오른 군인을 바라보았다. 고개를 끄덕였다. 더 고민할 여유를 주지 않고, 다른 일에 집중하게 만들어야 했다.

그는 군인 여럿을 뽑아 다시 바다로 뛰어들었다.

안스카리우스는 얼마 안 되어 티티라가 끌려 올라올 것이라고 생각했다. 때문에 다른 곳에 집중할 수 있었다.

서늘하고도 긴장된 시선으로, 시체를 바라보았다. 오랫동안 각오하고도 막상 닥치자 제게 충격을 안긴 문장.

내가 선택하고 말았군.

안스카리우스는 문득 잠에서 깨어났다.

양손으로 얼굴을 쓸었다. 하필 그날을 떠올리다니.

법황령에 따른 출항일이 사흘 앞으로 다가왔다. 아무것도 모르는 대리인 소존데에게 통치를 인계해야 하는 터라 최근 제대로 잠들 수가 없었다. 지금도 잠시 구름이 해를 가리자 눈이 감겼던 것이다.

이래서는 제대로 끝마치기 어렵다고 생각했지만, 동시에 적어도 한 가지는 해결되어 다행이라고, 새삼 안심이 되었다.

티티라 돔니니가 죽었거나 배신했거나 둘 중 어떤 것도 아니라는 사실은 제 마음을 덥히기에 충분했다. 그녀는 절대로 훌륭한 거짓말쟁이가 아니었다. 때문에 그날 배 위에서, 벌건 얼굴로 진실 된 단어를 수없이 쏘아 댔다. 그걸로 충분했다.

티티라는 옛 보호자와 라요나를 위해, 그리고 기억나지 않는 자신을 위해 탈란타우에를 죽인 것이다.

기억을 잃은 것은 질병에 불과하여 신의 뜻이지만, 옛 자신을 억지로 교국으로 끌고 온 누군가가 분명히 존재했다. 시노드 신넬에서 새로 얻은 정보에 따르면 그자를 탈란타우에로 추리해도 무리가 아니었고, 이 또한 그녀의 삶의 중 꽤나 중요한 위치를 차지했을 것이다.

그녀는 그렇게 순수하게 탈란타우에를 죽였다.

그것만으로도 충분했다.

그는 남은 짐을 감당할 준비가 되어 있었다.

안스카리우스는 마무리한 서류를 밀쳐 내다가, 문득 디아세의 쇠명패를 바라보았다.

[므니모니오 디아세]

"압니다."

"두십시오."

그의 두 마디는 기억 속에 깊이 새긴 글자로 남아 있었다.

이틀 뒤, 디아세는 창에 매달린 채 죽었다. 자신이 준 도움이라면 아주 잠깐 감시를 비워 준 것뿐이었다.

그날 디아세는 티티라가 탈란타우에를 죽일 수 있도록 날뛰었다. 처음 달려들 때부터 끌려 나갈 때까지, 단 한 순간도 다른 이들이 뱃전에 시선을 쏟지 못하도록 했다.

그 보호막을 뚫은 증인쯤은 자신이 처리할 수 있었다…….

그러니 티티라는 교국에 가지만 않으면 안전할 것이다. 시노드 신넬의 수배자 신세가 힘들 수는 있겠지만, 어차피 대리인 소존데는 사제왕의 죽음에 관심이 없고, 통치력도 미흡하니 현상금이 오래도록 유효하진 않을 것이다. 게다가 어차피 작은 도시에 숨으면 의미가 없었다.

안스카리우스는 여러 조건을 꼽다가, 자신이 편집증에 가깝게 생각하고 있다는 사실을 깨달았다. 이 땅을 떠야만 이 신산한 감정들을 이겨 낼 수 있을 것만 같았다.

그는 한숨을 쉬며 다시 펜을 들었다.

그때, 누군가 선장실 문을 거칠게 두드렸다.

안스카리우스는 업무를 방해받아 눈살을 찌푸렸다.

"들어와."

티티라는 얼굴에 숯검정을 묻힌 채 아무렇지도 않게 이즈버르의 검역을 통과했다. 오랜만에 보는 부두는 여전히 아름다웠고, 두하 언덕은 여전히 화려했고, 교국군들은 여전히 무신경했다.

아무도 제게 관심을 보이지 않았다. 수배지가 뿌려진 범죄자가 당당히 활보하리라곤 생각하지 못한 거지.

그녀는 그레슈카가 챙겨 준 배낭을 어깨에 메곤 두건을 눌러썼다. 그리고 가벼운 걸음으로 방향을 잡았다.

어라. 걸어가려니 딱 한 가지 고민이 되었다.

이프루이우호? 사역관? 어디로 가지?

티티라는 긴 시간 고민할 필요 없다고 생각했다. 곧 손바닥에 침을 뱉어선, 손뼉을 내리쳐 어느 쪽으로 침이 튀는지를 보았다. 짝 소리가 나며 승자가 정해졌다.

이프루이우호. 좋아.

가볍기까지 한 발걸음으로 항구의 제한된 구역에 들어섰다.

"정지."

당연히 무뚝뚝한 총칼이 자신을 밀쳤다. 차라리 '어느 무지렁이가 여길 들어오려 하냐.'며 비웃었다면 농담으로 분위기를 녹일 수 있었을 텐데, 저자는 바늘 하나 들어가지 않을 만큼 딱딱했다.

……문득 앞에 선 교국군만큼 자신과 거리를 두던 디아세가 떠올랐다. 비슷한 목소리가 제 등을 찌르고 도망갔다. 가늘지만 긴 칼이었기에, 숨 쉬는 자리가 조금 아렸다. 이 자리에 있을 수 있는 것이 누구 덕인지 항상 기억해야—

"여기서부턴 출입 금지다. 도시는 저쪽이다."

그녀는 고개를 흔들어 상념을 지웠다. 대신 품에서 구깃구깃 접은 종이를 꺼내고, 다른 한 손으론 두건을 벗겨 냈다. 이렇게 빨리 보여 주게 될 줄이야.

"여기요."

일견 자랑스러운 태도였다.

앞에 서 있던 군인 대여섯 명이 동시에 멈칫하는 것이 느껴졌다.

"재판일 날 바다에 표류하여 근처 마을에서 요양을 하고 있었습니다. 그런데 천 금이 걸렸다니, 깜짝 놀랄 수밖에 없죠. 그 돈은 제가 받고 싶지만, 아마 안 되겠지요?"

왜 이렇게 간덩이가 부었는지 몰라. 하지만 자신은 솔직히 지금보다 그레슈카 앞에 있을 때가 더 겁이 났다. 이 엄격하고 못생긴 석고상들에게 죽을 것 같지 않았다.

가장 뒤에 있던 군인이 눈짓을 하자, 곧장 여럿이 제 목덜미를 짓누른 후 손목을 등 뒤로 꽁꽁 묶었다. 물론 그 기세와 달리, 그녀가 반항하지 않았기에 체포는 꽤나 순탄했다. 티티라는 군인들이 무안해할 만큼 멀뚱멀뚱한 시선을 쏴 주었다.

"……필리코스, 각하께 보고드려."

"함께 데려가겠습니다."

"그래. 그편이 낫겠군."

누군가 제 등을 툭 쳤다. 입속에서만 투덜거리곤 걸음을 옮겼다.

자신은 이프루이우호까지는 눈을 감고도 갈 수 있었다. 항상 같은 곳에 정박되어 있는 그 배는 멀리서부터 잘 보였다.

그녀는 교국의 배를 발견하고 벅차는 자신이 얼마나 미친 것인지 골똘히 고민했다. 점점 가까워지는 돛을 향해 품은 생각이란 그뿐이었다. 아두커에서 돌아오는 내내 결심이 흔들리지 않았으니 이 부두 위에서 생각이 바뀔 리 없었다. 오히려 흥분된다면 흥분되겠지.

너 완전히 미쳤구나.

혼자 속삭이며 어깨를 으쓱이려는 순간, 배 위로 올라섰다.

티티라는 성큼성큼 행진하여 복도에 다다랐다. 군인들의 등에 코를 박고 어깨를 치며, 마치 시장 바닥에서 순서를 다투는 우악스런 손님처럼 앞서 나갔다.

군인들은 부산스러운 범죄자를 향해 눈살을 찌푸렸다. 빨리 치워 버리고 싶다는 듯, 선장실의 문을 두드렸다.

"큼, 각하—"

"들어와."

군인은 지나치게 빠른 대답에 조금 당황하곤 곧장 문을 열었다.

—이윽고 티티라는 안스카리우스와 눈이 마주쳤다.

부정하고 싶었지만 아주 짧은 순간 반가운 감정이 솟았다.

저 머리칼은 정말 반짝이는 껍데기 같지. 얕은 수면을 뚫고 들어온 빛, 부르르 떠는 조개, 그 단면. 그리고 그 조개가 열리면…….

안스카리우스의 얼굴이 움찔했다.

그녀는 웃고 싶었다. 하지만 양옆을 틀어막고 선 무식한 남자들 때문에 어려웠다.

"각하, 밀루사메호의 제1대대 제3백인대장 필리코스 시노디입니다. 소조폴 상주 티티라 돔니니가 자신의 수배지와 함께 부두 제한 구역에 나타났습니다."

총독의 조개껍데기가 슬슬 벗겨지며, 언뜻 무른 살 같은 분노가 비쳤다. 그래. 저놈이 화를 낼 줄 몰랐던 건 아니지. 외려 가슴이 뛰었다.

"……나가 있어."

"옛!"

그들은 들어왔던 것과 같이 순식간에 사라졌다.

문이 닫혔다.

티티라는 뒤돌아 안스카리우스를 향해 제 묶인 손목을 들어 보였다.

"너무 세게 묶었는데 풀어 주세요."

사뭇 당당하기까지 한 태도였다. 아니, 솔직히 말이야. 내가 여기까지 왔는데 뭘 어쩔 거야?

그러나 의자가 밀리는 소리도, 그가 걸어오는 소리도, 전혀…… 없었다. 선장실은 지독하게 고요했다.

티티라는 흘끗 고개를 돌렸다. 안스카리우스는 책상 위 서류를 내려다보고 있었다.

한숨과 함께 중얼거렸다.

"각하, 여기 서 있는 게 제게 내리시는 벌이라면 달게 받겠습니다."

"……."

침묵이 이어졌다.

티티라는 결국 문에 등을 기댔다. 꽁꽁 묶인 손이 등 뒤로 묻히자, 모양새가 마치 집무실에 숨어든 아이라도 된 듯했다.

그녀는 조금씩 이상한 낌새를 느꼈다. 그에게서 처음 엿보였던 분노는 어디로 사라진 걸까? 차라리 화를 냈다면 덜 불편했을 텐데.

안스카리우스는 서류를 읽지 않았지만 동시에 자신을 응시하지도 않았다. 종이의 거칠거칠한 면, 미끈한 나무 면, 금속성 장식물들 사이 어딘가에서 헤매고 있는 시선이었다.

설마 안스카리우스, 이번에도 나를 어떻게 '도망치게' 할지 고민하고 있는 거야? 티티라는 문득 치민 의심에 깜짝 놀랐다. 급히 말을 덧붙였다.

"항구에서 저를 목격한 군인들이 매우 많습니다. 아마 각하 말고, 그 대리인 소존데라는 분께도 소식이 전달되었을 겁니다. 그러니 지난번 뵈었을 때처럼 이상한 말씀은 하지 마세요. 어차피 제가 더 도망갈 방법은 없습니다."

그제야 안스카리우스의 시선이 올라왔다.

"내게 무엇을 바라는 거지?"

긴 시간 침묵하지 않았던 사람처럼 단정하고 낮은 목소리였다.

티티라는 당연하다는 태도로 말했다.

"음……. 같이 교국에 가는 거요?"

그의 뺨이 살짝 떨렸다.

"나는 네 말로가 어떻게 될지 분명히 전했다."

"아, 생각해 보니 그날 절 기절시키셨던 행동에 대한 사과도 못 받았네요."

"넌 죽을 거다."

안스카리우스는 선언하듯 말했다. 의지를 담은 선언은 아니었다. 그보단 허탈감, 분노에 가까운 사실 적시였다.

티티라는 인상을 찌푸렸다.

"모르고 온 건 아니지만 계속 말씀하시면 기분이 나쁩니다."

"……."

"그냥 일이 닥칠 때까진 그러려니 해 주세요. 법황인지, 뭔지한테 증언을 외기만 하면 되는 거잖습니까. 제가 탈란타우에를 살리려 뛰어들었다가 물살에 휩쓸려 떠내려갔다는 그거요. 혹시 모르죠, 그 말을 믿고 절 살려 줄지."

"……."

안스카리우스는 그녀가 조잘조잘 떠들어도 응하지 않았다. 네가 죽을 것이라는 기분 나쁜 예언만 읊조리고, 끝이었다.

티티라는 조금 실망했다. 자신을 반길 필요는 없지만…… 그래도 아두커부터 내내 그가 화를 낼 거라고 철석같이 믿고 있었는데. 지금처럼 경멸하듯 내던지고 무시할 줄은 몰랐다.

결국 아무렇게나 내뱉었다.

"각하, 제가 묵을 감옥은 소조폴 개집보단 좋은 곳으로 주실 거죠?"

그가 마침내 펜을 내려놓았다. 엄청나게 큰 소리가 함께했다.

티티라는 순간적으로 흠칫했지만, 곧장 몸을 바로 세웠다.

"물론 개집을 주신대도 감사히 받겠습니다만, 작은 바람을 품는 것마저 죄는 아니겠지요. 괜찮은 감옥을 제공하는 게 어렵다면 곰팡이에 익사하기 전에 가끔 약이라도 놔 주세요. 예전에 쓰셨던, 사람 바보 만드는 약 있잖아요."

그녀는 그가 제게 써먹었던 무기들을 마구잡이로 내던지고 있었다. 상대가 혼자 고상하게 머물도록 두고 보지 않을 작정이었다. 여기까지 왔는데 감히 네가 날 무시해? 안 되지. 암, 안 되고말고.

"그날 절 돌려보내고 '아, 이제 됐다. 더 이상 티티라 돔니니는 내 골칫거리가 안 되겠군.' 생각하셨습니까? 아니요. 정말 그걸 원하셨으면 절 찾지 말고 떠나셨어야죠. 각하는 욕심껏 제 안부를 묻고, 저는 뭐, 얼굴 봤으니 꺼지라고?"

그는 여전히 자리에서 일어나지 않았다.

"전 그렇게 물러나지 않아요. 제가 사는 게 각하 선택이고, 죽는 게 제 선택이라면 저는 망설임 없이 후자를 고를 겁니다. 저와 지내신 지난 한 해 동안 그 사실을 잘 알려 드렸는데, 이런 헛짓거리가 먹힐 거라고 생각하시다니요."

여전히 일어나지 않았다.

"아무튼 교국으로 가게 되면 그 대단하다는 법황 성하 얼굴을 보게 될 테니 이건 또 새롭고 좋은 경험이라고 생각합니다. 시노드 신넬인 중에 법황 얼굴을 보고 죽는 인간이 어딨겠어요? 이 정도면 남는 게 많은 장사라 할 수 있겠습니다."

여전히 답이 없었다. 자기가 뭐라도 되는 듯 굳게 입을 다문 모습하곤.

아니— 티티라는 슬슬 화가 나기 시작했다. 그 이유는 명백했다. 자신은 오로지 안스카리우스를 위해 돌아온 것인데, 제게 긍정적이든 부정적이든 답을 주어야 할 인간이 계속 방구석에 처박혀 있었기 때문이다. 그가 긍정적이라면 도망갔을 테고, 부정적이라면 달려들었을 텐데 이도 저도 아니니 발만 동동 구를 수밖에 없었다.

"각하, 제가 꼴 보기 싫으셔도 전 도망 못 가고, 자살할 생각도 없습니다. 약 오르시죠? 자살은 목적이 없잖습니까. 저답지 않죠. 지금 교국에 가는 건 혹여 죽더라도 목표가 분명한 거라고요. '제 죄를 남이 덤터기 쓰지 않게 하는 거'요. 전 정말 빚쟁이가 되기 싫거든요."

티티라는 책상에 다가가면 그를 발로 찰까 봐 문에 딱 달라붙어 있었다. 폭력을 써서 이 순간을 망치고 싶지 않았다. 그녀는 말로 상대를 몰아붙여 '티, 너는 지금까지 본 것 중 제일가는 머저리다.'라든지, '그래도 얼굴을 다시 봐서 좋다.' 등등의 의미 있는 문장을 받아 낼 작정이었다.

"각하, 제가 법황을 만나면—"

"네가 내 아이라도 가져야 죽이지 않을 인간인데."

"뭐?"

티티라는 곧장 콧방귀를 뀌며 무시해 버렸다.

"아무튼 각하께 어떤 증언이 유리한지 정리해 주세요. 이미 구체적인 건 각하께서 준비하셨을 거라 믿고요—"

"거짓말이라도 할까?"

"네?"

"우리가 특별한 관계라고."

"아니, 듣자 듣자 하니 아까부터 계속 무슨 소리를—"

"나는 진심이다. 네 이야기를 경청하지 못해서 미안하군. 하지만 교읍지에 도착하자마자 네 목이 졸려 끌려가지 않으려면 그뿐이다."

전혀 농담하는 기색이 아니었다.

티티라는 안스카리우스를 물끄러미 바라보았다. 방금 전까지 책상 어딘가에 있던 푸른 시선이, 이제야 자신을 향하고 있었다.

그동안 자신이 쏘아 대는 말을 전혀 듣지 않았다고. 반응이 무던했던 건 정말로 상대가 무슨 이야기를 하는지 듣지 못했기 때문이다.

그리고 혼자 열심히 생각했다는 게, 무슨 '애를' 뭐……?

티티라는 다시 발끈해서 상황을 정리했다.

"각하, 아무렇게나 말씀하지 마시고요. 제가 법황 앞에서 각하의 무죄를 증언하면 일단 각하께 피해는 안 갈 것 아닙니까? 법황이 그것마저 안 믿는다고 떼를 쓰면…… 아니, 그 정도는 사제왕께서 처리하셔야죠. 그날 이프루이우호에 있었던 사람은 저 혼자가 아닙니다. 저는 수많은 증인 중 한 명이 되는 거라고요."

"너야말로 이해를 못 하는군. 법황은 타당한 이유 없이 사람을 처형할 수 있다. 그자가 시노드 신넬인이라면 더욱 그렇지."

"각하, 논점을 좀 명확히 해 보죠. 지금 최우선 목표는 제가 죽인—"

"입 다물어."

순식간에 그가 반쯤 일어섰다.

티티라는 살짝 놀라 입을 다물었다. 눈만 깜빡이다가…… 괜히 아무 일도 없던 척 말을 돌렸다.

"아무튼 제 최우선 목표는 각하께서 그 사건을 책임지지 않으시는 겁니다."

그는 결국 자리에서 완전히 일어섰다. 그의 소매 아래 단단한 손이, 그에 이어진 손끝이 책상 위의 서류를 스쳤다.

그녀의 시선이 잠깐 홀린 듯 그 손을 따라갔다. 그러던 중 문득 책상이 사라져 정신을 차리자, 어느새 안스카리우스가 제 시야의 절반이나 차지하고 있다는 사실을 깨달았다.

티티라는 고개를 젖혔다. 정말 목이 빠질 것 같았다.

"뒤돌아."

티티라는 '그러게 처음부터 고집 피우지 말고 와서 손이나 풀어주지.' 같은 말을 하고 싶었다. 하지만 그가 이렇게 가까이에 있자, 왠지 온갖 말이 안으로 말려 들어가는 느낌이었다. 그녀는 공연히 그와 시선을 마주치지 않으려 애쓰며 뒤돌았다.

칼이 절걱이는 소리가 들렸다.

티티라는 '총독'이 '등 뒤'에서 '칼'을 들었는데도 평온한 제 마음에 혀를 내둘렀다. 넌 진짜 망했구나…….

물론 실제로도 날붙이가 닿는 느낌은 전혀 없었다. 단지 점차 풀려나가는 줄과, 제 손목을 감싼, 굳은살이 박인 손만이 느껴질 뿐이었다.

그러니까…… 손이 너무 뜨거웠다.

티티라는 혼자 주먹을 몇 번 쥐어 보다가, 마침내 자유로워졌다는 확신이 들자마자 그를 홱 뿌리쳤다. 그리고 순식간에 뒤돌았다.

"감사합니다!"

목소리는 너무 컸다. 정말 너무, 컸다.

안스카리우스는 뿌리쳐진 제 손을 응시했다. 낮게 깔린 속눈썹 탓에 눈을 읽기 어려웠지만, 어쩐지 후회하는 것 같기도 했다.

티티라가 미안함을 느낄 때 즈음, 다시 그녀에게로 시선이 돌아왔다.

"내 목표는 너를 살리는 거다."

"……."

"그걸 위해 네 희생이 필요해도, 어쩔 수 없겠지."

"무슨 희생이요?"

티티라는 대뜸 반문하다가 순간적으로 소스라치게 놀라 뒷걸음질 치려 했다— 물론 문에 찰싹 달라붙어 있었기에 얼마 움직이진 못했다.

"저, 저는……."

그녀는 마음속으로 왜 더듬느냐는 분노를 백 번쯤 터뜨리며 말을 이었다.

"저는, 각하랑, 각하랑 잘 마음이 없는데요."

안스카리우스가 인상을 찌푸렸다.

티티라는 문득 불길한 전조를 느꼈다. 나 혼자 수평선 너머까지 다녀온 건 아닌가, 하는…….

"그렇게 말한 적 없는데."

그의 시선이 얼토당토않은 말을 탓하는 듯했기에, 귀뿌리가 벌겋게 달아올랐다.

그런데, 그렇게 들리잖아……! 티티라는 다시금 용기를 내어 반복했다.

"제가 각하 아이를……."

물론 말을 끝마칠 만큼의 배짱은 없었다. 그녀는 말하면서 발끝이 꼬이는 듯한 느낌을 받곤 웅얼댔다.

안스카리우스는 웃지도 않았다. 평소라면 웃었을 텐데, 자신이 선장실에 들어온 뒤부턴 '불쾌감'이란 단어를 형상화한 인간이 되고 말았다.

"'거짓말이라도 할지'라 했던 부분은 귓등으로 들은 건가?"

"……."

"그리고, 너는 지금 상황이 우습나?"

티티라는 새삼 그를 올려다보았다.

안스카리우스의 얼굴에는 감정이랄 것이 얼마 없었다. 있다면 불쾌감, 분노, 긴장처럼 주체할 수 없는 몇 가지만이 얕게 깔려 있었다.

"네 말처럼, 너는 대리인 소존데에게 보고되어 교국으로 끌려가게 될 거다. 상황이 와닿지 않는 건가? 법황을 먼발치에서 보고 손짓 한 번에 처형당할 수도 있는데, 내 말이 말 같지 않나?"

그녀는 입 안쪽을 살짝 깨물었다.

"전 후회하지 않는다고…… 어떤 대가를 치러도 된다고 말씀드렸잖아요. 싸우기 싫습니다."

"나는 여태껏 네 자유를 존중했지만 이제는 아니야. 그런 불유쾌한 신념은 받아들이지 않겠다."

"받아들이지 않으면 어쩌시게요? 전 이미 여기에 왔는데요."

"네 입으로 고백하고서 약점이 없는 체하는군. 네가 나를 완전히 방면放免시키려 왔다면, 그걸 못 하도록 해야겠지."

티티라는 충격을 받아 눈을 크게 떴다.

"각하, 쓸데없이 피해를 자초하는 일입니다. 죽지 않으실지는 몰라도— 아니, 죽으실 수도 있고, 아무튼 그러면 개죽음이라고요."

안스카리우스는 대답 없이 자신을 뚫어져라 응시했다.

이내, 티티라는 그가 제게 똑같이 말할 수 있다는 사실을 깨달았다.

"……각하랑 저는 다르죠. 저는 그래도 잘못이 있잖아요. 제가 처벌도 각오하지 않고 일을 저지를 만큼 순진해 보이십니까? 무슨 결과가 기다리는지 잘 알고 있었다고요."

"네가 어떻게 생각하든 상관없다. 내 문제다."

그렇게 단언하자 할 말이 없었다.

"네가 여기까지 온 건 돌이킬 방법이 없지……. 하지만 이제부터는 내 말에 따라야 한다. 따르지 않으면 법황에겐 네가 내 도움을 받아 그를 죽였다고 할 것이다."

티티라는 미친 사람을 보는 것처럼 그를 노려보았다.

'총독 드라수스 바를라암'은 그날 사람들이 북적이는 가운데 탈란타우에의 곁에 가지 않았으므로, 그에게는 절대 살인죄를 물을 수 없었다. 그러나 살인자인 자신을 교사敎唆했다는 죄는 얼마든지 가능했다.

그리고 법황이라면, 아무 쓸모도 없는 시노드 신넬인보다는 사제왕의 고백을 더 매력적으로 느낄 것이다.

그녀는 제 목소리가 불안에 먹히는 것을 알아차렸다.

"그러다…… 죽어요, 진짜로."

"그래서, 뭐? 너도 마찬가지잖아."

자 속이 쿵쿵 뛰었다. 어떻게
어떤 피해도 가지 않게 하려
고집도 상상 이상이었다.

라보았다.
뒤 제 말을 하나도 안 들었
숙고하고 있는 듯했다.
목에 칼을 겨누고 있는 거
은 하지도 말라.'며 벌벌 떠

구나.
한 가지 감정이 스며들었다.
났지만 얼굴을 보고 화낼

내가 더 정직한 편이니까.
이마를 박았다. 그리고 곧

상당해서 푹 파묻힌 처지였다. 물론 그래도, 한번 단단히 안고 빠르게 물러나 제 감정을 말해 줄 생각이었다.

그러나 그가 순식간에 제 등을 받쳤다. 티티라는 예상하지 못한 힘에 버둥거렸다.

"음……."

사실 무슨 말을 하려 해도 가슴팍에 묻혀 뭉개지기만 할 뿐이었다. 그의 힘이 강해지자 진짜로 숨이 막혔다.

"아!"

티티라는 안스카리우스의 등을 퍽퍽 두드렸다.

"아— 숨! 푸하!"

가까스로 틈이 생겼다. 티티라는 고개를 홱 들어 그를 올려다보았다.

"어……."

물러나지 못하고, 이렇게 가까운 곳에서 말하려니 조금 쑥스러웠다.

"제가 하고 싶은 말은…… 그러니까, 그래도 다시 봐서 좋다고요."

티티라는 정말 친구처럼 잘 말했다고 생각했다.

빛을 등져 어두컴컴한 그의 눈이 가늘어졌다. 무슨 생각을 하는지 도무지 알 수가 없었다. 불투명한 얼굴 속 무언가가 일렁이는데 정체를 몰라 불안하기만 했다.

그 순간, 티티라는 안스카리우스의 생각을 알고 싶다는 생각이 들었다. 아니, 그의 생각뿐 아니라 감정을 긁어내고 싶었다.

욕망은 폭력으로 치달았다. 제게 닿은 가슴팍에 구멍을 내면 그 안을 들여다볼 수 있을까. 저 얼굴이 으깨어지면 차라리 백지로 돌아가 궁금해하지 않을 수 있나.

'세상에, 무슨 이런 생각을 하지?'

티티라는 깜짝 놀랐다. 단순히 시선이 마주쳤을 뿐인데, 갑작스레 닥친 갑갑증에 정신이 아찔했다. 아주 짧은 시간 동안 하늘 너머에서 지옥 끝까지 다녀온 것만 같았다.

너무 이상했다. 자신은 상대를 읽지 못할 경우 불쾌해하기는커녕, 오히려 제게 읽히지 않아야 흥미로운 인간이라고 생각하곤 했다. 그런데 이게 무슨 일이야? 뭐? 가슴팍을 뚫어 버리고 싶다고?

그렇게 혼자 질문하는 도중 얼굴은 흥분한 인간처럼 붉어졌다가, 공포에 질려 새파래졌다가, 병자처럼 누레졌다가, 정말 고통스럽게도 오락가락했다.

티티라는 스스로 정말 미친 것 같아 뒤로 물러나려 했다.

물론— 얼마나 정신이 없었는지 그의 손을 잊고 있었다. 뒷걸음질 치자 숨이 콱 조여들었다.

"이제 충분합니다. 놔주시죠."

"하나 물어보고 싶은 게 있는데."

"네?"

"너, 내가 보고 싶어 왔나?"

티티라는 반사적으로 부정하려 했다.

하지만…… 저 인간을 만날 수 없다고 생각하자 속이 콱 조여들었다.

남쪽으로 도망가는 그 순간에조차 당연히 다시 볼 수 있다고 생각했지. 그것만 철석같이 믿고 있다가, 저놈이 날 놓고 가니 분개한 거고.

그런데 어떻게 저 질문에 '아니.'라고 하겠어.

그녀는 감정에 거짓말하지 않는 사람이었다. 결국 투덜거리며 털어놓았다.

"네. 각하가 보고 싶어 왔어요."

"……."

"물론 계속 말씀드렸듯 크게는 제 잘못 때문이지만, 각하가 보고 싶다는 이유도 있었습니다. 그날 그렇게 헤어진 게 끝이라니, 진짜 화가 나 돌아오지 않을 수 없더라고요. 이제 꼼짝없이 함께 교국에 가야 하는 것도…… 좋습니다. 솔직히요. 어, 내가 이렇게 말하네."

티티라는 말하면서 조금씩 민망해졌다. 고작 이런 말들에 부끄럽진 않을 거라 생각했는데 아무래도 거리가 너무 가까워서인 것 같았다.

맞다. 아까부터 그게 문제였다.

그런데 자신을 껴안은 힘이 도무지 풀릴 것 같지가 않았다. 그녀는 초조해졌다. 어떻게 하지?

티티라는 한순간 자리에 주저앉았다. 대체 무슨 생각으로 그랬는지는 모르겠지만 그 방법은 꽤나 효과적이었다. 덕분에 그에게서 가까스로 빠져나올 수 있었다.

그녀는 토끼뜀으로 그의 그림자에서 벗어났다. 그리고 아무 일도 없었다는 듯 자리에서 일어섰다.

"말씀드렸으니 됐죠?"

그는 이마를 매만지고 있었다. 급습당한 사람처럼 보이진 않았다. 그보단 눈썹을 잔뜩 찡그린 것이, 도무지 해결할 수 없는 골칫덩이를 보는 모양새였다.

아니— 아니, 골칫덩이는 차라리 사람이기라도 하지. 그는 자신을 똬리 튼 뱀 보듯 했다. 충분한 보호구와 함께 살살 달래면 생포할 수 있지만, 그 과정이 성가셔 그저 아무것도 하고 싶지 않은 표정 말이다.

티티라는 살짝 기가 죽어 말했다.

"앞으로 각하 말씀은 잘 듣겠습니다."

"……."

"다시 군을 불러야 할 텐데, 손목은 왜 풀어 주셨다고 할까요? 제가 말로 각하를 꾀었다고 할까요?"

"넌 감옥에 가지 않는다. 군도 안 부른다. 그냥 나가서 부선장실에 가만히 있어."

"왜 이렇게 짜증을 부리시는지— 아, 눈 부라리지 마세요. 알겠어요, 알겠어요. 알겠습니다."

"……."

"말씀에 따르겠습니다. 문 열게 비키세요."

그러나 그는 문 앞에서 움직이지 않았다. 단단한 이마에서 손이 떨어져 나왔다. 왠지 표정이 조금 부드러워진 것 같기도 했다.

그가 말했다.

"건강은?"

티티라는 입을 다물었다.

그러자 질문이 이어졌다.

"잠은 잘 자나?"

"……네."

"언제부터?"

"그 일이 있고 난 직후부터요. 의사들 말이 맞았습니다. 정말 정신적인 문제였어요."

"……."

"걱정하지 마세요. 전 튼튼해요. 아두커에서도 사람을 패서 배를 얻어 탔죠."

말로 때린 것도 때린 거라고 친다면 말이지. 티티라는 그를 안심시키기 위해 아무 말이나 주워 삼켰다.

"음……. 또, 저는 긴 항해에도 익숙합니다. 중간 항구에 기착한 걸 제외하면 최대 두 달까지 항해해 봤어요. 씻는 것만 조금 배려해 주시면—"

"나도 네가 보고 싶었다."

"—갑판 아래에서 씻을 테니 칸막이라도…… 네?"

"네가 죽을 운명이 아니었다면 훨씬 반갑게 맞이할 수 있었을 텐데."

티티라는 자길 죽은 사람 취급한다고 농담도 못 했다. 얼굴이 벌게져선 시선을 피하기 바빴기 때문이다.

그런 그녀를 아는지 모르는지, 안스카리우스가 한 걸음 다가왔다. 이번에는 껴안지 않았다. 큰 손으로 그녀의 어깨를 짚었다.

힘이 세지 않았음에도 티티라는 왠지 몸이 갑판 아래로 꺼질 것 같다고 생각했다. 어쩌면, 제 바람일지도? 바닥에 쑥 흡수돼서 이 자리에 없는 척할 수 있으면 정말 좋겠다.

"너를 보내면서 마음의 큰 짐을 치웠는데 전부 헛짓으로 만들고 마는군. 나는 두 번 결심할 자신이 없다."

"……'결심'하지 마세요. 저 안 간다니까요. 그리고 그렇게 자꾸만 제가 죽는다고 말씀하시면, 이미 죽음을 각오한 저도 죽지 않겠단 각오가 섭니다. 오기랄까."

안스카리우스가 한숨을 쉬었다.

"널 살릴 방법을 생각해 봤는데…… 아무래도 우리가 연인인 척하면 더 위험하겠더군. 법황은 탈란타우에만큼이나 잔인하다. 사제왕의 연인으로 보이는 순간 네 살가죽으로 악기를 만들 거다."

티티라는 움찔했다. 자연스레 라요나가 떠올랐기 때문이다.

"아이를 가져도—"

"각하, 그 얘기는 좀 그만."

"아니, 네가 정말로 아이를 가져도 아이가 세상에 태어나는 순간 살해당하겠지. 근본적인 해결책이 못 된다."

그녀는 물론 죽느니 그와 관계를 가지는 게 백배, 천배 낫다고 생각하는 사람이었다. 하지만 저렇게 잠자리가 아무것도 아닌 양 말할 수는 없었다. 얼굴만 붉으락푸르락했다.

문득 어깨에 힘이 꽉 들어왔다. 흠칫 놀라 그를 올려다보니, 그도 자신이 힘을 주었단 사실에 놀란 듯 조금 물러났다.

"……생각을 좀 더 해야겠다."

"'사제왕'의 권력이 있잖아요. 그냥 그걸로 절 살리시면 안 됩니까?"

"네가 평생 갇혀 있고 싶다면 그것도 괜찮겠지."

티티라는 그 순간, 그가 내내 가장 쉬운 길을 이야기하지 않고 있었음을 깨달았다.

아무리 법황이 사제왕을 싫어하고 시노드 신넬인의 목숨이 파리보다 가볍다 한들, 사제왕 본인이 엄중히 지키는 '무고한' 이를 드러내 놓고 죽일 수는 없을 것이다. 단지 틈이 나면, 마치 그 틈이 잘못이라는 양 살수가 닥치겠지. 그러니 사제왕의 보호 아래 죽을 때까지 저택에 갇혀 살아야 할 것이다.

안스카리우스는 그 방법을 이야기하지 않았다. 애초에 생각하지도 않은 모양이었다.

티티라는 배 속에서 따뜻한 무언가가 차오르는 것을 느꼈다. 그는 자신을 알고 있었다. 가두느니, 죽게 둘 거라고. 아무리 상대가 죽는 것을 원하지 않아도 그 방법은 애초에 선택지조차 못 되었다고.

티티라는 그의 눈을 바라보았다. 직각으로 햇빛을 쏘인 바다처럼, 푸릇하게 일렁이다가도 이내 하얗게 질렸다. 달궈지는 가운데 잠잠한 수면이랄까.

그러니까 안스, 너 같아.

그녀는 그에게 안스가 조금이라도 남아 있길 애타게 바랐다. 정말, 단 하나의 기억이라도. 우리가 처음 만났던 날 먹었던 음식들, 일 층 욕실에 쥐가 나타났던 날, 각자의 방문에 새겨진 낙서, 네가 청어를 몇 바구니까지 나를 수 있는지…….

그 사소한 답 중 단 하나라도 남아 있었다면.

아마 나는 네게 속절없이 무너지고 말았을 것이다.

희망을 포기한 지 오래였지만, 안스카리우스에게 얼룩처럼 남아 있는 친절이 자신을 후벼팠다. 차라리 닮지나 말든가. 자신에게 화가 나 으르렁대면서, 가둬 두는 선택지는 생각도 안 하는 이 인간은 정말…….

티티라는 입술 안쪽을 꾹 깨물었다.

그 모든 것에도 불구하고 돌아오길 정말 잘했어.

"……각하."

"……."

"절 '티'라고 불러 주세요."

"이미 그렇게 부르고 있다."

"지금 불러 주세요."

"왜?"

"부르라고요."

"티?"

그녀는 씩 웃으며 그에게 다가갔다. 그의 목을 살짝 감쌌다. 여전히 표정을 읽을 수 없었지만, 이번에는 고통스럽지 않았다.

티티라는 안스카리우스의 뺨에 입 맞추었다.

"다시 봐서 정말 좋아."

그가 여느 때처럼 반대로 기울어 오리라 생각했지만, 아니었다. 그는 목석처럼 가만히 서 있었다.

이번만큼은 친구라고 우기지 않을 작정이었다. 친구일 수도 있었지만 다른 것일 수도 있었다. 그 사이에는 선이 없다. 바다가 깊어지듯, 부드러운 추락뿐이다.

티티라는 그에게서 떨어져 방을 나섰다. 이내 부선장실 문을 열고, 익숙한 풍경에 만족스레 다가갔다.

침대에 누웠다.

자신은 안스를 위해 죽을 수도 있었다. 그렇다면 안스카리우스를 위해선, 어디까지 할 수 있을까?

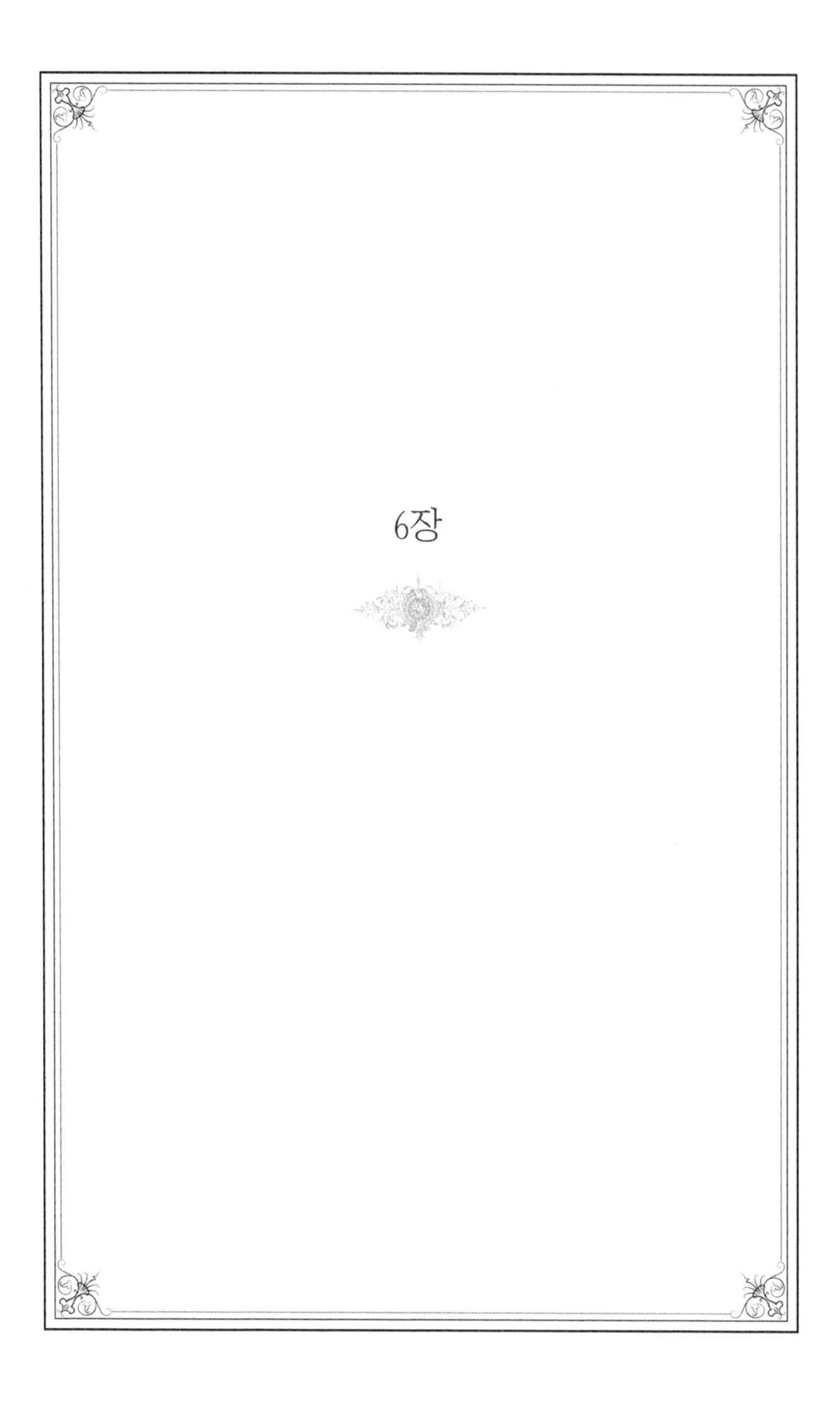

6장

6장

티티라는 이프루이우호 안에서 여느 때처럼 잘 지냈다. 오랜 시간 이곳에 머물렀기에 적응할 것도 별로 없었다. 특히 총독께서 그녀의 처지를 순식간에 수배자에서, 불미한 사건의 목격자로 격상시키셨기에 더 이상 배에서 조심하지 않아도 되었다.

물론 그렇게 파격적인 조치가 있었다고 한들, 이건 좀 과한 것 같기도 했다…….

"우선 이렇게 전달드리고요, 더 필요하신 부분이 있다면 종이에 적어 주시면 됩니다."

제 앞에는 마치 누가 부르기라도 한 듯 장사꾼이 당당하게 앉아 있었다. 그리고 부산스레 오가는 일꾼들과, 꾸준히 제 앞을 지나가는 물건들, 그러니까 단정하게 개켜진 교국식 정복 여러 벌, 새로운 침구, 귀한 포장지에 감싸인 비누, 몸을 닦는 천과 가운, 잠옷,

필기구, 자수용품, 두터운 책 여러 권, 놀이 말판…….

티티라는 인상을 찌푸렸다.

"이렇게까진 필요 없습니다. 사치하는 여행이 아닙니다."

"저야 명령받은 대로 할 뿐이지요. 저는 좋은 물건을 마련하고, 일꾼들이 방 안 적재적소에 물건들을 배치하도록 감시해야 한답니다. 그리고 물론 당신에게 더 필요한 것이 있다면 경청해야 하고요."

그녀에겐 거절할 권한이 없었다. 소란을 일으키기 싫어서 고개를 돌렸다.

"더 필요한 건 없습니다."

"예에. 알겠습니다. 당장 내일 떠나시는데, 음, 한 번 더 생각해 보시는 건 어떨까요? 적어도 사 개월간은 땅을 밟지 못하지 않습니까?"

"충분합니다."

티티라는 일꾼을 눈으로 좇으며, 딱 잘라 말했다.

일꾼은 마지막 짐인 듯한 작은 화분을 책상에 놓고 떠났다. 남부 식물이 싹 튼 화분…… 안스카리우스가 따로 언질을 주어 가져온 걸까, 잠시 생각했다.

그녀가 감상에 빠지려는 차에 장사치가 큰 소리로 더 권했다. '잠을 잘 오게 해 주는 포푸리'라나 뭐라나. 입맛을 다시는 소리가 귓전을 거세게 때렸다. 총독을 상대로 아주 바닥까지 털어먹으려는 모양이었다.

티티라는 끝까지 매달리는 장사치를 내쫓곤 다시 안전한 방 안에 갇혔다.

두 시간 전과 비교하여 너무도 옹골차게 부풀어 오른 방이었지만, 싫지는 않았다. 사치가 만족스럽기 때문은 아니었다. 그보다는…….

티티라는 화분 속 남부 데이지를 바라보았다. 제 손마디만 했고, 꽃이 피기는커녕 갓 싹이 돋은 정도였다. 그 앙증맞은 모습이 어떤 소녀를, 그와 이어진 질긴 복수를 떠오르게 했다.

그녀는 긴 침묵 끝에 입을 열었다.

"이름을 지어 줄게. '연인'으로."

손을 뻗어, 잎사귀 근처를 부드럽게 감쌌다. 닿지 않았다. 제 온기를 느낄 수 있을 정도면 되었다. 물러났다.

티티라는 해가 잘 드는 곳에 화분을 놓았다.

출항하는 날, 티티라는 선실에 머물렀다.

갑판으로 나가지 못하는 것은 아니었다. 하지만 구태여 군인들 눈에 띄기 싫었고, 이즈버르를 그 정도로 좋아하는 것도 아니었다.

마지막으로 보는 시노드 신넬 땅이 소조폴이었으면 좋았겠다는 생각이 잠깐 스쳐 지나갔으나, 사실 무의미한 바람이었다. 소조폴은 교국이 점령하기 전 모습으로 제 기억 속에 잘 살아 있었으니까. 차라리 그대로 두는 편이 나았다.

그래서 이렇게 빈둥거리며 침대에 누워 있었다.

출항하기 전에는 일꾼들이 들고 온 놀이판에 코웃음을 쳤었다. 그런데 고작해야 항해가 시작된다는 느낌만으로도 괜스레 좀이 쑤셨다. 이야기할 사람도 없고…….

안스카리우스가 왜 자수 용품이나 놀이판, 책들을 구비해 주었는지 알 것 같았다. 어쨌든 그는 대해 횡단 경험자였다.

티티라는 항해 첫날, 생전 해 보지도 않았던 자수판을 손에 잡아 들었다. 방패처럼 움켜쥐곤 도해圖解[2]가 그려진 책을 펼쳤다.

그리고 둘째 날, 셋째 날…… 삼 주.

티티라는 완벽한 고래 세 마리를 만들어 냈다. 한 놈은 물을 뿜고 있기까지 했다. 그 작품을 만들어 내는 동안 자신이 바깥에 나갔던 사유라곤, 문 앞에 있는 끼니를 가져오기, 문 앞에 그릇을 내놓기, 갑판 한 층 아래로 씻으러 가기, 생리 활동을 처리하러 가기 정도. 정말 생존에 필요한 일들뿐이었다.

그녀는 배에선 최대한 군인들의 심기를 거스르지 않기 위해 철저한 교국식 옷을 입고 다녔다. 그러고도 짧은 머리를 엉성하게 묶어 남자처럼 만들고, 고개 역시 살짝 숙인 채 기우뚱기우뚱 걸었다.

자신은 이 배에 홀로 탄 여자이자 시노드 신넬인이었다. '목격자'이기에 건드릴 수 없다는 사실을 모두가 알아도 이즈버르 시절과 달리 숫기 없는 체해야 괜한 시비가 붙지 않을 것 같았다. 군인들이 전부 상식적이리라곤 믿지 않았기 때문이다.

아무튼 그렇게 어영부영 구석진 뒷간 칸막이에 욱여 들어가 물을 끼얹곤 했다. 그마저도 그 물을 마련해 주는 막내 군인이 항상 욕설을 내뱉고 싶은 표정이라, 자주 가지는 않았다. 바닷물을 퍼 주면서 인색하기도 하지.

씻은 뒤 소금에 절여진 채 선실로 돌아와선, 몸을 깨끗이 닦아 내고 보습제를 발라 댔다. 이건 집중할 만한 일이라 차라리 괜찮았다. 이렇게 심심할 틈 없이 반나절이나 보낼 수 있는 일이 있나? 전혀! 고맙기 짝이 없었다. 심심하고 외로운 티티라는 진심으로 그

2) 글의 내용을 그림으로 풀이함.

렇게 생각했다.

반면 그녀가 유일하게 대화를 나눌 수 있는 상대는—

안스카리우스는 오히려 이즈버르에 정박해 있을 때보다 지금 더 분주하게 배 위를 오가는 것 같았다. 아무래도 이프루이우호와 세 대의 배가 함께 항해하고 있기 때문일 것이다. 갑판 위아래에서 오가는, 아침부터 밤까지 왁자지껄한 소리들은 그녀를 질리게 했다.

다행히 티티라가 고래 세 마리를 완성했을 때 즈음 배도 조금은 조용해졌다. 항해가 안정적인 단계에 접어든 것이다. 이에 그녀는 새삼 놀라워했다.

내가 바다를 넘어가고 있다니.

실감이 나지 않을 땐 벌떡 일어서 창밖을 보았다. 끝없는 수평선이 보이면, 안도한 것인지 긴장한 것인지 모를 태도로 다시 주저앉게 되었다.

그리고 또다시 엄청나게 무료한 시간에 빠져들었다.

즉, 최소 한 달간 티티라 돔니니의 항해 생활은 다음과 같았다. 잠, 깨어남, 실내 운동, 장난감을 만짐, 다시 잠. 사람을 만날 일이 없다 보니, 점차 씻는 날 만나는 막내 군인의 욕설마저 반가울 지경이었다.

안스카리우스를 따로 찾아가진 않았다. 그가 정말로 바쁜 듯했기 때문이다. 티티라는 바다 위에서 죽기 싫었으므로, 함대를 이끄는 수장이 제 일을 하도록 두고 싶었다. 절대 제 세 치 혀로 영향을 주지 않겠다고, 매일 밤 이불을 코끝까지 덮으며 결심했다.

그러나 사람과 세 마디 이상 대화를 나눈 지 한 달이 넘어가자, 그 인내심은 한계에 다다랐다.

티티라는 어느 날 저녁, 말 그대로 선장실에 '쳐들어갔다'.

노크도 없이 몸부터 밀어 넣었다. 문을 닫은 뒤 뻔뻔하게 말했다.

"안녕하세요?"

안스카리우스는 침실에 들어가 있던 듯했다.

"들어와."

티티라는 불청객이 아닌 척 침실로 들어갔다. 그는 고개를 숙인 채 무언가를 찾고 있었다.

그녀는 그의 뒷모습을 보며 볼멘소리로 투덜거렸다.

"이제야 평온해 보이시네요."

"그래…… 문제없이 마르티우 해류를 타서."

안스카리우스는 원하던 것을 찾은 듯 뒤를 돌았다.

그의 얼굴은 마지막으로 봤던 날과 다르지 않았다.

티티라는 자신이 어제 하루 동안 열심히 씻고 소금을 떼어 내서 정말 다행이라고 생각했다. 안 그랬으면 꼬질꼬질한 낯짝을 비교되게 보여야 했을 테니까.

"왜 왔냐고 안 물어봐?"

티티라는 인간과 나누는 대화 자체를 즐기느라, 자기가 그간 그에게 거리를 두기 위해 열심히 존댓말을 써 왔다는 사실을 싹 잊었다.

"글쎄. 알 것 같다."

"맞혀 봐."

"네게 먼저 찾아가지 못해 미안하다. 항해 때문에 여유가 나지 않았다……. 물론 이건 핑계에 가깝군."

"아니, 당신이 보고 싶어서 온 건 아니야. 웬 착각을?"

"'사람과 대화를 못 나눠' 찾아왔다고 생각했는데."

"……."

"앞으로는 자주 찾아가겠다. 네가 와도 좋고."

"항해 기간의 사분지 일이나 허공에 혼잣말을 하게 가둬 놓고…… 나 정도가 아니었으면 미쳤어, 알죠?"

안스카리우스는 우쭐거리는 듯 탓하는 듯 오락가락하는 티티라를 받아 주었다.

그러니까…… 성큼 걸어와서, 그녀의 귓가에 입을 맞추었다. 다른 사람이라면 용납하지 않았겠지만…….

티티라는 가만히 있었다. 그리고 숨이 귓바퀴를 지날 때, 이쯤이면 되었다는 듯 그의 뺨을 밀어냈다.

그를 밀치자마자 다시 대화에 몰입했다.

"내가 얼마나 심심했는지 알려 줄게. 난 한 달 동안 데이지가 꽃을 피우게 했고, 책은 두 권 읽었어. 육각 모양 놀이판을 통달한 데다…… 내가 타고난 자수 천재라는 사실을 알게 됐지. 자, 봐."

티티라는 품에 들고 온 고래 세 마리를 보여 주었다.

안스카리우스가 자수판을 받아서 들여다보았다. 기묘한 표정이었다. 티티라는 제 실력을 믿어 의심치 않았기에 그의 찬사를 기다렸다.

"그래."

"……끝?"

"그럼?"

티티라가 입을 다문 사이, 안스카리우스는 그녀의 어깨를 짚고 지나갔다.

등 뒤로 목소리가 들렸다.

"지난번 이야기를 생각해 봤다. 어떻게 하면 법황이 널 살려 둘 수 있을까."

티티라는 못마땅한 채 그를 뒤따랐다.

그는 마침 자수판을 책상에 내려놓고 있었다. 정중앙에 두는 것이, 아무래도 제게 다시 돌려줄 생각은 없는 모양이었다. 그녀는 살짝 기분이 좋아져 다시 그의 말을 경청했다.

"연인은 안 된다. 그보단 나 홀로 네게 관심이 있는 체해야 할 것 같더군."

"관심? 왜?"

"그래야 법황이 네게 이용 가치가 있다고 생각할 테니까."

"음……."

티티라는 그가 건네는 차를 한 모금 머금었다.

안스카리우스는 딱딱한 어조로 말을 이어 갔다.

"물론 영리하게 굴어야 한다. 우선 증언을 잘 끝내는 게 최우선이다. 그 뒤 법황에게 이야기를 듣고, 처음으로 사제왕의 욕심을 알아차린 체해라. 법황은 당연히 그 관계를 이용하여 밀고를 요구할 거다."

"신의 수장이라는 놈이 그 지경이야?"

"바를라암의 정보를 넘기면 한동안 네 안전은 확보된다. 물론 법황이 본인이 얻은 정보로 점차 대범해지면, 그 뒤론 내가 눈치챈 척 정보를 주지 않을 생각이다."

"말로는 쉽지. 장난 아니겠는데."

"그리고 얼마간 지켜보다 너를 바를라암 관의 지하에 가두면 해결되겠지. 사제왕이 네가 유출자인 것을 알게 되었지만, 여전한 욕심 때문에 죽이지는 못했다고 말이야. 법황은 네가 멍청하여 실패했다고 생각할 거다. 이미 들킨 데다, 정부情婦가 된 시노드 신넬인에겐 더 이상 관심을 두지 않을 테고."

"당신은 단어 선택이 아주 고약해."

"아무튼 법황이 관심을 두는 첫 순간에 너를 죽이지 않을 이유를 만들어 두어야 한다. 그 순간만 지나면 곧 시야에서 떨어져 나올 수 있을 거다. 그런 인간이니까."

"일곱 살 애 같군."

"확실히 욕심은 그 정도지."

안스카리우스가 빙그레 웃었다.

티티라는 사제왕이 자신을 찾아오지 않은 동안 꽤 많은 생각을 했고, 마침내 자기 나름의 방법을 마련했다는 사실을 알아차렸다—물론 그 방법이 성공하려면 어마어마한 연기력이 필요할 테지만, 자신은 이미 이즈버르에서 별별 처절한 짓을 다 했었다. 충분하지 않나—.

그녀는 계획에 불만이 없다는 듯 고개를 끄덕였다.

하지만 그것도 잠시, 곧장 비웃는 기색으로 덧붙였다.

"정부 소리가 이렇게 쉽게 나와? 신앙심 깊다던 동네도 개판인가 봐."

"글쎄."

티티라는 그에게 다가가 넓은 탁자 위에 걸터앉았다.

"당신 주변 사람들은 어떻게 생각할지 궁금하네."

"음……."

그는 제 얼굴을 골똘히 바라보았다.

"아마, 아버지는 무시하실 거다. 내 사생활에 간여치 않으시니까."

티티라는 순간적으로 교국에 가면 그의 아버지를 볼 수도 있겠단 생각을 했다. 사실, '이제야' 떠올린 것에 가까웠다. 심장이 두근거렸다. 그자도 죽여야 하나?

물론 그녀는 죽은 탈란타우에게서 안스의 진실을 알아낸 지 오래였다. 때문에 구태여 전대 사제왕 바를라암을 죽일 필요는 없었지만, 그래도 책임을 물을 생각이었다.

그에겐 행복하게 살고 있던 아들을 욕심낸 죄가 컸다. 늙은이가 어린 아들을 탐내서 일이 어떻게 되었느냔 말이야. 한 사람의 삶을 망쳤다면 본인도 그 대가를 치를 각오가 되어 있겠지.

자신이 이런 무시무시한 생각을 하는 걸 아는지 모르는지, 안스카리우스는 고개를 기울인 채 말을 이었다.

"아버지보단 내 누이가 골치 아플 거다. 주 앞에 부끄러운 일을 저지르느니 차라리 죽음을 택할 사람이라, 나를 가족의 수치로 여기겠지."

"아."

"그래도 너를 괴롭히기보단 내게 화를 낼 테니 그 부분은 걱정하지 마라. 내 누이는 아끼지 않는 이에겐 전혀 관심이 없다. 그 매정한 성격이 네겐 도움이 된다고 봐야겠군."

티티라는 흥미가 일었다.

"'당신을 아끼는 누이'라고?"

"그래. 이야기하지 않았던가?"

그가 유들유들하게 되물어 왔다. 한편으론, 우리 사이에 그게 공유되지 않았을 리 없는데 네가 잊어 먹었다는 양 묘하게 탓하는 것 같기도 했다.

티티라는 열심히 돌이켜 보았으나 정말 기억이 안 났다.

"……진짜로 못 들었어. 그럼 그 사람은 당신이 소조폴에 있었던 사실을 알아?"

안스카리우스가 멈칫했다.

……그녀는 자신이 그의 아버지를 까마득히 잊고 있던 것과 마찬가지로, 그도 그의 누이에 대해 따로 생각하지 않았다는 사실을 깨달았다.

티티라는 괜히 달래듯 그를 툭툭 건드렸다.

"괜찮아, 괜찮아."

"……."

"아버지가 당신 출신을 알 거라면서. 그러면 다른 가족도 알 수 있는 거지. 새로운 건 아니야."

그가 자신을 빤히 바라보는가 싶더니, 이내 팔을 뻗었다.

티티라는 경고하듯 손으로 막았지만 진심은 아니었다. 결국 그녀의 손은 그대로 붙잡혔다. 아니, 붙잡혔다기보단 부드럽게 감싸였다.

그는 그녀의 손등을 받치곤 손바닥이 보이도록 뒤집었다. 동작 하나하나가 느리고 섬세해서, 티티라는 한순간 무슨 속셈이냐고 핀잔을 줄 뻔했다.

"……뭐 하는 거야?"

"……."

"멍텅구리 각하."

"가끔은 네가 이렇게 작은 몸에 있는 게 신기할 때가 있다."

티티라는 질세라 맞받아쳤다.

"당신은 쓸데없이 큰 몸에 있어서 웃겨."

"그럴 수도. 하지만 너는……."

그는 말을 잇는 대신 손이 맞닿은 자리를 물끄러미 바라보았다.

"아직도 가끔 정신을 차리면 네가 시노드 시넬에 있다고 생각한다. 짧은 순간도 아니야. 아침나절 내내 그렇게 믿다가 곧 현실을 깨닫곤 기가 막히지."

"……."

"네가 이 배에 타고 있단 사실에 앞이 막막하다가도, 따라온 걸 온전히 싫어할 수 없는 나도 나고…… 대체 무슨 생각으로 이 배에 탄 것인지……. 아니, 네게 묻는 건 아니다."

그는 급하게 달려 나오려던 대답을 가로막았다. 티티라는 불만스레 가라앉았다.

그는 그녀의 손을 살살 뒤집었다. 손끝 살로 긁어냈다. 그녀는 소름 끼치는 느낌에 몸을 뒤로 젖혔다.

"티, 너는 도무지 무서워하는 게 없어."

저렇게 부드럽게 다가오면서 못나게 말하는 법은 어디서 배운 건지. 티티라는 어깨를 으쓱였다.

"그야 당신이 봐주니까. 당신이 안 봐줬으면 난 이미 소조폴에서 목이 매달렸을걸."

"살인도?"

"……입 밖에 내지 말라면서, 자긴 되나."

손이 맞닿아 미끄러졌다.

"네가 무슨 힘으로 그렇게까지 하는지 궁금하다."

티티라는 이번에도 실없이 대답하려다가 멈칫했다. 알 듯 모를 듯 했다.

"네 어렸을 적 일도 어떻게 무시하는지 도무지 알 수가 없다. 뒤를 돌아보지 않는 사람 같지. 마치 어떤 목표에만 도달하면 죽어도 상관없다는 듯……. 이 자리까지 온 것도 마찬가지고."

그녀는 붙잡힌 손을 물끄러미 바라보았다.

사실, 탈란타우에를 죽이고 깨달은 점이 하나 있었다. 삶에 얽힌 문제란 그리 쉽게 해결되지 않는다는 것. 구태여 그에게 말할 필요는 없지만…….

나는 소조폴과 안스를 무너뜨린 탈란타우에를 내 손으로 죽였다. 그러나 소조폴의 몰락은 아직도 고통스러웠고, 안스가 없어서 슬펐다.

나는 나를 모욕한 오트카저트를 내 손으로 죽였다. 그러나 여전히 날 누르는 압박감이 싫었고, 타인에게 방어적이길 짐승보다 더했다. 누군가 그 일에 대해 물으면 처음엔 아무것도 모른 체했던 것 같다. 물론 그렇게 자신을 속이는 데 실패한 뒤론 너무너무 화가 났다.

그러다 보니 질문하지 않을 사람만이 제 곁에 남았고, 덕분에 진짜로 나아진 줄 알고 간간이 닥치는 호흡 곤란에 투덜거렸다. 다 떠났는데 멍청한 너만 남아 있다고.

티티라는 새삼 스스로에게 질문해 보았다.

그래서, 나는 왜 여기 있는 걸까?

딱히 안스카리우스의 무탈한 미래를 목표로 삼은 것은 아니었다. 그가 잘되었으면 좋겠지만, 시노드 신넬인의 떨떠름한 감정 또한 꽤나 큰 자리를 차지하고 있었다. 그리고 솔직히 '안스카리우스의 부귀영화를 위해 목숨을 내던지는 티티라 돔니니'라는 표현엔 너무 자존심이 상했다.

그러니…… 사실 나도 날 이해 못 하는 거지. 생판 남인 그가 의아해하는 것도 무리는 아니었다.

"여기 온 건……."

티티라는 저도 모르는 사이 튀어나온 제 목소리에 귀 기울였다.

"이번에 시노드 신넬을 떠나면 다신 못 오는 거잖아, 당신."

자신의 이야기는 꽤 흥미로웠다.

"그래서?"

그도 흥미를 느끼는 듯했다.

"난 당신을 못 보는 게 싫어."

뭐?

그의 눈썹이 살짝 들렸다

티티라는 손을 확 잡아 빼내려 했다.

그러나 그가 놓지 않은 탓에 볼썽사납게 줄다리기를 하는 모양새가 되었다. 티티라는 온 체중을 실어 탁자 뒤로 몸을 기울였다.

안스카리우스가 소리 없이 웃는 게 보였다.

"티, 어차피 나가지도 않을 생각이잖아. 가만히 있어."

손을 빼내려 노력하면서, 짐짓 아무렇지 않은 양 대답했다.

"그냥, 지난번에도 말했잖아. 뭐가 새로운 내용이라고."

"그때는 내게 빚을 지게 할 생각이 없다고 했지. 그렇게 거듭 말한 뒤에야, 그나마도 내가 묻자 그리웠다고 고백했고."

"아, 그런 말 안 했어. 보고 싶었다고 했지."

"……."

"……아무튼 안 했어."

"그럼 지금 한 걸로 들어 주지."

티티라는 그 순간에야 제 얼굴이 새빨개진 것을 느꼈다. 거울을 볼 수는 없었지만, 볼 필요도 없었다. 실수했을 때처럼 귀뿌리가 뜨거웠다. 목덜미에 땀이 났고, 손이 살짝 떨렸다.

어떤 면에선 눈앞이 캄캄하기도 했다. 항상 몸이 반응하기 전에 알아차렸기에 이런 경험이 너무도 생소했다. 저자에게 손을 잡힌 뒤로 내내 눈 감고 귀를 막고 있었나? 언제 이렇게 됐지?

"티."

그녀는 입을 꾹 다물었다.

"계속 이렇게 있을 건가?"

티티라는 슬금슬금 힘을 뺐다. 여전히 자신을 꽉 쥔 채 놓아주지 않는 사람에게로 돌아왔다.

"무슨 말이라도 해 봐."

"……."

"네가 아무 말도 하지 않으면, 내 멋대로 떠들 수밖에 없는데."

"……."

"내가 '안스'라고 생각해서는 아닐 테고."

삽시간에 튀어나왔다.

"당신은 안스가 아냐."

"알고 있다."

"……."

"네가 '안스'에게 절대 가지지 않았을 감정을 품었다면, 그보다 더 완벽한 증명은 없겠지."

그는 너무 복잡하게 이야기했다.

"……."

"티, 외려 내가 묻고 싶군."

"뭘?"

"내가 안스가 아니어도 괜찮나?"

티티라는 다시 침묵했다.

그 눈이 그녀를 옴짝달싹 못 하도록 붙잡았다. 어두컴컴한 곳에서 자신을 끌어들이는 힘이었다. 눈매 위로, 마치 그조차 그림자가 있어야 빛난다는 듯, 뚝 떨어지는 콧대.

정말로…… 사람은 눈만 보면 알아볼 수 있어. 모를 수가 없어. 어떻게 저런 생김새를 헷갈리겠어.

확실히 안스였고, 확실히 안스가 아니었다.

"티."

그녀는 낮은 호명에 숨을 들이켰다.

티티라는 조금 늦게야 안스카리우스의 말을 이해했다. 내가 안스에게라면 가지지 않았을 감정을 품었다고. 그러니 내게 안스카리우스는 안스가 아닐 거라는 그 확신.

그의 말이 옳았다. 물론 자신이 안스를 마지막으로 본 것은 십 년 전이다. 그래서 나이를 먹고 우리가 어떻게 되었을지 상상하기 어려웠다. 하지만 적어도 열일곱의 자신은 안스에게 손이 잡혔다고 도망치진 않았을 거다. 귓가가 타들어 가지도, 발가락 끝이 간질간질하지도 않았을 것이다.

어떤 기적이 일어나야 안스를 이렇게 볼 수 있었을까, 도무지 방법이 보이지 않았다. 오히려 삼 년, 육 년, 구 년, 여러 해가 지나면서 안스의 기억이 흐려져, 마침내 그가 그인 그대로 제게 돌아왔다면 한 달 정도 놀라고 기뻐하다가, 다시 친구로 남았을 것이다.

물론— 진실은 아무도 알 수 없겠지. 제 상상력이 가난한 탓에 멀쩡하게 돌아온 안스를 떠올리기란 불가능에 가까웠으니까. 여전히 친절하고 조금 유치하지만, 삶이 덧대어져 성숙해진 친구를 그려 내기가 참 어려웠다.

네가 어떻게 자랐을지 나는 잘 모르겠어…….

그러나 안스카리우스는, 제 앞에 있었다. 손에 잡히는 인간으로 마주 볼 수 있었다.

덕분에 제게도 조금 놀라운 답이 기다리고 있었다.

"괜찮아."

티티라는 아찔한 기분으로 반복했다.

"괜찮아. 당신이 안스가 아니어도, 괜찮아."

그가 자신을 뚫어지게 바라보았다. 시선이 마주친 것만으로도 배속이 꼬여 들었다.

그 시선이 점차 내려가서…… 제 손바닥 위로…… 뜨거운 입김이……. 축축하고, 거친, 동굴 속 횃불이 스치는 듯했다. 아니, 스치지 않았다. 자신은 불에 닿았다.

티티라는 순간적으로 주먹을 꽉 쥐려 했다. 그러나 그가 단단히 붙잡아 숨지 못했다.

동작은 느리고 섬세했다.

메마른 입술은 그녀의 손바닥으로, 손바닥 사이사이 난 고랑으로 쏟아졌다. 그는 마치 그 틈에 다다라야만 한다는 듯이 더 깊게 파고들었다. 그것은 아편이 밴 연기 자락처럼 순식간에 제 손을 물어 버렸다. 보이지 않는 입김일 뿐인데, 한순간 멀쩡하던 손이 그 온기 사이로 완전히 사라졌다. 함락당했다.

티티라는 부르르 떨었다.

그의 입가가 조금씩 벌어졌다. 어리고 이 없는 생물이 달라붙은 듯, 뜨끈한 애정을 느낄 수 있었다. 그건 그녀의 손가락 밑동을 베어 물었다.

아, 잇몸에서 이가 돋았다. 단단한 이가 마디를 눌렀다. 깨물지는 않았으나 잠깐 닿아선, 언제라도 조여들 수 있는 듯 굴었다.

이내 단단한 이가 완전히 드러났다. 그는 조금씩 손가락 끝까지 올라왔다. 손톱에 다다라선, 아플 정도로 깨물었다.

티티라는 그제야 정신을 차렸다. 신음과 함께 손을 빼내려 했다.

안스카리우스의 시선은 어느새 자신을 향해 있었다. 눈이 마주쳤다.

"마찬가지다."

"……."

"네가 내 과거를 알아도, 괜찮아."

'알지 못했어도'가 아니었다. '알아도'였다.

티티라는 그제야 그가 내내 자신을 경계해 왔다는 사실을 깨달았다.

경계한 이유는 간단했다. 제게 있어 안스카리우스는 안스의 그림자에서 벗어날 수 없었기 때문이다. 저 예민한 사제왕이 그것을 눈치채지 못했을 리 없다. 그러니 '티티라 돔니니'에게 다가오면서도 저 인간이 '안스'를 대하는 것인지, '안스카리우스'를 대하는 것인지 혼란스러웠을 것이다. 그렇기에 끝까지 밀어붙이고 싶지 않았을 터.

그러나 이제는 내가 그에게서 안스를 봐도 상관없다고, 그가 말했다.

온몸이 쿵쿵 뛰었다.

나는…… 저 인간을…… 음…… 아무튼, 이건…… 적은 아니고…… 친구는 더더욱 아니며…….

"정부는 확실히 모자라지."

티티라는 잔뜩 웅크리고 있다가, 그의 목소리에 흠칫 놀랐다.

"어?"

"너만 괜찮다면."

"그 얘긴 애초에 진짜도 아니잖아?"

"사제왕의 동반자가 될 수도 있겠지."

그는 담담하게 제안했다.

티티라는 잠깐 어리둥절해했다.

"응?"

"나는 시노드 신넬인을 반려로 맞은 미친 사제왕이 되는 거고."

"뭐?"

"법황은 더더욱 나를 정신 나간 녀석으로 보겠군. 술수를 썼는데 그대로 빠져서 사제왕의 부인 자리까지 넘기니."

충격은 점차 커지는 파도와 같았다.

티티라는 정말 얼이 빠져 팔을 늘어뜨렸다.

그는 여전히 제 손을 붙들고 있었다. 자기가 별말 안 했다는 것처럼 굴어서 더 어이가 없었다.

"사제왕의 부인을 건드릴 만큼 법황의 광증이 도지진 않았다. 그러니 그 뒤론 너도 확실히 안전하겠지."

"참 나, 처음에 내가 당신 애라도 배야 못 건드린다는 말이랑 뭐가 달라?"

그녀는 낯간지러운 분위기를 막되어먹은 말로 돌파했다. 그렇게 담벼락을 머리로 처박아 부수어 놓곤 뿌듯하게 손을 털고 있는데—

"다르지. 지금은 네가 날 좋아한다고 했잖아."

와……!

티티라는 진짜로 도망가려 했다. 이번에는 자신을 붙잡은 사람을 굽이 달린 신발로 걷어차기까지 했다.

그러자 그림자가 확 덮쳤다.

그가 일어서자 시야가 완전히 뒤덮였다. 한쪽 손이 여전히 붙잡혀 있어 겨우 남은 한 팔로 그를 밀쳤다.

"티."

억울하게도 그는 평온하기 짝이 없었다.

"한 해가 넘도록 지켜봤지. 넌 네가 직접 말하지 않으면 나중엔 기억도 못 하는 체하더군."

"……."

"그러니 네 입으로 정확히 말해. 내가 좋아서, 보고 싶어서 왔다고."

이번엔 얼굴이 문제가 아니었다. 티티라는 머리부터 발끝까지 달아올랐다.

붙잡힌 손을 힘껏 비틀었지만, 지금까지처럼 전혀 소용이 없었다. 심지어 이젠 그가 일어선 탓에 자신은 탁자와 그 사이에 끼인 꼴이 되었다. 도망가는 게, 말 그대로 불가능했다.

"안스카르, 유치하게 이럴 거야?"

그의 고개가 기울었다. 화가 날 정도로 담백해 보이는 시선이었다.

"다 말해 놓곤 인정하지도 못하는 네가 유치한 것은 아니고?"

"사제왕이 이런 말을 지껄이는 꼴을 누가 보면 엄청 비웃을걸."

"왜?"

"……."

"진심으로 궁금하군. 왜? 나는 네게 여러 번 마음을 표현했다. 너는 내내 거부하다가 마침내 토로한 것이고. 나는 단지 그 고백이 더 정확할 필요가 있다고 말하는 거다."

누가 그를 비웃을 거라고는 전혀 생각하지 못하는 투였다.

티티라는 저놈의 성격이 타고난 것은 아닌가 의심했다. 안스도 온 동네에 '내가 쟤를 좋아하는데 뭐 어때서? 네 코나 깨져라.'라는 낯짝으로 돌아다니곤 했다. 안스카리우스도 이런 이야기에 남이 참견할 바가 아니란 생각이 확고한 모양이었다.

그녀는 눈을 피하고, 입 안으로 투덜거리고, 손톱으로 그의 손아귀를 할퀴다가 한순간 힘이 쭉 빠졌다.

"티, 네 입으로 말해."

그는 조금도 물러서지 않았다.

앞이 조금 어지러웠다. 건강하지 못해서는 아니었다. 그보단 너무 건강해서, 피가 뜨겁다 못해 부글부글 끓어서, 그냥 이 자리에서 터져 사라질 것 같아서…….

티티라는 조심스레 입을 열었다.

"……보고 싶어서 왔다고 했잖아. 벌써 여러 번."

"더."

"당신을 다시 못 본다고 생각하니까 싫었어."

"그래서?"

"난…… 당신에게 마음이 있는 것…… 같아……. 아마……?"

티티라는 말끝을 질질 끌었다. 물론— 거짓말은 아니었다! 저런 표현을 가짜로 꾸며 내느니 그녀는 혀 깨물고 죽는 편을 택했을 것이다. 하지만…… 너무 민망했다.

안스카리우스가 웃으며 고개를 숙였다. 종종 웃는 사람이어도 항상 조용하기만 했는데, 이번엔 소리가 났다. 긴장한 채 귀 기울였기에 '큭'과 '크' 사이 어딘가에서 어슬렁거리는 웃음을 알아낼 수 있었다…….

티티라는 그가 비웃었노라 확신하곤 발끈했다. 대롱거리던 한 손으로 그의 멱살을 잡았다.

"내가 못 빠져나가서 이러고 있는 줄 알아? 당신도 낭심 한 번 걷어차면 죽었어. 신경 써서 이야기해 줬더니……."

그는 그 경고에 웃음을 꾹 참는 얼굴을 했다. 웃는 것보다 저게 더 짜증 난다는 걸 모르나 본데…….

그러다 갑자기, 그가 제 허리를 감쌌다. 티티라는 숨을 들이켰다. 그의 다른 손이 제 허벅지 아래로 향하자, 제 몸은 순식간에 둥실 떠올랐다. 그녀는 화들짝 놀라서 남은 한 손으로 그의 목을 감쌌다.

물론 그것도 잠시, 안스카리우스는 자신을 조심스레 탁자 위에 내려놓았다. 그가 몸을 숙이니 그에게 매달려 있던 제 몸 또한 비스듬히 뒤로 기울었다. 포개진 몸이 바다 위 배처럼 흔들거렸다. 등이 살짝 탁자에 닿았다가, 다시 그에게 붙들려 올라갔다.

그는 그렇게 여러 번 제멋대로 자신을 흔들었다. 나는 아랑곳하지 않고 혼자 우스꽝스러운 춤을 추나 본데, 라고 생각할 즈음……
마침내 그가 뺨에 입을 맞추었다.

"네가 정 그렇다면."

티티라는 당황하여 반응했다.

"무슨 뜻이야?"

"네 마음을 알겠다는 뜻이지."

"오해하지 마. 당신한테 죽고 못 살고, 이런 건 절대 아니야. 그냥…… 남보다는 조금 더……."

그녀는 적당한 표현을 찾아 헤맸다.

그러나 그가 제게 입 맞추는 것이 먼저였다.

순간적으로 깨달았다. 제 몸을 가지고 이리저리 조잡스럽게 흔든 것이 키스하기에 알맞은 자리를 찾는 것이었다는 사실을. 그 우스운 사실을 깨닫고 여유로워질 수도 있었지만, 아무래도—

티티라는 그가 닿는 순간 속절없이 무너져 내렸다.

살짝 벌어진 입술이 제 입가를 붙잡았다. 떨어졌다. 다시 붙잡았다. 익사 직전의 사람이 수면을 찾듯, 겨우 숨이 붙었다가…… 바다 밑으로 가라앉다가…… 겨우 헤엄쳐 나온 이가 제 입 안을 빨아들였다.

그의 손끝이 입술을 쓸었다. 자신이 삼킬 숨이 어떤 맛인지 궁금하기라도 한 듯, 정말 무의미하고 멋없었다. 머릿속으로는 그렇게 생각했다. 하지만 그가 만지고, 다시 한번 들어오자…….

그녀는 눈을 꽉 감았다. 단순히 감거나 깜박이는 상태로 묘사할 수 없었다. 그보단 처음 바닷물을 만난 맨눈처럼 절박하게 피했다. 이 눈꺼풀을 뚫고 한 톨의 바닷물이라도, 한 톨의 애정이라도 새어 들면 정말 죽을 것 같았다.

티티라는 아찔한 기분으로 그의 어깨를 움켜쥐었다.

"아……."

신음이 새어 나왔다.

몸이 점점 웅크러 드는데, 발끝은 점점 빳빳하게 섰다. 숨이 가빴다. 그녀는 자신이 헐떡이는 소리를 들을 수 있었다.

평소라면 괜히 민망하여 그를 밀쳐 냈겠지만 지금은 그럴 힘조차 없었다. 그녀는 완전히 늘어졌다. 그렇게 비실비실하게 쓰러진 뒤에야 제 손이 어느샌가 그에게서 풀려났다는 사실을 알아차렸다.

숨이 돌아오고…… 그녀는 풀려난 손끝부터 감각을 되찾았다. 창문도, 문도 꽉 막혀서 바람이 들어올 구석이 없는데, 시원하다 못해 차가운 공기가 손을 건드렸다. 손톱에 붙어 가장 무른 살이 꿈틀거렸다. 손마디가, 손가락이, 가까스로 손아귀가 움직였다.

티티라는 숨을 들이켜며 그를 밀쳐 냈다.

제 어깨가 크게 들렸다 내려왔다. 숨소리가 지나치게 컸다. 등 위로 차갑게 식어 가는 땀이 자신을 소름 끼치게 했다. 탁자에 대롱대롱 걸린 종아리가 자꾸만 툭, 툭, 튀어 정신을 차릴 수가 없었다.

그녀는 흐릿한 시야를 여러 번 깜빡인 뒤에야 상대를 찾아낼 수 있었다.

안스카리우스는 아까와 같은 자리에서, 전보다 훨씬 뻣뻣하게 서 있었다. 그 시선이 향하는 곳은 방금 전 자신을 안았던 손아귀였다. 그는 거듭해서 주먹을 꽉 쥐었다, 다시 펴고 있었다.

그러다 문득, 그녀의 눈길을 느낀 듯 고개를 들었다.

그는 다시 소리 없는 웃음으로 돌아왔다. 그 미소의 끝에서 아주 낮게, 거의 속삭이듯이 말했다.

"이제 어두운 데서도 할 수 있지 않을까?"

티티라는 그가 이즈버르 저택에서의 밤을 떠올리고 있음을 알아차렸다. 함께 도망가자는 말에 화를 내자 자신이 숨 막혀 어쩔 줄 몰라 했던 그 밤 말이다.

그녀는 반사적으로 탁자에서 내려왔다. 진지한 이야기를 할 때는 제 두 발로 서 있어야 했다.

그러나 다리에 힘이 풀려 그대로 주저앉았다.

당황한 얼굴로 카펫을 짚었다. 가까스로 의자를 붙잡아 주춤주춤 몸을 세우려 했다.

그 순간, 안스카리우스가 팔 밑을 잡아 일으켜 세워 주었다. 그제야 겨우 흔들거리며 설 수 있었다.

"왜……?"

티티라는 그의 얼토당토않은 말에 대답해 주려던 것을 잠시 잊고 혼란스러운 낯이 되었다.

안스카리우스는 고개만 흔들었다. 모른다는 뜻인가? 하지만 자기가 아플 때면 언제나 난리를 치던 그답지 않았다.

그녀는 한숨과 함께 다리를 이리저리 움직여 보았다. 이상은 없는 것 같은데…….

"아무튼…… 무슨 소리야? 싫어. 그리고 그땐 당신이 내 가까이서— 아니, 아예 나를 붙잡고 대답도 안 했잖아. 당신보다 훨씬 큰 사람이 말없이 버티고 있다고 생각해 봐. 난 그…… 예상할 수 없는 압박감이 싫었다고."

"이제 예상할 수 있을 텐데."

티티라는 고개를 흔들었다.

"당신도 좀 적당히 해. 사제왕이 말이야. 순결을 지켜야지, 어?"

"내가 왜?"

그녀는 오늘 별별 소리를 다 듣는다고 생각했다. 갑자기 혼인하자느니, 동정은 왜 지켜야 하냐느니. 안스카리우스는 아무래도 자길 너무 좋아하는 것 같았다.

티티라는 투덜거렸다.

"솔직히 그것도 못 지키면 '사제'인가? 신실함을 개나 줬단 걸 모르진 않았지만, 디아세도 지키는데……."

그녀의 말이 뚝 멈췄다.

갑자기 눈가가 화끈했다.

티티라는 눈을 꽉 다물어 물기를 털어 냈다. 아주 가늘고 얕은 물보라였다. 파도는커녕 물줄기도 못 되어, 한순간 제 눈 위에 축축하게 남을 뿐이었다.

안스카리우스는 그런 자신을 잠시 바라보다가, 다가와 안았다. 그녀는 거부하지 않았다. 차라리 다행이었다. 그의 가슴팍에 얼굴을 묻었다.

그녀는 솔직해졌다.

"……다시 돌아간대도 똑같은 짓을 할 거지만…… 나 때문에 두 사람이 죽은 것 같다는 생각도 가끔은 드네."

"말도 안 되는 소리. 한 사람은 탈란타우에가 살해했고, 한 사람은 그에 복수하려다 죽었다. 원인이라면 탈란타우에지, 네가 아니다."

그는 단호했다.

"나도 알아. 하지만 슬퍼."

티티라는 바보 같은 말을 하면서 눈을 감았다. 혼자 선실에 있을 때 이런 말을 했다면 곧장 어리석은 소릴 한다며 스스로를 꾸짖었을 것이다. 하지만 여긴 아니었다. 그의 품은 고요했다.

그녀는 제 탓이 아니라고 생각하면서, 동시에 죄책감을 가질 수 있었다. 모순을 지니고도 살 수 있었다.

인생은 결론 지을 수 없으니, 선택 또한 해결이 아니었다. 이제 그녀는 모호한 마음의 부산물 위에서 둥둥 떠다녔다. 그래도 괜찮았다.

안스카리우스와 당황스러운 감정들을 주고받으면서, 아무것도, 앞도 뒤도 정리되지 않은 채 불안한 상황에서도 그를 밀어낼 마음이 들지 않았다. 어이없는 청혼에도 유쾌하게 웃고 싶었고, 당장 그의 입맞춤을 거부하고 싶지 않았다. 그래도 괜찮으니까.

그녀는 문제와 해결을 핏줄이 튀어나오도록 꽉 쥐고 있던 삶에서 약간 물러났다. 많이는 아니고, 한 발자국 정도.

티티라는 말없이 안스카리우스에게 기댔다.

티티라는 배 안에서 긴장을 유지하기 위해 꾸준히 노력했다. 나는 교국에 가면 죽을 수도 있다. 세 치 혀에 내 목숨이 달려 있노라. 이성적으로 생각하고 계획하자. 끊임없이 되뇌었다.

하지만 선실 안에 꽁꽁 갇힌 채 끝없는 바다를 바라보자면 그저 졸리고 지루했다. 도무지 위기라곤 한 톨도 안 느껴졌다.

때문에 폭풍이 닥쳤던 어떤 날은 차라리 흥분되었다. 온 배가 쿵쿵거리는 소리, 군인들이 악쓰는 소리, 빗소리, 바람 소리, 파도 소리 등이 섞여 톡 쏘는 요리 한 접시를 만들어 냈다. 그녀는 다치지 않도록 침대 아래로 기어 들어가선 흥미롭게 상황을 추측했다.

배가 이리저리 기울 때면 소름이 돋기도 했지만, 여기서 죽는대도 바다가 자신을 죽이는 것이라 별 불만은 없었다. 게다가 자신뿐만 아니라 교국 군인 놈들도 함께 죽고, 바다 수영을 잘 못하시는 우리 사제왕 각하께서도 함께 죽을 테니 아쉽지 않지—

문득 티티라는 스스로 안스카리우스를 끌고 헤엄쳐 난파선 조각 하나를 잡을 수 있을까 가늠해 보았다. 수영도 수영이지만, 저 몸뚱이를 얹으려면 제법 큰 판자가 필요하겠는데. 어떻게든 찾으면 체온이 너무 떨어지지 않도록 삼십 분에 한 번씩 위치를 바꾸는 거지.

이런 상상은 만일 이프루이우호가 반으로 쪼개지더라도 사제왕만큼은 작은 배를 마련해 탈출시키리란 당연한 추론이 닥칠 때까지 계속되었다. 티티라는 탈출선에서 버림받은 사람이 되어 툴툴거렸다.

이처럼 실없는 생각들이 꼬리에 꼬리를 물면 미쳐 날뛰는 바닷소리에도 평정을 유지할 수 있었다. 그녀는 단단히 고정된 침대 아래 먼지 구덩이에서 잠들었다.

그러다 문이 열리는 소리에 깨어났다. 그녀는 반사적으로 일어서려다 쾅 하고 침대 바닥에 머리를 박았다.

"아……."

침대 아래로 검은 단화가 보였다. 다리가 기우나 싶더니, 턱 하고 무릎이 바닥에 얹혔다.

티티라는 슬금슬금 기어 나가다가 고개를 숙인 안스카리우스와 눈이 마주쳤다. 역광 탓인지, 아니면 폭풍으로 밤을 새운 탓인지 지나치게 피곤해 보였다.

이윽고 그녀는 그가 내민 손을 붙잡고 질질 끌려 나왔다.

주변을 둘러보았다. 방 안 꼴은 말이 아니었지만, 그래도 폭풍에 본격적으로 휘말리기 전 닥치는 대로 보관함에 물건을 쑤셔 넣었기에 돌이킬 수 없을 정도로 엉망이진 않았다.

티티라는 제 유일한 안식처가 폭풍에서 생존했다는 사실에 가슴을 쓸어내렸다. 어쩌면 실제로 폭풍이 닥쳤을 때보다 선실 안을 확인하기 직전에 더 긴장했을지도 몰랐다.

그러던 중 문득 자신이 안스카리우스의 생존에 놀라거나— 아니, 애초에 그를 반기지조차 않았다는 사실에 당황했다. 그녀는 그가 언짢아하는 기색인지 급히 확인했다.

……물론 그도 그녀가 생존했다는 사실에 크게 감격한 것 같진 않았다. 그저 그녀의 건강을 확인하고, 입을 한 번 맞추고, 선실을 어떻게 정리할 예정인지 설명해 주었다. 목소리는 그답지 않게 약간 쉬어 있었다.

티티라는 멀뚱히 침대에 앉아 그의 말을 경청했다. 그리고 선실을 나서는 그에게 말했다.

"고생했어."

그는 반쯤 뒤돌아선, 웃는 것인지 놀란 것인지 모를 묘한 표정으로 자신을 바라보다가 떠났다.

그 뒤 티티라는 선실을 열심히 치워서 —침대 밑바닥까지— 얼굴에 욕을 주렁주렁 매달고 들어온 막내 군인들을 놀라게 했다. 군인 둘이 마주 보는 모양새가 꼭, 생각보다 괜찮아서 화낼 기회를 놓친 심술보들 같았다. 그들은 군말 없이 파손된 가구를 수리하고 폐기물을 수거해 갔다.

바깥 폭풍이 지나갔던 것처럼 황폐해졌던 선실 안도 깨끗해졌다.

티티라는 보관함 가장 깊숙한 곳에 넣어 두었던 화분을 다시 책상 위로 꺼냈다. 데이지가 하루 정도 숨을 못 쉬어 비실비실했지만, 어쨌든 살아남았으니 제게 화를 내진 않을 것이다.

폭풍 이후 처음 안스카리우스의 선장실에 방문했을 때, 그녀는 선장실도 제 선실과 마찬가지로 꽤나 많은 물건이 사라지거나 재배치되었다는 사실을 깨달았다. 이쪽도 엄청나게 엉망이었나 보군, 놀라 생각했다.

그는 여전히 차를 권했다. 다만 오늘의 차는 폭풍이 닥쳤을 때 정신이 없어 발로 밟은 것인데 그래도 먹겠냐고 부연했다.

티티라는 냉큼 받아 마시곤 맛있다고 배시시 웃었다.

그렇게 폭풍을 겪은 달, 순풍에 돛이 날아가던 달이 지나고……

이프루이우호를 필두로 한 세 척의 배는 본격적으로 도떼기시장 같아졌다.

이쯤에 이르러서 군인들은 군복을 제대로 차려입긴커녕, 반쯤은 벌거벗고 반쯤은 거적때기 같은 옷에 몸을 꿰어 넣고 있었다. 그런 인간들이 바람이 없을 때면 소형 배에 듬성듬성 올라타선, 본격적으로 식량 낚시 겸 유람에 나서기 시작했다.

아무래도 교국에 가까워지자 항로가 익숙하여 자신감이 붙은 모양이었다.

티티라는 저보다 심심한 사람은 없을 거란 생각에 부러워 창밖을 바라보았다. 제 등 뒤에는 모든 공략을 끝마친 육각 놀이판, 읽다 못해 한 장씩 찢어 놓은 서적들, 모자를 쓴 고래와 불가사리 자수판, 그리고 출발할 때와 똑같이 푸른 데이지가 있었다.

시간은 너무 느리게 지나가는 듯하면서도 너무 빨리 지나가기도 했다. 그동안 그녀는 스스로 팔을 벌린 너비만큼의 창으로 모든 광경을 지켜봐야 했다. 유리에 코를 박은 채 향유고래가 내뿜는 물을 감상했고, 수면에 은근히 붙어 따라오는 만타 가오리를 관찰했다.

그러던 중 문 바깥의 기척이 느껴지면 들어오라 허락하곤 했다. 그것도 일상이었다.

안스카리우스와는 자주 사담을 나눴다. 며칠에 한 번은 꼭 얼굴을 보았는데, 그 시간이 밀봉된 자신을 살렸다. 그는 입 맞추고, 이야기하고, 향후의 증언을 정리했다.

그는 자신이 진저리를 치며 고백한 ―솔직히, 남들보단 좋아한다는 게 고백인지 아직도 잘 모르겠다.― 날 이후 점점 더 여유로워졌다. 어이가 없을 지경이었다. 언뜻 안스를 떠오르게 할 정도로, 본인을 향한 자신의 감정을 믿어 의심치 않는 듯했다. 안스와 다른 점이라면, 안스는 그 감정이 우정이라고 생각했지만, 이 인간은 애정이라고 생각한다는 것이었다.

정말 이런 자신감은 쓸데없이 닮았지. 애매하게 얼버무린 감정일 뿐인데, 동판에 단단히 새겨 놓곤 진리인 양 선언하는 모양새하곤.

물론 티티라는 투덜거릴 뿐 진심으로 싫어하진 않았다.

그녀는 그와의 입맞춤을 좋아하는 편이었다.

입맞춤은 항상 짧았지만, 어느 순간엔 제 등을 받치고 점점 더 기울기도 했다. 그럴 때면 그녀는 맞붙은 자리를 이리저리 흔들었고, 그는 조용히 멈췄다. 제 몸짓은 반항이랄 것도 아니었다. 그보단 신호였다. '나는 여기까지.'

그 너머로 나아가지 않은 것은 물론 사제왕과 진짜 붙어먹었을 때의 뒷일이 걱정되어서기도 했지만, 그보단 그냥, 그 자체가 좀 무섭기도 한 탓이었다. 아니, 바다 괴물이나 귀신을 볼 때의 무서움 말고, 그냥 미지의 것에 대한 알싸한 두려움 말이다.

그가 권했다면 눈 감은 채 계단을 내려가는 것처럼 뚝 떨어졌겠지. 그러나 그는 그러지 않았다. 때문에 그녀도 여전히 눈을 뜬 채 계단에 서 있었다.

지난번에 잠깐 튀어나왔던 '혼인' 또한 그들 사이의 농담으로 변했다. 물론 처음 입 밖에 냈을 땐 진심이 섞여 있었을 테지만, 이젠 두 사람 다 분명 농담이라는 데 암묵적으로 동의했다. 앞날이 불확실한 데다 서로의 애정이 그만큼 깊은지 확신하기 어려웠기 때문이다— 적어도 티티라는 그렇게 생각했다.

아니, 당연히 그들은 서로에게서 절대로 떼어 낼 수 없는 관계였다. 이건 그녀도 그도 인정했다. 하지만 둘의 관계가 굳이 사제왕과 부인이어야 하느냐 묻는다면, 아직 혼란스러웠다. 이상하게 적합하지 않다는 생각이 들었다. 비단 자신이 교양 없는 시노드 신녤인이어서는 아니었다.

"솔직히 당신도 청혼하면서 좀 웃기다고 생각했지?"

"진심이었다."

"진심인 건 알아. 하지만 웃기다고 생각했잖아."

종내엔 그도 웃으며 동의했다. 네가 누군가의 부인이라니, 코가 두 개 달린 찻주전자 같군. 무슨 뜻이야? 차를 따르는 용도로는 우스꽝스럽고 쓸모없다는 뜻이다. 그 용도가 아니면? 멋지긴 하겠지.

티티라는 그 비유를 곰곰이 생각했다.

어쨌든 안스카리우스는 제게서 고백을 끌어내려 써먹었던 청혼을 제하면 두 번 묻지 않았다. 진심이어도 실현할 생각은 별로 없는 모양이었다. 이유는, 내가 코가 두 개 달린 찻주전자라서?

그녀는 이 표현에 기뻐해야 하는지 고민하다, 골치가 아파 치워 두었다.

덕분에 그들은 엉성하게나마 서로의 반쪽이 되었다. '서로의 반쪽'이라는 단어가 적어도 '연인'보단 덜 이상하게 느껴졌으므로, 그녀는 그 단어를 선호했다.

안스카리우스를 좋아했지만…… 그건 자신이 일생에 걸쳐 보아온 연인 관계라기엔 들어맞지 않는 부분이 많았다. 그녀는 그에게 그만큼 눈물겨울 생각은 없었다. 자꾸만 이야기하고 싶다거나, 보고 싶어도 보고 싶다거나— 말도 안 됐다. 그녀는 가끔 그가 귀찮아서 좀 나가라고 할 정도였다.

애정은 단지, 분명한 한 가지 사실 덕분에 확신할 수 있었다.

그녀는 그가 자신을 잃을 수 없다는 사실을 알았고, 자신 역시 그를 잃을 수 없다는 사실을 알았다. 그것만이 중요했다.

대화는 부차적인 문제였다. 얼굴을 볼 필요도 없었다. 안스카리우스는 선장이자 제독으로서 배를 통솔해야 했기에 시간이 많이 나지 않았고, 종종 사나흘간 마주하기 힘들었지만 그녀는 개의치 않았다. 간혹 그를 그리는 것 또한 대화할 사람이 부재해서지, 꼭 그여야 할 필요는 없었다…….

아무래도 이상하지?

티티라는 제게 설명해 줄 수 있는 어른이 그리웠다. 물론— 우스페히가 당장 눈앞에 나타나 감정을 풀이해 준들, '저는 동의하지 않는데요.'라고 대꾸할 테지만.

그러니 정확히는, 자신이 아이가 되어 존경할 만한 어른에게 설명을 들은 뒤, 그 이해로 다시 삶을 키워 나가 이 자리에 서고 싶었다.

물론 불가능했다. 삶을 뿌리째 뽑을 수 없기에, 그녀는 어리둥절한 채 그를 좋아하는 감정을 살필 따름이었다. 코가 두 개 달린 찻주전자로서 자아를 성찰해 보려 했다.

마땅한 답을 찾기 전에, 누군가의 고함으로 배가 떠나가라 흔들렸다.

"……다!"

티티라는 언제나 그랬듯이 창에 코를 바짝 붙이고 위, 아래, 좌우를 살폈다. 무슨 일이지? 아무래도 갑판 위에서 소리가 난 것 같았다. 그래서 이번엔 선실 문을 열고 그 가장자리에서 귀를 기울였다.

"육지다!"

티티라의 눈이 커졌다.

티티라는 달려 나가려다, 몇 달 동안이나 익숙해진 습관 덕분에 우뚝 멈춰 섰다. 자신은 맨얼굴로 해를 볼 수 없는 처지였다. 눈에 띄지 않고, 조용히, 없는 듯이…….

결국 허탈하게 돌아서 창가로 향했다. 배의 방향 탓인지 아무것도 보이지 않았다. 다시 문가로 길게 고개를 뺐다가, 돌아와 창문을 보길 여러 번 반복했다.

바야흐로 선체가 선회하는 것이 느껴졌다. 바깥에선 배를 내리란 고함이 들려왔다.

티티라는 드디어 교국의 끄트머리에 도달한 건가 싶다가도, 제대로 된 항구가 없다는 점에 의심을 품었다.

그녀는 경주마처럼 창과 복도를 오간 끝에 마침내 땅을 발견했다.

작은 섬이었다. 높은 키의 나무라곤 한 그루도 없는.

티티라는 맥이 빠져 창가에서 주르륵 미끄러졌다. 도착한 곳이 기껏해야 무인도라면 자신은 햇살 한 번 맞지 못할 것이다. 다들 땅을 만나 기뻐하는 가운데 혼자 선실에 처박혀 구경이나 해야겠지.

작은 배들이 풍덩풍덩 바다에 떨어지고, 사람들이 소란스레 이동하는 소리가 들렸다. 여러 달의 항해 끝에 처음 발견한 땅은 군인들마저 기쁨으로 무너뜨렸다.

그녀는 심드렁하게 책상에 엎어졌다. 나가고 싶었다.

문득 문 두드리는 소리가 났다.

열려 있는데?

티티라는 흠칫 놀라 뒤를 돌아보았다.

안스카리우스가 서 있었다.

"어, 왜— 오셨죠?"

티티라는 급하게 말을 가다듬었다.

안스카리우스는 말없이 걸어 들어왔다. 그러고 보니 평소처럼 가벼운 차림새가 아니었다. 무언가 묵직한 천을 팔에 걸치고 있었다.

"일어서."

그녀는 어리둥절한 채 일어섰다.

그제야 안스카리우스가 품에 든 것을 펼쳤다. 그것은 한순간 제 시야를 덮쳐 상대를 가릴 정도로 컸다. 그녀는 훅 끼친 바람에 기침이 터져선 한동안 앞도 제대로 못 봤다.

"으히엣, 취!"

콜록대던 중, 제 어깨에 얹히는 무게에 애써 고개를 돌렸다.

"각하?"

내려다보니, 외투였다. 크기로 봐선 안스카리우스의 옷이 틀림없었다.

그녀는 종아리까지 대롱대롱 내려오는 외투를 입곤 투덜거렸다.

"귀한 물건인가요? 맡고 있을까요? 선장실이 있어도 역시 보초를 세워 두는 게 중요하죠?"

"이우니오 제도다. 무인도지만, 항해의 막바지에 접어들었다는 표지지."

"네, 네."

티티라는 대각선 위치에 있는 거울을 보며 한숨을 쉬었다. 팔을 교차한 채, 양어깨를 팡팡 두드렸다.

"잘 모시고 있겠습니다."

"나와."

"네?"

그녀는 깜짝 놀라 눈을 크게 떴다.

"저도 땅을 밟을 수 있나요?"

안스카리우스의 표정이 처음으로 변했다. 당황스러운 듯했다.

"왜 못 나간다고 생각했지?"

"지금까지 그랬으니까요……?"

"단 한 명이라도 이우니오 제도를 밟지 않으면 폭풍에 침몰한다는 미신이 있다. 굳이 내 명령이 아니라도, 네가 나오는 걸 막을 사람은 없어."

티티라는 뱃사람들의 미신을 사랑하게 되었다.

"와……! 좋습니다. 당연히 좋죠! 지금 나가나요? 저도 해를 보고 싶습니다."

"곧 정박한다."

"무인도라면서, 정박할 수 있나 봐요?"

"교국이 이곳을 표지로 삼은 지도 벌써 십 년이다. 오래전에 배

수량에 따라 머물 위치를 찾아 두었지."

"섬에는 뭐가 있나요? 시노드 신넬의 무인도는 동물들도 많이 사는데. 특히 새들, 엄청 많이."

안스카리우스가 살짝 몸을 숙였다. 설마 눈치 없이 입을 맞추려는 건가 싶어 허리를 뒤로 뺐지만, 그의 손은 외투 깃에 닿을 뿐이었다.

"이우니오 제도에는……."

그가 금방이라도 미끄러질 듯 헐렁하게 걸친 외투를 여며 주었다. 금속으로 된 단추를 위부터 잠그며, 천천히 천천히 내려갔다. 그의 머리칼, 어깨, 등이 가까이에서 바스락댔다.

"……우리가 풀어 둔 양이 산다."

"응? 아니, 네?"

"몇 년간 이우니오 제도를 거쳐 항해하며, 동물을 풀어놓았지. 안타깝게도 가금류는 살아남지 못하더군."

"신기합니다. 양은 많이 번식했나요? 먹을 수 있을까요?"

"그래. 드물게 들어오는 배를 한 입씩 먹이기엔 나쁘지 않은 정도다. 그리고 아마 배에 묻어온 쥐도 꽤나 있지 않을까……."

"쥐도 정 상황이 안 좋으면 먹을 만해요."

외투를 잠그던 그의 손이 멈추더니, 이내 바로 섰다.

"쥐를 먹어 봤나?"

"네. 어렸을 때요."

"……."

"하긴, 제 친구도 쥐를 먹은 경험은 없겠네요. 아무튼 난파하면 쥐도 꽤나 인기 있는 식량일 겁니다."

티티라는 덧붙였다.

“솔직히 전 지금 먹는 염장 고기랑 벽돌— 아니, 빵보단 갓 조리한 쥐를 선택하겠습니다.”

티티라는 고상한 인간에게 뒷골목을 알려 주듯 약간 으쓱였다.

안스카리우스는 대답하지 않고 자신을 빤히 바라보았다. 그렇게 얕은 침묵 뒤, 마지막으로 깃을 다듬어 주었다.

“고기 욕심에 쥐를 먹는 군인이 없진 않겠지. 하지만 걱정 마라. 네겐 양이 제공될 테니.”

티티라는 몇 주 만에 제일 기뻤다. 얼굴이 급격히 밝아졌다.

“감사합니다. 한 접시라도 좋아요. 불에 구운 걸 먹고 싶어요.”

그는 대답 없이 문 바깥을 손짓했다.

티티라는 신이 나 저벅저벅 걸어갔다. 다만 예상보다 속도는 느렸는데, 외투가 마음대로 움직이기 어려울 정도로 무거웠기 때문이다.

그녀는 그제야 안스카리우스가 제게 쓸모없는 외투를 준 이유에 대해 생각하게 되었다. 그냥 땅으로 내려가자고 말하지, 왜 본인 겉옷까지 쥐여 줬을까?

물론 답은 매우 간단해 보였다. 항해자들의 미신을 들이댄들, 모든 위험이 원천 봉쇄되는 건 아닐 테니까. 사제왕의 외투를 씌워 쓸데없는 분란을 미리 차단한 것이다.

티티라는 펄럭이는 이불에서 목만 나온 차림새에 불만을 가지지 않기로 했다.

이윽고 그들은 빛이 새어드는 복도 끝에 다다랐다. 티티라는 한순간 흥분을 자제하지 못하고 문을 밀었다.

눈부신 햇살이 그녀를 감싸 안았다. 대체 몇 달 만에 속 편하게 맞이하는 해인지, 온몸이 짜릿할 지경이었다.

이미 정박한 배의 갑판에는 사람이 별로 없었다. 그나마 서성이는 군인들도 제 뒤에 있는 사제왕에게 예를 표한 뒤 쏜살같이 등을 돌리곤 했다.

티티라는 뱃전에 붙은 나무 단을 타고 내려갔다.

마지막 단에서 내려왔을 때 턱, 하고 무언가가 신발에 닿았다. 자신이 밟은 곳은 확실히 땅이었다. 신발 위로 얕은 파도가 찰랑인대도 불변하는 사실이었다. 움찔거리고 출렁이는 갑판이 아니라, 뿌리 박혀 움직이지 않는 땅.

티티라는 하마터면 방방 뛸 뻔했다. 해를 본 데다 이제는 땅까지 밟다니, 형언하기 어려운 기쁨이었다.

그녀는 안스카리우스가 앞서가는 가운데 혼자 모래사장을 두어 번 오갔다. 그가 낌새를 눈치챈 듯 걸음을 멈추자 그제야 잽싸게 따랐다.

티티라는 치솟는 입꼬리를 숨기지 못한 채 미친 사람처럼 주변을 둘러보았다. 풍경은 지루했지만 충분했다. 파란색이 아니라 초록색을 보는 것만큼 의미 있는 일이 삶에 몇 없다고 생각될 정도였다. 그리고 사실— 다른 군인들도 반 미쳐 있었기에 그녀는 이 섬에서 아주 평균적인 인간이었다.

티티라는 안스카리우스가 가라는 곳으로 갔고, 앉으라는 곳에 앉았다. 들으라는 정신 나간 설교도 들었고, 모으라는 손도 모았다.

그런 자신에게는 곧장 신선한 물과 양고기가 제공되었다.

그녀는 안스카리우스의 천막 아래서 조금 울 뻔했다. 배에선 전혀 불편하지 않았지만, 실제로 감각이 와닿자 새삼 육지 생활의 소중함을 강렬하게 느꼈기 때문이다.

배가 터지도록 먹고 난 뒤론 안스카리우스에게 산책을 허락받았다. 천막의 시야 안에 있는 백사장으로 한정되었지만 충분했다.

그녀는 행복하게 밤공기를 맞이했다. 양팔을 쫙 벌렸다가, 하늘을 향해 펼쳤다. 괜히 시선을 끌까 걱정되어 입 모양으로만 말했다.

'이야!'

그렇게 우스꽝스러운 몰골로 불가사리처럼 뒤뚱거리며 걸어 다녔다. 공기와 땅 사이에 최대한 넓게 몸을 밀어 넣고 싶었다. 이 땅에서 내 지분을 높이고 말 테다, 결심했다.

'소조폴보다 나은데!'

고개를 젖히자 무수히 박힌 별들이 보였다. 그 별들이 수천 년 동안 사람을 지켜봤다는 생각에 가슴이 벅차오르면서, 별안간 궁금해졌다.

'교국인들이 전부 들렀던 무인도라면, 안스도 여기 왔을까?'

질문은 점차 구체적으로 변했다.

'그 애도 나랑 같은 별을 봤겠지? 기뻐했을까? 양을 먹었을까? 혹시 내가 먹은 양이, 네가 풀어 둔 그때 그 양의 후손일까?'

별이 너무도 많아 꼭 밤하늘이 움직이는 것처럼 보였다. 그녀는 그중 하나를 정해 점점이 좇아가다가, 마침내 검은 수평선에 다다랐다. 숨이 막힐 정도로 장대한 광경이었다.

'안스, 너도 감탄했을 게 분명해.'

이제 티티라는 안스가 이 자리에 서 있었다고 확신하고 있었다. 교국으로 향하는 길, 그 애도 여기에 한 번쯤은 섰겠지.

그때 너는 무슨 심정이었을까? 잡혀가는 거라 무섭기만 했니? 아니면 그래도, 이 바다, 그리고 바다 너머의 새로운 땅을 상상했어? 너무 설레지 않아?

나는 너무 설레.

자신은 몹시도 먼 이방인들에게 가고 있었다. 사실 제게 있어 시노드 신넬의 교국인들은 무척 익숙한 존재였기에, 지금까지 '교국에 간다.'는 건 조금 먼 옆집에 간다는 느낌으로 다가왔었다.

그런데 이제 이 끝없는 바다를 보자—

나는 정말 설레.

안스, 내 이야기가 아니야. 너를 생각하고 있어. 너도 설렜을까? 나는 내가 죽는대도 조금은 설렌다고. 그래도 거하게 한탕 하고 가는 거잖아. 그렇다면 너도, 스무 살의 나이로 이 바다를 건너면서 조금쯤 설레지 않았을까?

탈란타우에가 아무리 미친놈이라도 사제왕의 아들을 막대했을 리는 없었다. 사정을 설명해 주었을 테니, 이 섬에 다다라선 그 애도 현실에 수긍하지 않았을까. 그렇다면 이제 사제왕이 된다는 생각으로, 이 백사장 위에서 안스는 과연 어떤 생각을 했을까…….

문득 대화가 떠올랐다.

"내가 도이도흐로 가면?"

"나는 도이도흐로 돌아가겠지."

제 질문에 대한 답도 아니었고 이 상황에 적절하지도 않았다.

하지만 안스의 어린 얼굴을 떠올리자, 도무지 시계탑에서의 기억이 사라지질 않았다. 언짢은 듯 섬세한 목소리가 귓가를 파고들었다.

"내가 마주두 제일섬으로 가면?"

"나도 마주두 제일섬으로 돌아갈 거야."

아니야, 안스. 이 섬에서 무슨 생각을 하고 있었느냐고 묻잖아.

"티, 나는 네가 없는 시간이 익숙해지지 않아."

그 순간, 별똥별이 뚝 떨어졌다. 제 심장처럼.

눈치채지도 못한 사이 다리에 힘이 풀렸다. 부드러운 모래 위로 툭 쓰러졌다.

티티라는 양손으로 얼굴을 짚었다.

아니야, 그게 아니야. 이 섬에서 설레지 않았느냐고, 묻고 있잖아.

"너는 그렇겠지."

티티라의 손가락이 맥없이 벌어졌다. 멋진 밤바다가 조각나 보였다.

그녀는 문득 목이 메어 중얼거렸다.

"내가 너를 모르고 있구나."

"깨어날 때마다 네가 어디 있는지를 생각해."

"또, 너를 몰라서……."

"좋은 걸 보면 항상 널 생각해. 물건은 가져다주고, 풍경은 떼어 가고 싶어. 그게 흑요석 펜이든, 백만 금이든, 북극성이든, 마주두 제일섬의 거대 석상이든……."

그 애는 이제 제 머릿속에서 답을 외치고 있었다.

티티라는 하늘을 가득 채운 별과 바다의 물결 속에서 깨달았다. 살면서 한두 번 보기 힘든 이 멋진 풍경, 너라면…….

"……여기서, 내가 보고 싶었어?"

대답은 돌아오지 않았다.

안스카리우스는 예상보다 빨리 돌아온 티티라를 바라보았다.

티티라는 그를 향해 고개를 까닥이곤 의자에 외투를 걸어 두었다. 조용한 것으로 보아 혼자 쉬려는 모양이었다. 그다지 사생활이 없는 천막이었지만, 따로 누울 공간쯤은 있었다.

이내 작은 몸이 천 너머로 사라졌다.

의아했다. 오랜만에 땅을 밟아 기뻐하지 않았던가. 왜 기가 죽은 모양새인지 알 수 없었다.

그는 곧장 일어서 그녀의 흔적을 따라갔다.

천을 들추자 간이침대에 엎드려 있는 티티라의 등이 보였다. 어깨가 규칙적으로 오르락내리락했다.

그는 그녀에게 가까이 다가가 한쪽 무릎을 꿇었다.

고개를 숙였다.

"티?"

티티라의 어깨가 멈칫했다.

"혹시 누가 네게 무례를 범했나?"

그제야 그녀의 앞머리가 부스스하게 들렸다. 베개에 문지른 탓에 삐죽 솟은 머리칼이 꼭 고양잇과 동물을 닮아 있었다.

그는 그녀의 얼굴을 유심히 바라보았다.

"문제가 있으면 이야기해라."

"아……. 괜찮아요. 좀 피곤할 뿐입니다."

"작은 잘못이 불씨로 남을 수 있다. 초장에 꾸짖는 편이 나아."

"아니, 아무도 제게 가까이 오지 않았습니다. 사람 그림자도 본 적 없으니 진짜 오해십니다. 제가 땅을 밟았다고 혼자 방방 뛰는 바람에 피곤한 거예요."

그 말을 끝으로 티티라의 검은 눈이 감겼다.

왠지 그녀를 그대로 잠들게 두어선 안 되겠다는 생각이 들었다.

"저녁 식사는?"

시선이 다시 가늘게 살아났다.

"아까 먹은 게 점심 겸 저녁 아니었어요?"

"항해 중엔 신선한 식물을 먹을 수 없잖나. 잘 챙겨 두어야지."

"아, 섬에 있는 풀을 조리해 먹나요?"

"가벼운 식사니 너도 드는 게 좋겠다."

티티라는 그제야 침상을 짚었다. 작은 한숨을 쉬는 것 같기도 했다.

"말씀이 옳네요."

제 말에 못 이겨 일어난 그녀를 보면서도 여전히 만족스럽지는 않았다.

안스카리우스는 종종 티티라가 제게 말을 높일 때마다 그들의 관계가 헛되다고 느끼곤 했다. 상황 탓에 어쩔 수 없다고 생각하면서도, 그 목소리, 어조, 잠깐 거리를 두는 시선이 자신을 혼란스럽게 했다.

기반이 단단한 관계라면 고작 그녀의 존대만으로 흔들리지 않았겠으나…….

그들 관계의 기반은…….

그는 분별없이 되새겼다.

그래, 그녀가 저를 그리워하여 쫓아왔으며, 마침내 재촉에 못 이겨 고백했다는 일련의 사실은 분명 자연스러웠다. 누가 보아도 연인이 시작하는 이야기처럼 느껴졌다. 하지만, 그렇게 하나하나 과거를 되짚어야만 자연스러워지는 관계였다. 기억을 되새기지 않고는, 제게 몸을 맡긴 티티라가 새빨간 거짓처럼 보일 지경이었다.

그는 아직도 그녀가 왜 제 접근을 허락했는지 확신하기 어려웠다. 그렇기에 발밑이 불안정했고, 그녀의 멀리 보는 시선 하나에 긴장할 수밖에 없었다.

그가 잠깐 생각에 잠긴 사이, 티티라도 무언가를 골똘히 고민하는 기색이었다.

안스카리우스는 선뜻한 감각으로 깨달았다.

그래. 이런 것들.

같은 방에 있어도— 아니, 살이 닿아 있어도 티티라는 항상 제게서 반 발자국 벗어나 있는 것처럼 느껴졌다.

티티라가 당장 연인에게 관심을 기울인다면, 그녀는 분명 제 고민을 눈치챌 수 있을 것이다. 내가 무슨 생각을 하고 있는지 궁금해하는 표정이구나, 대번에 답을 맞힐 사람이었다.

그러니까, 자신은 그 정도로 얼굴에 다 드러나 있었다. 반면 티티라는…….

그는 조금도 짐작할 수 없었다.

그의 혀가 진저리쳤다. 새어 나가는 질문과, 주저하는 마음이 섞여 한순간 떨렸다.

마침내 가장 쉽고도 어려운 한 마디가 떨어졌다.

"티."

"네?"

"정말 그뿐인가?"

그녀는 빤히 자신을 응시했다.

"하나 있긴 있는데요."

"……."

"음, 안스도 여기에 왔을 거라고 생각했어요."

그의 손이 멈칫했다.

"각하께서 이우니오 제도가 중간 기착지라고 말씀하시니까…… 그럼 제 친구도 여기 왔겠지, 하는 생각이 들었습니다. 그러다 보니 기분이 싱숭생숭해져서요. 만일 제가 좀 피곤해 보였다면 그 탓이지 않을까요?"

……티티라는 스스럼없이 안스를 그리워했다.

그녀는 '안스'라는 기억을 가꾸고 있었다. 마치 배에서 데이지를 키우는 것과 같이, 그 작은 씨앗이 무슨 상징이라도 되는 양 꾸준히, 성실하게 보살폈다. 애정으로 돌본다는 표현과는 조금 달랐다. 이미 티티라에게 녹아들었기에 그녀의 삶으로서 키워 나가고 있다는 말이 더 옳았다.

안스카리우스는 벌써 오래전, '그녀가 안스를 알아도 괜찮다.'고 생각했다. 하지만 그건 오로지 그녀가 그를 과거의 기억으로 묻어 둘 때의 이야기였다.

지금, '안스'는 티티라의 과거인가?

대답하기 어려웠다.

만일 그녀가 '안스'를 현재로 보고 있다면 자신은 껍데기에 불과하겠지.

안스카리우스는 정말 인내심이 깊은 사람이었다. 어차피 티티라 돔니니는 죽을 때까지 제 곁에서 떠날 수 없었다. 그녀가 선택한 길이었으니, 자신은 돌려보내지 않을 작정이었다. 그러니 그들에게 남은 시간은 평생으로, 그는 앞으로 살아갈 나날 동안 여유 있게 티티라 돔니니를 지켜볼 수 있었다.

하지만.

당장 '안스'를 생각했다며 고백한 티티라가 왠지 크게 잘못한 것처럼 느껴졌다. 우리 관계를 생각한다면 그런 생각은 혼자 간직했어야 한다고, 그녀의 마음을 알고 싶어 안달했던 사람이 불평했다.

"각하? 뭐, 그때 기억이라도 나세요?"

티티라가 씩 웃었다. 기억나지 않을 것을 알면서 농담을 건넸다.

이에 그가 손을 뻗었다.

티티라의 검고 부드러운 머리칼이 잡혔다.

거친 손가락이 갈고리처럼 구부러져 그녀를 끌어당겼다.

살짝 놀란 신음과 동시에…… 안스카리우스는 티티라에게 입을 맞추었다.

그녀의 입이 살짝 벌어졌다.

티티라는 언제나 입맞춤에 기대어 왔다. 빳빳이 서 있던 사람이 숨이 붙으면 감상하듯 눈을 감았고, 제게 안겨 미세하게 떨곤 했다.

……그러나 그런 몸짓들에 큰 의미는 없겠지.

눈치채지도 못한 사이 제 손가락이 그녀의 머리까지 파고들었다. 누군가 시노드 신넬의 항구를 아주 작게 응축한다면 꼭 이 속과 같을 것이다. 정리된 곳이라곤 발 디딜 만큼도 없고, 욕망에 가득 차 있으며, 수많은 관계가 득시글거리나, 그 복잡함 자체로도 기이하게 아름다운 항구.

항구는 단일하지 않다. 그 과밀한 집합체가 인간으로 화하자, 그는 끝끝내 속을 들여다볼 수 없었다.

한순간은 헤아렸다고 생각했다. 티티라가 얼굴이 붉어져선 보고 싶었다고 중얼거릴 때, 입맞춤에 응할 때, 자신을 돌아보고 반가운 얼굴이 될 때, 안부를 묻고 웃을 때. 그 찰나만큼은 그녀를 이해했다. 얇은 껍질처럼 일어난 진심을 뜯을 수 있었다.

그러나 바로 다음 순간, 그녀가 창 너머를 보는 시선 하나에 그는 혼란스러워졌다. 무언가를 생각하는 그녀 특유의 표정이 있었다. 어딘가 언짢은 듯하면서도 평온하여, 마치 깊은 바다를 보는 듯했다—

항해자가 검은 바다를 보며 불안해하는 것은 피할 수 없는 일이다.

문득 티티라가 제 뺨을 밀어냈다. 강한 힘은 아니었다. 그러나 그는 물러났다. 그럴 수밖에 없었다.

그녀는 웃고 있었다. 검지를 들더니, 쉽사리 미소 짓는 입꼬리에 가져다 댔다.

"쉬…… 천막 안 비칩니까? 조심해야죠."

"……."

"그리고 무슨 농담에 갑자기 그래요?"

티티라는 바깥에 조금도 들리지 않게 하려는지 확 소리를 죽였다.

네가 바닷가를 편히 산책할 수 있도록 주변에 사람을 물린 지 오래인데.

여전히 숨기고자 애쓰는 그녀의 입이 소리 없이 움직였다.

'날 너무 좋아하는 거 아냐?'

티티라는 그렇게 말한 뒤, 무엇이 그리 즐거운지 싱글벙글 웃었다. 방금 전까지 '안스'를 생각했다며 무뚝뚝하던 얼굴이 까마득했다.

안스카리우스는 자리에서 일어섰다.

티티라가 순간적으로 당황한 듯 물었다.

"왜 떠나십니까?"

"피곤하다는데, 내가 실없었군."

"각하?"

안스카리우스는 몸을 돌려 탁자에 놓인 물을 따랐다. 잔을 들어 그녀 곁에 놓았다.

그러곤 인사 없이 걸음을 옮겼다.

"각하?"

천막 사이의 천을 내렸다.

제 공간으로 돌아와 잠시 서 있었다.

방금 전의 입맞춤은 그를 조금도 흥분시키지 않았다. 애초에 그럴 의도로 몸을 기울인 것이 아니었으니까. 그보다는 단지 티티라의 주의를 제게로 돌리기 위해서였다.

오랜만에 밟은 땅에서 처음 생각한 이가 옛 친구라니…….

그는—

한순간, 등 뒤에서 발걸음 소리가 들렸다. 그 걸음은 빠르게 땅을 내디뎠다. 걷는 듯, 뛰었다.

따뜻한 온기가 확 풍겼다. 뒤이어 강한 충격이 등에 닥쳤다.

"켁, 콜록! 각하, 정말 괜찮으십니까?"

"……."

"문제없으신 거 맞죠?"

안스카리우스는 천천히 뒤를 돌았다.

티티라는 그의 허리를 껴안은 채 잔뜩 진지한 얼굴을 하고 있었다. 눈이 마주치자 손을 들어선, 그의 뺨에 가볍게 댔다.

"어렵겠지만 정직하게 말씀해 주세요. 제가 바다를 넘어와 믿을 덴 각하뿐인데, 각하께서 숨기시는 게 있으면 불편합니다. 저와 관련된 일이면 말씀해 주세요."

"'불편'하다고."

"네? 네."

'불안'하거나 '화'가 난다가 아니라, '불편'하다, 라.

티티라의 시선이 미세하게 흔들렸다. 여전히 '불안'하거나 '화'가 나서는 아니었다. 그렇게 그녀는 자신이 좀처럼 적응하기 힘든 표정으로 가라앉았다. 그러니까…… 생각하는 표정으로.

안스카리우스는 한숨처럼 행동했다. 몸을 숙여 그녀의 이마에 입맞추었다. 숨이 두 번에 걸쳐, 더듬거리며 터졌다. 제가 할 수 있는 표현은 이뿐이었다.

티티라는 그가 몸을 숙인 아치 아래 갇혔다. 그러나 가만히 두고 볼 그녀가 아니었다. 그녀는 오히려 곧장 제게 다가와 마주 안았다. 그녀의 작고 단단한 손가락이 등을 파고들었다.

"쓸데없는 생각을 하는 것 같은데, 각하, 정신 좀 차려."

"……."

"설마 내가 당신이 기억 없는 걸로 놀려 먹었다고 생각하는 건 아니지? 물론— 그래도 싫으면 안 할게. 그냥 아예 옛날이야기를 안 할게."

사실 그것도 딱히 바람직한 선택지는 아니었다. 그는 안스에 대해선 무관심했지만, 그녀의 과거에는 지대한 관심이 있었다. 그 탓에 스스로도 답을 찾지 못한 채 흔들렸다.

안스카리우스는 가까스로 입을 열었다. 목소리가 조금 쉬어 있었다.

"쉬어라."

티티라의 손아귀 힘이 풀렸다.

"식사는 먼저 해도 좋다."

티티라는 자신을 한 번 바라보곤, 뒤돌아 걸어갔다.

티티라는 선실을 떠나는 안스카리우스를 물끄러미 바라보았다.

그는 어떤 섬에 —'에드스나'라나?— 곧 도착한다는 소식을 전한 뒤 제 뺨에 입 맞추고 떠났다. 여상하게 친절했고, 사제왕답게 거리를 두었으며, 그럼에도 애정을 표시했다. 그는 저가 오랫동안 알아 온 안스카리우스가 맞았다.

하지만, 아무래도 풀리지 않은 문제가 있는데.

이우니오 제도에서 묵었던 하룻밤 말이지.

그때 저 인간은 무언가에 기분이 상한 듯 천막을 떠나 밤새 돌아오지 않았다. 자신이 그날 밤 내내 보란 듯이 불을 켜 놓고 버텼지만, 결국 꾸벅꾸벅 졸다…… 눈을 뜨니 아침이었다.

앞으로는 옛 기억을 가지고 놀리지 말아야 하나? 그런데 예전엔 괜찮았잖아? 오히려 알고 싶어 했으면서……?

아니, 그랬던가?

티티라는 그가 마지막으로 기억에 대해 물어본 것이 언제인지 고민했다.

기억나지 않았다. 꽤 예전에, 사역관에서 내 이름을 부르고 아파할 때였나……? 아니, 그때 물어보긴 했었나……?

그녀는 새로운 깨달음에 기막힌 신음을 흘렸다. 저 인간이 과거에 대해 이야기하지 않게 된 지 아주 오랜 시간이 지난 것 같았다. 자신만 눈치 없이 체스 버릇이 안스를 닮았다는 둥 했지.

티티라는 인정했다. 무슨 짓을 해도 회복되지 않는 기억이라면, 진실을 알아낸 뒤 저 멀리 던져두는 편이 합리적이었다. 제 이야기면서 제 이야기가 아니므로, 들으면 들을수록 짜증이 날 것이다.

물론 그럼에도, 그녀는 고작 '안스도 여기 왔었을 것 같다.'는 한마디에 있는 대로 짜증을 부린 안스카리우스에게 불만을 품었다. 나이를 엉덩이로 먹은 것도 아니고, 유치하게 흥분하다니. 자기 감정을 고백하는 게 부끄러울 일이 아닌데 입을 꾹 닫는 건 더더욱 애나 할 짓이지.

티티라는 투덜거리며 창가 근처의 의자에 몸을 기댔다. 그 섬이란 놈이 어떻게 생겼나 볼 생각이었다. 이번에는 항해자들의 미신이 없어 꼼짝없이 갇힌 신세였으니까.

이번 섬에는 항구가 있었다. 고향의 것보다 훨씬 초라했지만 구색은 갖춘 채였다. 무엇보다 판자가 아닌 돌로 건조되었다는 점이, 영구적인 중간 기착지를 위해 한 걸음 내디딘 모습 같았다.

티티라는 자기도 모르게 창가에 코를 대고 지나가는 사람들을 구경했다. 군인이 아닌 교국인들을 보는 건 처음이었다…….

아이들, 여자들……. 여자! 여자가 있네!

티티라는 무례한 망나니처럼 생각하면서 눈을 휘둥그레 떴다. 하마터면 교국인이란 시커먼 남자들만 있는 종족이라고 생각할 뻔했다. 교국 여인들은 그녀보다 조금 흐리고, 밝고, 더 컸다. 시노드 신넬 북부인들 같은 생김새였다.

그 외 건물 양식은 별게 없었다. 낯설다고 여기기엔 너무 무난했다. 그저 네모나게 무작정 쌓아 올린 육면체들 같았다. '조화로운 건축'이나 '아름다움'이라는 단어는 조금도 신경 쓰지 않고 꽉꽉 채운 시골 마을, 딱 그 정도랄까.

그래서 그녀는 아이처럼 창밖 사람 구경으로 낮과 밤을 보냈다. 큰 배가 세 척이나 기항해서인지 수많은 인파가 밤에도 등불을 들고 돌아다녔다. 그들은 시끌시끌 떠들며 엄청난 양의 짐을 날랐다.

티티라는 의자에서 꾸벅꾸벅 졸다가 그대로 잠들었다.

눈을 떴을 땐 침대 위에, 그것도 이불까지 덮은 채 대 자로 누워 있었다.

그녀는 누가 자신을 옮겨 주었는지 알고 있었다. 그가 부디 조금이라도 쉬었길 바라며, 다시 이불을 돌돌 만 뒤 잠들었다.

티티라는 하도 창에 얼굴을 대고 있던 나머지, 제 눈코입 모양대로 얼룩이 질지도 모르겠다고 생각했다.

대륙이 가까워질수록 섬이 나타나는 속도가 빨라졌다. 새들은 떼로 몰려다니며 배 위를 빙글빙글 돌았고, 튀어 오르는 물고기의 색도 완연히 달라졌다.

그 모든 것을 구경하느라 티티라는 정신을 못 차렸다. 이제 더 이상 놀이판이나 자수 따위가 필요하지 않았다. 저 바깥은, 자신이 지금까지 본 적 없는 책과 같았으니까.

섬이 나타나면 끄트머리에 붙어서라도 세모눈으로 사람들을 흘기기에 바빴다.

하루는 어떤 이와 눈이 마주쳤는데, 그자가 곧장 눈을 휘둥그레 떴다. 아무래도 생김새가 눈에 띄어서일까? 티티라는 그다음부턴 이불을 뒤집어쓰고 바깥을 관찰하기 시작했다.

"티?"

티티라는 이불 바깥으로 한 손을 내밀어 좌우로 흔들었다.

"네."

"끼니를 걸렀더군."

"아, 깜빡했어요."

섬에 자주 들르는 덕분에 드디어 먹을 만한 음식이 올라왔지만, 자신은 오히려 밖을 구경하느라 이전보다 더 못 먹곤 했다.

티티라는 몸을 돌려 안스카리우스에게 쟁반을 받았다. 그의 차림새를 보니, 바깥으로 나가던 와중 제 선실 앞에 놓인 음식을 가지고 온 것 같았다.

"감사합니다. 바쁘시죠? 이따 저녁에 뵐게요."

티티라는 빵을 입에 욱여넣으며 부둣가로 지나가는 '마차'를 향해 고개를 뺐다. 정말 이상하게 생겼다. 아니, 물론 바퀴와 사람이

탄 상자가 있다는 건 똑같지만…… 아무튼 이상하게 생겼어! 예술에 조예가 없는 티티라는 생각했다.

앞에 정신이 팔린 와중 갑자기 이마에 따뜻한 온기가 느껴졌다.

그녀는 고개를 들었다가, 그의 시선과 마주쳤다. 티티라는 웃으면서 상대의 뺨을 만져 주려 했다— 아니, 문득 깜짝 놀라 옆으로 굴러떨어졌다.

티티라는 소리 내지 않으려 노력하며 웅얼거렸다.

'우리 지금 창가에 있잖아요!'

안스카리우스는 이해하기 어려운 표정으로 고개를 기울였다.

그는 곧 대답 없이 떠났다.

티티라는 어제저녁만 해도 법황 앞에서 어떻게 할지 이야기했으면서, 대낮에 이토록 뻔뻔한 인간에게 치를 떨었다. 나는 관심이 없고 자기만 달려들어서, 법황에게 '미인계'를 떠올리게 한다는 계획은 어디 갔어?

투덜거리며 다시 창가로 기어 들어갔다.

티티라는 자신만의 일정을 만들어 꽤 재미있게 지냈다. 섬에 도착하면 군인들의 고함에 깨고, 섬에 있을 땐 내내 구경하고, 출항하면 다시 자고…….

그래서 오늘도 시끌벅적한 소리에 깨어나자마자 창밖을 보았다. 이내 눈앞에 마법처럼 펼쳐진 광경을 목격할 수 있었다.

티티라는 침대에 앉은 채 멍하니 앞을 바라보았다. 막 정신이 든 탓을 하고 싶을 정도로…… 환상적이었다.

고작해야 일부밖에 보이지 않는데도, 전체를 상상하게 하는 힘이 있었다. 시대의 유적처럼 거대한 성벽이 햇살을 맞아 눈부시게 빛났다.

책상 위의 데이지도 깜짝 놀란 듯 움츠러들어 있었다. 티티라는 굴러떨어지듯 침대에서 내려가 화분을 감싸 안았다. 그러곤 급히 창가로 다가가 정확한 방향을 바라보았다.

끝없는 대륙이 제 시야를 가득 채웠다.

"와."

짧고 단단한 감탄사였다.

"이거 봐."

티티라는 꽃이 바라보는 방향을 돌려 주었다.

"미친놈들이 뭘 하고 사나 했더니."

그녀는 욕설을 뱉어 내면서도 압도당했다. 아름다웠다. 아침 해가 성벽을 따라 흘렀다. 잘 기른 짐승의 털처럼 부드럽게, 쓸려 내려왔다.

또한 그 크기는, 옹졸하게 언덕만을 보호하는 시노드 신넬의 항구 도시들과 비할 바가 아니었다. 그건 '땅'을 감싸고 있었다. 기둥처럼 버티고 서 침입자를 막는 신의 수호병 같았다.

우습지. 이 배에 달린 포탄을 막지는 못할 테지만, 그럼에도 보는 것만으로도 패퇴당했다는 느낌을 주는 건축물이란. 기술이 시대를 지난들, 한때의 강력한 힘이 엿보인다면 저도 모르게 압도당하게 되는 거야.

아니, 아니다. 그녀는 말을 정정했다. '한때의 강력한 힘'이 아닐 것이다. 이 큰 국가를 효과적으로 운영하는 법황의 손이 미치는 도시였다. 성벽에 속으면 안 돼. 전통을 유지할 뿐, 껍데기 안쪽으론 귀신같이 발전했을 테지.

티티라는 결국 과거와 현재의 권력 모두에 짓눌렸다.

한 번도 보지 못했고, 그다지 상상해 본 적도 없는 법황의 모습이 갑작스레 저 거대한 성벽 위를 짓밟고 나타난 것 같았다.

처음으로 긴장되었다.

안스, 너도 여길 보고 똑같이 긴장했을까? 너 이 녀석, 내가 여기 올 거라곤 상상도 못 했지?

"아—데카다! 하후르!"

갑판 위에서 거친 고함이 들렸다. 티티라는 군인들의 항해 용어에 익숙하여 눈 하나 깜짝하지 않았다.

땅은 점차 커졌다.

티티라는 혹여 반기는 인파라도 있을까 궁금하여 손으로 차양을 만들었다. 더 잘 보기 위해 열렬히 눈살을 찌푸렸다.

그러나 거대한 부두에는 아무도 없었다.

이상할 정도로, 아무도 없었다.

지금까지 정박했던 섬에서는 부두에 제대로 들어서기도 전에 수많은 사람들이 땅의 가장자리를 덮고 서 있었는데, 정작 본토의 초장부터 저런 모양새라니.

더 이상한 점은…… 부두 근처의 건물들 위로 검은 천이 쏟아지듯 걸쳐져 있다는 점이었다. 때문에 부두는 검은 물결에 도배된 것처럼 보였다.

"에케이—!"

바깥의 목소리는 떨리지 않았다. 당황하지 않은 모양이었다. 오히려 이전보다 더 커진 것 같기도 했다.

"에케이!"

티티라는 갑판으로 나가고 싶은 마음을 겨우 억눌렀다.

그녀는 외침이 겹겹이 쌓이는 동안 화분을 껴안고 가만히 서 있었다.

근해의 파도가 눈앞에서 출렁였다. 그러다 먼 해안선이, 다시 가까운 해안선이, 다시 손을 뻗으면 닿을 듯 커다란 등대가…….

배가 몹시 느려졌다. 무언가 덜커덕거리며 걸리는 소리가 났다. 부두가 눈앞으로 다가왔다.

티티라는 을씨년스러울 정도로 크고 텅 빈 부두를 보며 기가 질렸다.

턱 하고 판자 내려가는 소리가 들렸다. 그녀는 이제 평소처럼 다들 우르르 순서 없이 내려가리라 생각했다. 그러나 들리는 걸음은 기껏해야 하나, 둘, 셋, 넷…… 그리고 다섯 명. 그것도 매우 느렸다. 땅에 닿아 기쁘기보단, 땅에서 도망치고 싶어 하는 느낌이었다.

티티라는 더 이상 참을 수 없었다. 누가 자신을 죽이든 말든—지금 일어나는 일을 봐야겠다는 생각만이 머리를 가득 채웠다.

그녀는 교국의 검은 외투를 머리끝까지 덮어쓰곤 갑판으로 뛰어나갔다. 쾅쾅거리다가, 갑판 입구에 이르러서야 자신이 여전히 데이지를 껴안고 있다는 사실을 깨달았다…….

티티라는 몸을 수그린 채 조심스레 문을 열었다. 몇몇 시선이 제게 와 박혔지만, 콧등을 꿈틀거리는 것을 빼곤 움직이지 않았다.

그녀는 소리 나지 않도록 뱃전 바깥으로 고개를 내밀었다.

처음 내려간 네 사람의 정체를 확인했다. 그들은 몇 달 동안 코빼기도 볼 수 없던 군인 정복을 차려입은 모양새였다. 그리고……

그들은 관을 메고 있었다.

그녀는 화분을 꽉 껴안았다.

자신이 탈란타우에의 시체와 함께 넉 달 동안 항해했다는 사실을, 한순간 받아들이기 힘들었다.

그러나 그 생각에 발을 담그기 전, 다음 충격이 그녀를 강타했다.

그 뒤로 안스카리우스가 서 있었다. 네 명의 군인은 검은 천이 감싼 건물을 향해 관을 내려놓았다. 그리고 물러나…… 다시 배로 돌아왔다.

이제 땅 위에 서 있는 것은 탈란타우에의 관과, 안스카리우스, 두 명의 사제왕뿐이었다.

안스카리우스는 관을 향해— 아니, 어쩌면 건물을 향해 천천히 몸을 숙였다. 마치 거인이 그의 등을 누르기라도 하는 듯…….

그는 세 척의 배가 지켜보는 가운데 돌바닥에 엎드렸다.

티티라의 손톱이 화분을 파고들었다.

이 감정이 분노인지, 억울함인지, 아니면 애정인지 알 수 없었다. 그게 무엇이든 도저히 참기 힘들었다. 눈가가 불에 지진 듯 아렸다. 눈물이 나진 않는데, 속은 타들어 갔다.

안스카리우스는 한참 동안이나 엎드려 있었다.

수백 명의 침묵…….

마침내, 건물 안쪽에서 터벅터벅 걸어 나오는 소리가 들렸다. 쥐 죽은 듯 고요했기에 다가오는 적이 선명했다.

이윽고 누군가 모습을 드러냈다.

흰옷을 입은 중년의 여자였다. 키가 호리호리해서 걸음보다 더 빨리 커지는 듯한 착각이 들었다.

그녀가 부두에 다다랐다. 안스카리우스에게 말을 거는 걸까 긴장했으나, 관 위에 부드럽게 손을 얹는 것이 전부였다. 혈색 흐린 입술이 달싹거렸다. 동시에 몸을 굽히는 모양새가 꼭 기도를 외는 것 같았다.

안스카리우스는 그때까지도 돌바닥에 엎드려 있었다—티티라는 정말이지 저 꼴을 보기가 끔찍이도 싫었다—.

"사제왕 바를라암."

티티라는 속으로 욕설을 퍼붓다가 흠칫 놀랐다.

여자의 목소리는 시작과 끝 없이 뚝 떨어진 단어처럼 들렸다. 단호한 것 같기도 했고, 무성의해 보이기도 했다.

"격조했습니다, 에예우 수도원장님."

"바란 적도 없건만, '에브가잔'을 하다니요. 보는 눈이 많습니다. 일어나십시오."

여자가 안스카리우스에게 손을 내밀었다.

그는 그녀의 손이 아닌, 팔뚝을 움켜쥐며 자리에서 일어섰다. 반 시간가량 고개를 처박고 있었단 사실을 고려하면 꽤나 신속한 동작이었다.

티티라는 불만스럽게, 또 조심스럽게 안스카리우스의 상태를 살폈다. 어디 다친 곳은 없나?

"성하께선 슬픔에 침잠해 계십니다."

"……."

"에예우 또한 깊이 애도하고 있지요. 당신의 노고는 불명예에 불과합니다."

"……."

"귀환자들은 도시에 머무를 수 없습니다. 우리뿐 아닌, 어떤 항구에서도 당신들을 받아들이지 않을 겁니다. 바로 교읍지로 가십시오."

"가르침을 주어 고맙습니다."

죽은 사제왕을 애도한다기엔 그 이름조차 언급되지 않았다. 심지어 성직자의 얼굴 위로는 냉랭한 적의가 흘렀다.

티티라는 느릿느릿 깨달았다. 법황이 사제왕을 죽이지 못한다는 건 모두가 아는 사실이었다. 심지어 그에 상응하는 처벌조차 내리기 어려울 것이다. 그러니 어떻게든 있는 대로 망신을 주려 하겠지. 차가운 돌바닥에 반 시간이나 머리를 박게 만드는 거야.

그녀는 그를 걱정할 필요가 없다고 생각하면서도 모욕감에 몸을 떨었다.

안스카리우스는 다시 한번 성직자에게 인사했다. 그녀는 고개만 작게 까닥였다.

다시 배에서 군인들이 내렸다. 오와 열을 맞춰 저벅저벅 움직이더니, 탈란타우에의 관을 들어 올렸다.

안스카리우스는 관을 따라 배에 올랐다.

그러던 중 자신과 눈이 마주치자, 그의 눈썹이 약간 들렸다. 그러나 그것도 잠시였다. 그는 아주 잠깐 제게 머물렀다가 이내 조용히 입을 열었다.

"이아, 데카다 카눌."

티티라는 눈만 굴려 주변을 살펴보았다. 군인들— 아니, 항해자들이 곧장 몸을 돌려 제자리로 돌아가는 모습이 보였다.

안스카리우스는 곧장 선장실 방향으로 들어갔다.

그녀는 눈치를 보다가 그 뒤를 따랐다. 평소답지 않게 소리를 죽이곤 복도 문까지 조심스레 닫았다.

그는 어느새 선장실 문을 열어젖히고 있었다.

티티라는 급히 뛰어갔다. 가까스로 문이 닫히기 전에 몸을 욱여넣을 수 있었다.

안스카리우스는 그녀가 문을 닫도록 넘겨주었다. 그대로 책상까지 걸어가 잔을 들었다.

“안스카르?”

물을 마시고 있던 그의 시선이 제 쪽으로 돌아왔다. 어딘가에 집중하고 있던 짐승을 돌려세운 것 같아 잠깐 멈칫했다.

“괜찮아?”

“다른 항구에 입항하지 못하면.”

그 목소리는 바깥에서와 달리 조금 피곤해 보였다.

“앞으로 두 달은 다시 바다에 머물러야 한다.”

“…….”

“조금만 더 인내해라.”

티티라는 자기가 배에 얼마나 더 있어야 하는지에 대해서는 흥미가 없었다. 모두가 지켜보는 가운데 반 시간가량 바닥에 엎드려 있던 사람만이 제 관심사였다.

“당신 몸은?”

안스카리우스의 표정이 미묘하게 변했다.

“고작 몇 분 엎드려 있었다고 건강이 상하지는 않는다.”

티티라는 그가 전혀 마음이 상하지 않았다는 사실을 깨달았다. 물론 그렇다고 바로 떠날 생각은 없었다. 오히려 상대가 안정적이니, 좀 더 살펴볼 요량이었다.

그녀는 잰걸음으로 다가가 탁자 위에 화분을 올려 두었다. 그가 '무슨 짓을 하나.' 내려다보는 태도기에 주의를 환기하고자, 곧장 그의 이마를 들춰 올렸다. 키 차이 때문에 제대로 확인하기 힘들었지만 그래도 멍이 들진 않은 것 같았다.

그가 별안간 티티라의 손목을 감싸 쥐었다.

"이런 말은 싫어하겠지만…… 아무도 이 정도로 나를 걱정하지 않는다. 괜찮아."

티티라는 그 말에 미간을 찌푸렸다.

"나이 먹고 자기 몸 아끼는 법도 모르면 안 되지."

"……."

"잠깐만……."

티티라는 탁자 위로 기어 올라갔다. 아무래도 위에서 바라보는 게 나을 것 같았다.

"티."

"어두운데……."

"네가 등으로 창을 가리고 있어서겠지."

"……이마는 괜찮네. 무릎은?"

'도가니를 다치면 평생 간다.'고 경고하려는데, 갑작스레 몸이 두둥실 떠올랐다. 그녀는 한순간 중심을 못 잡고 그의 목에 매달렸다.

"아니, 이거 말고. 무릎은 어떠냐고 물었잖아."

"괜찮다."

그는 자신을 놓아줄 생각이 없어 보였다. 그가 말할 때마다 몸이 웅웅 울려서, 가슴 밑이 조금 간지러웠다.

"외려 네 건강이 상한 것 같군. 가벼워졌어."

그녀는 순간 걱정스러워졌다.

"정말?"

"그래."

티티라는 눈살을 찌푸린 채 제 허벅지를 움켜쥐었다. 열심히 몸을 유지했건만 이전보다 더 여위었다면 큰일이었다.

그때, 그가 자신을 침대 위에 내려놓았다. 티티라는 어리둥절해서 침대를 둘러보았다. 바깥으로 내쫓는 줄 알았는데?

"응?"

"낮에, 이만큼 아무도 안 들어오는 기회를 잡긴 어렵지."

"어?"

티티라는 당황하여 그를 올려다보았다. 그리고 팔을 교차해 제 가슴팍을 퍽 눌렀다. 가린 것인지, 때린 것인지 스스로도 분간이 가지 않을 정도로 힘이 셌다.

그렇게 눈만 크게 뜨고 그를 바라보는데—

그가 웃음을 터뜨렸다.

"미안하다. 농담이었어."

"……."

"하지만 네가 여기 있길 바라는 건 진심이다."

"역시, 방금 바깥에서 너무 힘들었던 거지?"

"아니. 그보단 일하며 가끔은 네 목소리를 듣고 싶어서."

티티라는 인상을 찌푸렸다. 하지만 그것도 잠시, 뻔뻔스레 침대에 팔다리를 벌리고 누웠다.

"좋아. 반 시간에 한 번씩 진짜 몸이 괜찮은 거냐고 물어볼 테니 짜증 내지 마."

그가 몸을 숙여 이마에 키스했다.

티티라는 왠지 얼렁뚱땅 넘어간 것 같다고 생각하며, 다른 방으로 떠나는 안스카리우스를 노려보았다.

그날 티티라는 그의 침대에 누워 곁에 놓인 책을 한 권 읽었다. 정확히는, '성경'이었다.

성경을 읽으며 계속 다른 방에 있는 사제왕에게 질문했고, 또 그때마다 몸은 괜찮은지 확인했다. 그는 귀찮아할 만한데도 정말 평온하게 대답해 주었다.

군인들이 저녁을 나를 땐 제 머리 위까지 이불을 덮어 감추었고, 저녁은 제게 양보했다. 어차피 입맛이 돌지 않는 데다 네가 말랐다면서.

티티라는 제 몸을 의심쩍게 바라보면서 냉큼 받아 들었다.

그리고 그제야 조금 여유가 생긴 그에게, 이런 일이 벌어질 줄 예상했느냐고 물었다.

"에예우 수도원장이 나오리란 사실은 알고 있었다. 그녀는 권역에서 제일 유서 깊은 수도원의 장이니까. 다행히 이전에 서로 신세를 진 적이 있어서 그녀도 나름대로 내 사정을 봐준 편이다."

티티라는 경악했다.

"그 말본새가 봐준 거라고?"

"그녀는 나를 무기한으로 기다리게 할 수도 있었다."

"미쳤나……."

"아마 법황은 내가 공개적으로 머리를 조아리는 모습을 보이고,

바로 교읍지로 오게 만들 것을 명했을 거다. 그 외는 전부 에예우 수도원장의 자율이지. 수도원장은 반 시간 만에 나왔고, 불필요한 요식 행위 없이 나를 보내 주었으니 마음을 써 준 셈이다."

"내가 '성경'에서 방금 본 건데, '디에스히사'라는 사람이 '에브가잔'이라는 땅에서 신에게 죄를 고하느라 엎드려 죽었다더라고. 그렇게 죽고 나서야 시체가 있던 자리에 나무가 자랐다나? 그 여자가 '에브가잔'이라고 했지? 설마 당신 보고 엎드려 죽으란 거였어?"

그는 터무니없는 이야기를 들은 사람처럼 웃었다.

"상징일 뿐이다. 나는 만 하루에서 이틀을 각오했지."

"그게 아무렇지도 않아?"

"어떤 행위들은 통치에 필요하니까."

"대체 어떤 '행위'?"

"법황의 권위를 세워 주는 것 말이다."

"그걸 혐오해서 시노드 신넬에 온 거 아니야?"

"뭔가 착각하고 있는 것 같은데."

"……."

"여긴 교국이다. 법황은 교국을 효과적으로 통치하고 있고, 우리도 그 사실을 인정한다. 그렇기에 머리를 숙이는 것 정도는 신민들을 위한 적절한 연극으로서 필요하지."

"아니…… 사제왕 문신을 새기는 애들 죽은 눈이 싫다면서……."

그가 눈썹을 치켜들었다. 마치 제 기억력에 감탄했다는 듯이 말이다.

"그래. 우리는 법황을 증오한다. 효과적으로 통치하기 위해 상대를 노예로 삼았다면 그 노예가 화를 내는 것은 당연하지 않나?"

티티라는 고개를 흔들었다. 지금까지 안스카리우스나 탈란타우에가 극적으로 떠들어 댔지만, 실상 그 알맹이가 자기들이 '귀족'인 체제에 대한 불만은 아니었다. 그 사실을 모를 수야 없었다. 하지만 그래도 신민을 위하는 척쯤은 할 거라고 생각했지…….

"'교국은 법황이 알아서 잘하시고, 아무튼 우리는 시노드 신넬에서 왕 노릇을 하겠다. 아, 참. 우리 목을 조른 줄은 빨리 풀어.'라?"

"그렇게까지 담담하진 않았는데."

"법황이 당신들을 미워하는 이유를 좀 알겠네. 대의도 뭣도 없으면서 대해로 나가자고 떼쓰고, 불필요하게 바다 너머에 자원을 쏟아붓기나 하고."

"글쎄. 그러게 내부의 반대자들을 잘 다독였어야지."

"그리고 어차피 당신한테는 돈이나 아랫사람 목숨 정도를 빼면 피해를 입힐 수도 없다, 이거네. 법황도 복장 뒤집어지겠어."

"……네가 정말로 법황에게 넘어갈까 걱정이 되는군."

티티라는 이제야 천천히 자신이 저들의 갈급한 말에 홀라당 넘어가, 함께 착각했음을 깨달았다.

안스카리우스의 절박한 눈, 그 모든 것에도 불구하고 탈란타우에와 연대해야 하는 이유, 속삭임들…… 냉정하게 돌이켜 보면 법황이 싫다는 말 외에는 어떤 것도 아니었다.

딱 우리 시노드 신넬 상단의 욕심만큼 정당하군.

그녀가 한숨을 쉬었다.

"아니야……. 당신은 일관되게 이야기했는데 내가 조금 오해한 거지. 그리고 뭐, 맹수 둘이 싸우는데 별 이유가 있나. 먹을 게 부족하기 때문이겠지. 차라리 둘 다 전혀 고결하지 않단 사실이 마음에 드네."

순간 그가 몸을 기울여 제게 입을 맞추었다.

티티라는 그렇게 독설을 내뱉고도…… 살짝 눈을 감았다.

그는 떨어져 나가며 말했다.

"내가 고결했다면 너를 이 땅으로 데려오진 않았겠지."

"……."

"나는 네가 죽으리라 확신하고도 고집에 지는 체했다. 실은 그 또한 욕심이었지. 너를 앞으로 오랫동안 볼 수 없는 것보단 내 곁에 둔 채 살릴 방도를 고민하는 편이 낫다고…… 그 짧은 사이에 판단한 거다."

"……."

"시노드 신넬도 마찬가지다. 나는 법황에게 복종해야 하는 신세가 마음에 들지 않아. 그러니 많은 것들을 희생해야 한다고 생각하면서도, 시노드 신넬이 필요했던 거지."

티티라는 그의 정직한 시선을 바라보았다.

안스카리우스는 자신에게 하나도 숨기지 않았다. 그러니 법황에게 넘어갈 일은 결단코 없었다.

"당신 이유는 짜증 나. 하지만 난 당신을 좋아하잖아. 법황이라니, 말도 안 되는 소리를."

그는 대답하지 않았다. 다시 제게 입 맞추었다.

그리고 그들은 에예우에서 떠난 지 두 달이 조금 안 되던 날, 교읍지에 다다랐다.

배를 환영하는 인파는 보이지 않았다. 그나마 에예우에서처럼 공격적인 태도는 아니었다. 덕분에 그들은 수많은 배가 오가는 항구에 평범하게 정박할 수 있었다.

티티라는 교국 복장을 한 채 두건을 눌러썼다. 그뿐일까, 갑판에 나가선 고개 한 번 제대로 들지 않았다. 안스카리우스가 주의를 끌지 말라고 단단히 당부한 탓이었다.

그 꼴로 사제왕 뒤에 찰싹 붙어 따라갔다. 앞을 제대로 볼 수 없었기에 그의 옷자락, 바닥만 노려보고 걷는 모양새였다—중심을 잃고 흔들거릴 때면 누군가 제 목덜미를 쥐어 바른 방향으로 놓았다—.

그로 인해 아직도 이곳이 어떻게 생겼는지 전혀 알 수 없었다. 제게 이곳은 나무판자, 부두 돌바닥, 흰 기둥의 주춧돌일 뿐이었다.

그렇게 걸어가는 데 얼마나 진저리가 났던지 이곳이 교읍지라는 사실도 깜빡 잊을 뻔했다. 솔직히 그럴 만하지. 건물이나 사람은커녕 개미나 쥐 몇 마리만 봤으니.

그나마 딱 하나, 사람들의 말소리가 신기했다. 아무리 교군군들과 대화했다 한들, 그들은 몇 년간 시노드 신넬에 절여진 인간들이었다. 이야기를 나누면 언어는 섞이기 마련이라, 지금에 이르러선 그럭저럭 익숙해진 상태였다.

하지만 이 땅의 사람들은…… 달랐다. 억양, 단어, 문장 끝맺음은 물론, 담고 있는 내용까지. 교읍지에 있다는 사실을 잊으려 할 때마다 그 목소리들이 자신을 현실로 끌어당겼다.

티티라는 신기한 대화에 귀를 기울이다가 불쑥 튀어나온 손에 마차 안으로 굴러떨어졌다.

그녀는 두건을 확 젖혔다. 안스카리우스가 문을 닫고 있었다.

그가 앞쪽 창문을 두드리자 마차가 움직이기 시작했다.

티티라는 그제야 질린 표정으로 말했다.

“땅굴을 파고 들어온 느낌이야…… 요. 원, 교읍지, 교읍지 말씀하셨는데 건물 기둥 하나 못 봤네요.”

“네 얼굴을 보여 좋을 일은 없지. 오늘 대해를 건넌 배가 돌아온다는 사실은 잘 알려져 있다. 낯선 이에게 이목이 집중될 수밖에 없어.”

“그러면…… 각하 저택에 들어가서도 계속 이렇게 얼굴을 가려야 합니까?”

“아니. 그곳에선 오히려 보여 주어야 한다. 더 나아가 내가 네게 대놓고 추저분하게 구는 편이 낫다. 배에서 이야기했잖나. 웬만한 행동은 모두 법황에게 전해진다고 생각해라.”

“아, ‘추저분’이라니, 말씀 좀 가려 하세요.”

그는 달리 반응하지 않고 몸을 숙여 창가의 천을 살짝 들추었다.

“뭘 보세요?”

“고향.”

“…….”

“전혀 변하지 않았군.”

“저도 보고 싶어요.”

“안 돼.”

“아, 각하, 이 멍텅구리야.”

티티라가 혼자 바깥을 구경하는 안스카리우스에게 정말로 짜증을 낼 즈음, 마차가 바로 섰다.

그는 곧장 몸을 돌려 마차에서 내렸다. 티티라는 잠시 고민하다가 다시 두건을 눌러썼다. 그리고 조심조심 바깥으로 나갔다.

여기선 조금 구경해도 되겠지?

그녀는 한참 앞서가는 안스카리우스의 그림자를 흘겨보곤, 처음으로 고개를 들었다.

한순간 걸음이 멈추었다.

다시 질질 끌리며, 한 발자국. 또 멈추었다가, 한 발자국.

티티라는 완전한 대칭으로 만들어진 저택에 압도당했다. 주변을 주의 깊게 둘러보았다. 아니, 모자랐다. 너무도 거대해서, 고개를 휘휘 돌려도 제대로 담지 못할 정도였다. 시노드 신넬 항구 도시에 있는 어떤 건물도 이만큼 웅장하지는 않았다.

아, 에예우의 성벽을 닮았다. 본디 하얗지만, 세월과 햇빛을 타 살짝 누리끼리해진 돌. 그러나 그마저 위엄으로 느껴질 만큼의 권위가 말이다.

아무도 말해 주지 않았으나 그녀는 이곳이 바를라암 저택이라는 사실을 깨달았다. 그리고 동시에, 가장 이상한 곳에서 법황의 존재를 절감하고 말았다. 오래된 돌벽이 법황을 떠올리게 해서일까. 반 년 동안의 항해와, 눈이 돌아갈 정도의 난리 법석 끝에 법황과 같은 땅에 서 있다니…….

"들여보내."

자신을 막으려던 저택의 하인이 뒤로 한 걸음 물러났다.

"각하, 오랜만에 모셔서 이 기쁜 마음을 가눌 길이 없습니다. 사제왕의 관은 일주일 전부터 덥혀 두었으니, 곧장 행차하시면 됩니다. 다만 이분께는 어떤 방을 준비할까요?"

"중요 증인이다. 성하께 부름을 받을 터이니, 격에 맞도록 준비해라."

티티라는 눈만 멀뚱멀뚱 뜨고 있었다.

"예. 안디올리 방으로 모시겠습니다."

"그래. 필요한 것은 모두 제공하고."

"예. 성함은 무엇으로 부르면 될까요, 아가씨?"

티티라는 얼토당토않은 호칭에 헛웃음을 꾹 참았다. 아무튼 예의 바르게, 눈을 맞춰 인사했다.

"티티라 돔니니입니다."

"……바다 건너 출신이군요."

경멸인지, 경탄인지 모를 감정이 낯선 이의 눈에 스쳐 지나갔다. 그들은 잠시 대치하듯 서 있었다.

"칼카스, 금세 내 명령을 잊었나 보군."

"아닙니다. 아닙니다, 각하."

"안디올리 방으로 보내고—"

"아들!"

티티라는 흠칫 놀라 고개를 들었다. 저택 안쪽에서 뛰어나오는 소리가 들렸다. 빠르지 않고 심지어 절뚝거렸으나 마음만큼은 매우 급한 듯했다. 좀, 사람을 들여보내고 떠들면 안 되나? 생각하다가 문득 그 외침이 담고 있는 뜻을 이해했다.

'아들'?

곧 달려 나온 누군가가 안스카리우스를 껴안았다.

안스카리우스는 살짝 밀려나며 상대를 받아 주었다. 단단히, 짧게 안고 한 걸음 물러났다.

"격조했습니다, 아버지."

티티라의 눈이 빠르게 깜빡였다.

"아가씨, 안디올리 방으로 모시겠습니다."

'칼카스'라 불린 중년의 하인이 제 팔뚝을 붙잡았다. 당연하지만, 예의 바르기보단 짐짝을 나르는 태도였다.

티티라는 안스카리우스의 '아버지'란 사람을 보기 위해 고개를 뺐다. 인상이 좋고, 매우 나이가 든, 벽난로 앞 안락의자에 앉아 있으면 딱 맞을 법한 노인이었다—

그녀는 더 훔쳐보지 못하곤 하인에게 끌려 저택 안으로 들어왔다.

걸음 소리가 커다란 홀을 메웠다. 바깥에서 본 만큼 넓었고, 그 이상으로 아름다웠다. 그러나 분노를 꾹 참느라 제대로 감상할 틈이 없었다. 군인들에게 무시당하는 건 군복 탓인지, 아니면 패배주의에 익숙해서인지 꽤나 무덤덤했는데, 제 이름을 듣자마자 표정이 바뀌는 인간을 대하려니 왜 이렇게 화가 나는지 몰랐다. 마치 이등 시민이라도 된 듯이…….

티티라는 여러 층을 끌려 올라와선 방 안으로 떠밀렸다.

"씻을 물과 사용인, 이후 음식을 대령하겠습니다. 혹시 더 필요한 게 있으면 말씀하십시오."

그녀는 괜한 오기가 붙어 두건을 완전히 벗었다.

남자의 눈이 찌푸려졌다.

"더 바라시는 게 없다면 이만 나가 보겠습니다."

쾅.

티티라가 일그러진 얼굴로 닫힌 문을 응시했다.

저벅저벅 걸어가 거울을 들여다보았다. 저놈이 제 외모를 꺼린 것이 분명했다. 이 나라엔 검은 머리, 검은 눈이 없어?

그녀는 입속으로만 욕설을 내뱉으며 한동안 바닥 카펫에 앉아 있었다.

한참 뒤에야 이 방이 얼마나 호화로운지가 눈에 들어왔지만, 그렇다고 분노가 달래지지는 않았다.

잠시 뒤 들어온 하녀들은 그래도 하인 놈보단 나았다. 그들은 제 외모에 놀라는 듯했지만, 다행히 경멸보다는 신기한 것을 보는 태도였다—아, 아니야. 그게 나은지도 난 잘 모르겠어—. 티티라는 투덜대며, 따뜻한 물이 넘실대는 욕실로 들어갔다.

그리고 욕실까지 따라 들어오려는 하녀들을 기겁하여 밀어냈다.

"제가 알아서 씻을게요."

"안 됩니다. 최고로 모셔야 한다는 각하의 명령이 있었습니다."

티티라는 여러 번 거부했지만, 그들을 때릴 수는 없었고, 일곱 쌍의 손에 반항할 수도 없었다. 결국 그녀는 거의 연행되어 들어갔다. 똥 씹은 표정으로 벌거벗었고, 독 씹은 표정으로 씻겨졌다. 마지막으로, 하녀들이 마치 의무인 듯 어디가 아름다우시니 칭찬하자 진짜로 혀를 씹을 뻔했다.

그녀가 욕조에서 죽지 않은 건 순전히 요행이었다.

티티라는 수증기와 향기가 모락모락 나는 빵이 되어 침대에 누웠다. 괴로운 시간이었지만 반년 동안 가오리 오줌 같은 물에서 씻던 것보단 나았다.

그들은 그에 그치지 않고 제 몸을 마사지하려 들었다. 티티라는 이번에도 일곱 쌍의 손을 때릴 수 없었다…….

그 뒤 저녁이 되어 음식이 줄줄이 들어오자, 이번에는 제게 먹여주려고…….

티티라는 도저히 참지 못하고 팔을 뿌리쳤다.

"저도 손이 있어요."
"지금 더 중요한 일이 있으시잖습니까."
"전 식사하는 게 더 중요해요."
"반년 동안 항해하셨을 테니 독이 많이 쌓였을 겁니다. 반드시 긴장을 풀어 드려야 해요."
그녀는 차마 주먹질을 할 수 없었다. 저 사람들은 너무 아파할 것 같았다…….
티티라는 결국 사색이 되어 남의 손으로 저녁 식사를 들었다. 체할 것 같아 몇 입 먹지도 못했고, 제 팔과 다리를 주물러 주는 손이 꽤나 대단해서, 한순간 정신이 뚝 끊겼지만…….

깨어났을 때, 주변에는 따뜻한 불이 몇 개 켜져 있었다. 온몸이 나른했다. 침대 주변에 늘어진 반투명한 천을 걷어 냈다.
넓은 창으로 달빛이 흘러 들어오고 있었다.
티티라는 언제나 홀로 한밤중 짙은 그림자만 보면 옛 기억을 떠올리곤 했다.
어두컴컴한 가운데 바닥에서 엉겨 붙던 입맞춤. 안스가 무서우면서도 왠지 슬퍼서, 꼭 죽을 것만 같던 키스.

"진짜든 아니든 난 신경 안 써……. 하지만 넌 나 없이는 안 되잖아."

아직 잠이 덜 깼나 봐.
그래도 괜찮아. 잠깐 잠겨 있을래.
티티라는 멍하니 창을 응시하다가, 문을 두드리는 소리에 흠칫 놀랐다.

"깨어 있나?"

"……네. 들어오세요."

들어온 사람은…… 아무튼 안스는 아니었다.

"일찍 잠들었다던데."

"너무 일찍 잠들어서 지금 눈이 떠지네요."

"불편한 곳은 없나?"

"네. 아, 하나. 제발 혼자 씻게 해 주세요."

"말해 두겠다."

그가 달빛 속으로 들어왔다.

"중요한 용건이 있어서. 법황이 내일 접견을 요구했다."

"네."

"……괜찮나?"

"네? 네."

"연습을 많이 했으니, 마음만 차분히 먹어라. 막상 만나면 그다지 긴장되지 않을 거다."

"알겠습니다. 반년 동안 저희가 해 온 게 있는데, 그걸 믿어야죠."

안스카리우스가 고개를 끄덕였다.

"쉬어라."

그는 곧장 방을 나갔다.

티티라는 그가 잠시 머물렀던 네모난 창을 바라보았다. 푸르게 물든 창가의 조각들, 일렁이는 빛과 그림자.

별안간 눈물이 한 줄기 흘렀다.

그녀는 급하게 눈을 비볐다.

안스는 이 땅에서 죽었지만…… 적어도 외롭진 않았을 거야. 나처럼 많은 사람들이 손을 주무르고 맛있는 걸 먹여 주는 무덤에서 죽었겠지.

기억이 조금씩 지워졌다고 했어. 그러니 결국 네가 아닌, 어떤 혼란스러운 연기로 사라졌을 게 분명해. 내가 아는 '너'는 가장 처음에 죽었을 테고. 어리둥절한 채, 깜짝 놀란 표정으로……. 그나마 다행이지. 안 그래?

그때, 갑자기 문이 벌컥 열렸다.

티티라는 한순간 현실을 분간하지 못한 채 방 안으로 들어서는 사람을 바라보았다.

그는 성큼성큼 다가와 제 앞에 무릎을 꿇었다.

"이럴 줄 알았지."

안스카리우스가 자신을 껴안았다.

안스카리우스는 아무것도 묻지 않았다.

자신이 왜 우는지 짐작이라도 한 듯이.

티티라는 그가 정말 고마웠다. 소리 없이 훌쩍이면서도 혼자이지 않을 수 있어서, 침묵으로 품위를 지키면서도 위로받을 수 있어서…….

자신이 가까스로 눈물을 멈추자, 그는 등을 쓸어 주고 방을 떠났다.

그녀는 이불 속으로 기어 들어갔다.

텅 빈 창가와 꽉 닫힌 문을 바라본 뒤, 턱 끝까지 이불을 당겼다.

안스가 죽은 땅에서 가끔씩 슬퍼지는 건 어쩔 도리가 없었다. 그래도 안스카리우스가 있어서 다행이었다.

다음 날, 티티라는 일어나자마자 머리부터 발끝까지 차려입어야 했다. 곧장 법황청에 가야 한다는 말이 허튼소리는 아니었다.

다만 그 '차림새'는 시노드 신넬에서의 공작새 깃털 같은 꼴과는 달랐다. 사제왕의 정복을 만들 법한 검은 천으로 온몸을 뒤덮어야 했다. 정체를 알 수 없지만 아무튼 엄청 귀해 보이고— 입으면 숨이 좀 막혔다.

티티라는 드레스 속에서 뻣뻣하게 섰다. 자신은 이제 검은 석고를 굳혀 만든 조각상처럼 보였다.

그녀는 제 옷차림만큼 경직된 시선을 한바탕 받으며 저택을 나섰다.

"각하, 그러고 보니 아버님께서는요?"

티티라는 마치 어젯밤 아무 일도 없었다는 듯 질문했다.

"관절통이 너무 심해서 움직이지 못하신다. 어제 행동도 의사들이 좋아하진 않더군."

다행히 그도 제 연기를 받아 주기로 한 것 같았다.

"각하와 연치 차이가 좀 나 보이시더라고요."

"마흔이 좀 넘지."

"와."

'늦은 나이에 주책이었군.'이라는 말은 애써 삼켰다.

안스카리우스는 오늘만큼은 마차 창밖을 들춰 보지 않았다. 단지 그녀 주위를 응시할 뿐이었다. 법황과의 만남을 앞두고 긴장해서일까 생각했지만, 찬찬히 살펴보니 아무래도 그 이유보단 제게 집중해서, 라는 말이 맞는 듯했다.

"……각하, 제가 법황에게 무슨 말을 할까 걱정되세요?"

"음."

"저를 두 해 가까이 아셨는데, 아직도요?"

"넌 사리에 맞지 않는 말을 할 사람은 아니다. 하지만 자해에는 일가견이 있지. 알고도 함정으로 걸어 들어가니까."

"걱정 마세요. 이번에도 그랬다간 제 목숨이 날아간다는 것쯤은 알아요."

"……."

"이 겨울에, 이렇게 추운 곳에서 죽긴 싫습니다."

"춥나?"

티티라는 제 말에서 가장 중요하지 않은 부분을 집어내는 안스카리우스를 노려보았다. 장난치는 것도 아니고.

"네 방의 불을 신경 쓰도록 명하겠다."

"……진짜? 진심인가……? 얼어 죽을 정도는 아니에요. 그리고 각오한 것보다 춥지도 않아요. 해안가 도시들이 다 그렇죠, 뭐."

다시 침묵이 흘렀다.

티티라는 종내 혼자 못 견디고 입을 열었다.

"각하, 어제 일은—"

마차가 부드럽게 멈췄다.

안스카리우스는 손을 살짝 들어 보인 뒤, 마차에서 먼저 내렸다. 그에게는 설명이 필요 없었다. 티티라는 그 사실을 유념하며 그를 따랐다.

그리고 마차에서 내리는 순간 모든 생각을 잊었다.

어마어마하게 큰 원형 광장이 그들을 맞이했다. 거대한 기둥들이, 받치는 천장도 없이 쾅쾅 박혀 있었다. 거인이 박은 못처럼 위치가 정교하고, 높이도 나란했다. 또한 그 아래 바닥은 사람이 밟지 않은 듯 흰 대리석으로 이루어져 있었다.

이 웅대한 광장을 지키는 사람은 없었다. 그들을 태운 마차도 금세 떠나 버렸다.

티티라는 살짝 떨었다. 두렵다거나, 경외심이라거나, 말로 표현할 수 있는 어떤 감정은 아니었다. 단지 상상 이상의 것을 볼 때 척추부터 끓어오르는 설렘 탓이었다.

"소조폴 상주."

여전히 제 이름을 부를 수 없는 누군가가 말했다.

티티라는 급히 걸음을 옮겼다.

차라리 경비병들이 있었다면 나았을까. 이 넓은 광장에 자신과 안스카리우스 단둘뿐이라는 사실이 너무도 낯설었다. 신의 푹신한 머릿속에 덜컥 던져진 콩 벌레 두 마리 같지 않나.

광장을 가로지르는 짧지 않은 시간 동안 티티라는 천천히 납득했다. 압도적인 건축물 아래, 걸어오는 동안 오래오래 반성하라는 거야. 신 앞에서 인생의 모든 행동을 돌아보라고 찍어 누르는 셈이지. 지금까지 풍문으로만 들은 법황이 참 좋아할 구도였다.

티티라는 가는 길의 절반은 법황의 권위에 짓눌리고, 절반은 짜증을 내느라 주위를 제대로 감상하지 못했다. 하지만 천장이 있는 곳으로 들어섰을 때…… 그녀는 신음을 꾹 눌렀다.

바깥은 고귀했으나, 안쪽은 휘황했다. 금과 은, 혹은 보석으로 이루어진 문양과 그림이 벽을 뒤덮고 있었다. 눈이 멀 정도로 호화로웠다.

안에 들어선 뒤에야 시종으로 보이는 흰옷의 인간이 그들을 맞이했다. 인사말은 없었다. 단지 손짓뿐이었다.

그들은 마침내 커다란 홀로 들어왔다. 광장을 가로지르던 감각을 똑같이 겪으며 긴 홀을 지났다. 두 번씩이나 제 생각 속에 잠겨 헤엄치려니 좀처럼 생 앞에 떳떳해질 수가 없었다.

홀의 끝에는 살짝 높은 의자가 있는 듯했다. 다만 정확히 확인하긴 어려웠다. 안스카리우스에게 배웠던 대로 함부로 고개를 들지 않았기 때문이다. 또, 그에게 배웠던 대로 그가 멈추는 자리에 서서, 그가 하는 행동을 똑같이 따라 했기 때문이다.

그러니까, 그녀는 그와 함께 법황 앞에 엎드렸다.

내가 이 정신 나간 인간들 놀음에 장단을 맞춰 주고 있군.

"바를라암, 그리고, 이름이?"

여자 목소리였다.

티티라는 너무 놀라 하마터면 딸꾹질을 할 뻔했다.

"티, 티티라 돔니니입니다."

"너한테 묻지 않았다, 무례한 인간아."

놀람은 빠르게 사그라지고, 화가 슬금슬금 피어올랐다. 지옥 불이나 맞아라, 정신 빠진 놈.

"송구합니다. 저는 사제왕의 묵으로 맹세하여 저자의 이름을 부를 수 없습니다. 이해를 부탁드립니다."

티티라는 홱 고개를 돌렸다. 야……! 털어놔도 되는 거야?

"저런. 사제왕들이 쓸데없는 일에 묵을 소모하는 것은 하루 이틀 일이 아니나, 그대는 유독 미련하군. 판단력을 더 기르도록 하게."

"제 판단력은 성하께서 상관하실 바가 아닙니다."

발끝이 콱 쪼그라들었다.

"……이런 무례한 행동거지에도 아량을 베풀지. 안스카리우스 드라수스 바를라암, 그대가 무의미하게 티티라 돔니니에게 건 사제왕의 묵을 무효화하겠네. 앞으로는 어리석은 맹세를 하기 전 거듭 생각하도록 하게."

법황은 안스카리우스를 잘근잘근 짓밟는 행위를 확실히 좋아하는 듯했다. 고작 법황의 말 한 번에 피를 토하던 맹세가 지워진다면, 사실 그만큼 그를 비웃는 행위가 또 없었다…….

"성하, 저는 성하의 요구에 충실히 따랐습니다. 존중을 보이십시오."

안스카리우스가 툭툭 말을 던져 대는 순간순간 계속 발끝이 긴장되었다. 사람들 앞에서 법황에게 예의를 차릴 때와 너무도 다른 모습이 거의 비현실적일 지경이었다.

"우리가 어찌해야 그대 마음에 차는 존중을 보일 수 있을까. 아, 그렇지. 탈란타우에를 죽인 공로에 감사를 표해야겠어. 그 중한 인사를 놓쳤으니 그대가 불쾌해하는 것도 당연하네."

"제 관리 소홀로 탈란타우에의 죽음을 야기한 것은 저희 모두의 불행입니다."

"오, 우리에게는 기쁨이지. 갑자기 그대의 맹세를 면해 준 것이 미안해질 지경이로군. 바를라암 관에 돌아가 다시 맹세하도록 하게. 두 번째는 막지 않겠네."

"또 하실 말씀이 있습니까?"

"그대는 이미 충분히 괴롭겠지. 본인의 어리석음에 한탄할 터, 그 시간을 길이길이 남기도록 우리가 안배하겠네."

"티티라 돔니니의 증언은 들으셔야 하지 않습니까?"

티티라는 그가 자신의 이름을 부르자 화들짝 놀랐다. 법황의 말을 듣고도, 그가 고통에 몸부림칠 거라고 한순간…… 착각했다.

안스카리우스는 피를 토하긴커녕 제자리에서 미동도 없었다.

"그대가 그리 듣고 싶다면야. 외우게 한 내용을 듣는 것밖에 의미 없겠지만 말일세. 너, 말해 보아라."

오히려 자신이 말할 차례가 오자 몸이 바로 섰다. 긴장되지 않았다. 저 둘이 칼을 겨누는 것보단 차라리 혼자 외운 내용을 줄줄 읊는 편이 나았다.

"저는 이즈버르의 부당한 요구에 맞서 바를라암 총독께 도움을 호소한 소조폴 상주 티티라 돔니니입니다. 교국은 제 요청에 응답하여 정의롭게 이즈버르를 처단했습니다. 다만 이는 성하께 사전에 승인을 받지 않은 침공으로, 재판이 진행되어야 했습니다."

짧게, 간단하게, 집중할 수 있도록…….

"저는 재판 날 바를라암 총독 각하의 제1대대장인 므니모니오 디아세가 사제왕 탈란타우에 각하를 살해하려 한 시도를 목격하고, 바다로 떨어지는 그분을 따라 입수入水했습니다. 사제왕 탈란타우에 각하는 므니모니오 디아세의 연인을 살해하여 개인적으로 깊은 원한을 샀습니다. 이것이 살해 동기임이 분명합니다."

법황이 하품을 했다.

티티라는 입을 한 번 앙다물었다가, 다시 말을 이었다.

"사제왕 탈란타우에 각하를 구하려 애썼으나 파도가 난폭하여 어려웠습니다. 그리고 그사이 디아세에게 입은 상처가 빨리 조치되지 못해, 각하를 구명할 수 없었습니다. 이런 저를 목격한 이는 최소 수십 명이지만, 탈란타우에 각하를 직접 모신 이는 저뿐이기에 이 자리에 섰습니다. 부디 성하께서 제 증언을 고려해 주시길. 깊이 앙망합니다. 이상입니다."

"그래. 잘 외웠군."

침묵이 흘렀다. 티티라는 이쯤 되어선 법황의 얼굴이라도 제대로 한번 보고 싶다는 생각이 들었다.

"아무튼, 바를라암. 네 죄목은 당연히 기록에 남을걸세. 사제왕이 죽도록 방치한 사제왕이라니, 앞으로 수백 년은 경멸당하겠군. 그리고 다시는 시노드 신넬로 돌아갈 생각을 하지 않으리라 믿네. 덧붙여 아낭게아 땅은 법황령으로 넘기고, 그 군대 또한 우리의 필요에 맞게 쓰겠네. 파랄릴과 이포파시스도 동일하게 처리하게."

"……."

"정확한 벌금의 액수는 내 따로 공표하겠네. 그때까지는 조금 더 고민하는 시간을 가지지. 또, 네 늙은 아비를 요르타시로 보내게."

"……성하."

"마지막으로 너의 누이 또한 수도원에서 추방하겠네."

"성하, 거부합니다."

"아쉽게도 우리 권한하에서 적절하게 처벌했네. 거부할 권리는 없어."

티티라는 멍하니 듣다가, 제 증언이 없느니만 못하게 되었다는 사실을 알아차리곤 입술을 깨물었다. 결국 입을 열었다.

"성하—"

"그만, 티티라 돔니니. 네가 입을 열 자리가 아니다."

"죄송합니다, 각하. 성하, 감히 말씀드리자면, 저는 사제왕 바를라암 각하의 '무죄'를 증언합니다."

"……."

"탈란타우에 각하께선 불필요하게 인명을 희생시킴으로써 복수의 씨앗을 심으셨습니다. 누구도 신성한 재판이 이루어지는 자리에서, 그것도 교국군이 사제왕을 살해하리라곤 상상할 수 없었을 겁니다. 심지어 그 사유가 개인적인 원한이라고는 더더욱 짐작하기 어렵습니다."

"……."

"부디 재고해 주십시오, 성하."

안스카리우스가 옆에서 주먹을 꽉 쥐는 모습이 보였다. 이만 닥치라고 하고 싶겠지. 하지만 티티라는 이렇게 순식간에 자신이 바다를 건너온 이유가 박살 나는 꼴을 보기 힘들었다.

"고개 들어."

티티라는 고개를 들면 칼날이 떨어져 제 목을 자르지 않을까 상상해 보았다.

천천히…… 고개를 들었다.

법황은 삼십 대 초반 남짓의 여성이었다. 그녀는 새하얀 옷, 새하얀 관모를 쓰고 있었는데, 그 머리칼마저 새하얘서 한순간은 눈을 찾아내지 못할 뻔했다.

"바를라암, 나가."

"성하, 저는 티티라 돔니니를 증인으로 돌려보내야 합니다."

"나가지 않으면 법황청의 기사들을 부르겠다."

"……."

"네가 자리에 오래 있을수록, 왠지 이자를 죽이고 싶다는 생각이 드는군. 너도 우리 마음을 이해하겠지."

안스카리우스가 조용히 바닥을 디디는 것이 느껴졌다. 그의 살짝 떨리는 숨소리가 들렸다.

"문 앞에서, 대기하겠습니다."

"그럴 필요 없네."

"대기하겠습니다."

안스카리우스는 뒤돌아 떠났다.

티티라는 쿵쿵 뛰는 심장을 애써 눌렀다.

이제 홀 안에는 자신과 법황뿐이었다.

법황은 뚫어져라 티티라를 바라보았다.

그 시간은 뻔뻔한 그녀마저 견디지 못하고 머리를 조아릴 정도로 길었다.

티티라는 바짝 엎드린 채 속으로 불만을 터뜨렸다. 흰빛에 익숙해지자 법황은 그저 우스꽝스러운 옷을 입은 인간처럼 보였다.

한심하기 짝이 없는 연극 놀음이야. 거대한 인형의 집에 매달린 광대 같지. 희한한 머리 색도, 알고 보면 염색한 거 아냐?

얼굴을 보이지 않은 채 웃었다. 시노드 신넬 인간들은 진짜 못 말린다니까. 웃음은 확실히 긴장을 푸는 데 도움이 되어서, 법황 앞에 고개를 처박고 있다는 사실마저 잊을 지경이었다.

"티티라 돔니니."

티티라는 가벼운 마음으로 목을 가다듬었다.

"예."

"저자의 기억을 되살릴 생각으로 왔나?"

뭐?

한순간 눈앞이 캄캄해졌다.

다시 하얀 바탕이 보이다가, 그 위로 검은 점들이 무수히 많이 쏟아졌다. 벌레처럼 바글댔다. 자신을 갉아먹었다.

그리고 다시, 검게 변했다.

티티라는 순식간에 자신이 엎드렸다기보단 웅크려 있다는 사실을 깨달았다.

"대답해."

"……."

"대답하지 않으면 네 목을 끊어 들개에게 먹이겠다."

엎드려 있던 그녀의 손톱이 바닥에 미끄러졌다. 그토록 약한 소리였지만, 제 가는 숨소리보단 컸다.

"……성하, 송구합니다. 이해하지 못했습니다."

"저런."

법황이 다시 침묵했다.

티티라는 감히 고개를 들 수 없었다. 신이 하찮은 인간을 짓밟은 듯했다.

그렇게 식은땀을 흘리는 몰골로, 가까스로 방금 전의 말을 되새겼다. 무슨 말을 들은 거지? '저자의 기억을 되살릴 생각으로 왔느냐.' 고? 내가 왜? 어떻게? 법황은 뭘 알기에 저런 말을 내뱉는 거야?

"그의 기억을 되살릴 조금의 희망이라도 있다면 우리 고향이 아니겠느냐."

한순간, 탈란타우에의 비아냥이 머릿속 깊숙이 파고들었다.

설마 진짜였다고?

티티라는 반사적으로 고개를 처들었다.

비스듬히 흘러내린 법황의 시선과 마주쳤다. 찰나, 혀끝까지 나온 고백이 말려 들어갔다. 언제고 스스로를 보호했던 본능이 다시

금 저를 살린 것이다.

안 돼. 아무것도 말하면 안 돼.

"성하, 조금 더 설명해 주시면 답을 드릴 수 있으리라 생각합니다. 감히, 감히 말씀드립니다."

법황은 대답하지 않은 채 한 손의 손톱을 부딪혔다. 무성의하고, 거슬렸다. 작은 툭, 툭, 소리가 제 신경을 찢는 듯했다.

티티라가 다시 수그렸다.

이제 제 귀에는 손톱 튀기는 소리뿐이었다. 규칙적이지 않았기에 자신을 더욱 괴롭혔다.

소음 사이로 휘파람 같은 목소리가 들렸다.

"아, 언젠가 탈란타우에가 우리에게 찾아왔지. 그 감사납고 우악스러운 늙은이. 뿌린 씨앗에 걸맞은 보답을 주신 주께 경외를."

툭, 툭.

"그는 거래를 바랐네. 시노드 신넬 대리인이 '티티라 돔니니'를 죽인다면 우리가 그간 그토록 원하던 남부 인지세를 백 년 임대해 주겠노라 했지."

투둑.

"탈란타우에는 영리하네. 우리가 아무리 그를 싫어한들, 이는 진실된 고백이야."

툭.

"물론 거래는 의심스러웠노라. 그는 '티티라 돔니니'가 소조폴에서 격렬하게 반항한 시민군이라 주장했으나, 그렇다면 왜 떠나기 전 미리 수배하지 않았다는 말인가? 왜 이제 와 진저리 치며, 바다 건너 뜻을 전할 수 있는 우리의 권능에 고개 숙인다는 말인가?"

툭.

"그자도 우리가 내줄 답변을 미리 알았을 터인데. 그럼에도 그런 제안을 건넨 이유가 궁금하더구나. 이제 주께 돌아간 병자를 되살릴 수는 없으니, 단지 추측할 따름이노라. 신 앞에 저지른 죄를 새까맣게 잊었나, 아니면 아무렴 상관하지 않을 정도로 급했던 것인가."

티티라의 등이 살짝 떨렸다.

"그 이름이 무엇을 뜻할는지……. 오래도록 생각했으나 종내엔 포기할 수밖에, 도리 없었네."

의자에서 일어서는 소리가 들렸다.

신, 혹은 인간은 한 칸씩 단을 내려왔다.

"한데, 아주 오랜 시간 뒤 대양을 넘어온 문서에서 네 이름을 찾았노라. 명명백백해지더구나."

티티라는 웅크린 채 꼼짝도 하지 않았다. 공유받은 내용이 고작 저뿐이라면, 저자는 아는 게 없었다. 안스의 기억을 되살릴 방법은 커녕 안스가 왜 기억을 잃었는지도 모르는데 배짱을 부리는 거다.

그러던 중, 제 머리칼에 손이 닿았다. 가늘고 약했다. 그러나 악착같은 힘으로 움켜쥐었다. 고개가 확 꺾였다.

법황의 영대領帶[3]가 얼굴을 스쳤다. 흰 천이 가시자, 그 사이로 미소가 보였다.

"눈이 아주 아름다워."

제 숨소리만 달싹거렸다.

"바를라암이 소조폴에 머물렀을 적 유혹당했을 만하구나."

---

3) 사제가 목에 걸쳐 무릎까지 늘어뜨리는 헝겊 띠.

"……."

"그대는 언제까지 가만히 있을 셈이야?"

"제가 부족하여 성하의 존귀한 질문을 이해하지 못했습니다."

"왜 이해하지 못하지? 너는 어린 시절 바를라암과 친밀했으리라. 그러니 탈란타우에가 널 죽이려 들자 바를라암의 기억이 사라진 것이야."

법황은 좀처럼 집중하지 못하는 듯했다. 자신의 머리채를 쥔 손이 벌써 몇 번이나 움직였을 정도로 산만하고 성의가 없었다.

하지만 그런 인간의 '권능'에, 혹여 사람의 과거를 꿰뚫어 보는 능력이라도 있다면…….

"죽어야 답하겠느냐?"

"성하, 송구합니다……. 정말로, 저는 아무것도……."

법황이 제 머리를 거칠게 밀쳐 냈다. 곧이어 자리에서 일어서더니, 한숨과 함께 읊조렸다.

"옛 친구가 그리워 바다를 넘었노라. 한데, 친구의 기억을 되살려 주겠다는 우리 제안은 묵살하다니."

"되—"

아주 작았지만 제 목소리였다. 너무 놀라 말을 반복할 수밖에 없었다.

'기억을 되살려 주겠다'고?

법황이 속삭임을 들은 듯 눈살을 찌푸렸다.

"아무리 신앙을 모르는 천민이라 하나, 우리를 능멸하기가 비마 지옥을 여섯 번 드나드는 꼴이구나."

법황은 천천히 홀을 가로질렀다. 고귀한 신의 밑창이 돌바닥에 다박다박 부딪혔다.

“물론…… 당장은 혼란스럽겠지. 그래. 우리는 이해한다. 자비로운 주께서는 우물에 빠진 자를 탓하지 않노라.”

“…….”

“게다가 당장의 바를라암도 네게 정신이 나간 듯하여— 아주 중요한 사실이지. 그렇지 않느냐? 용서하마.”

상대가 잘못한 것도 없는데 갑자기 분개했다가 또 움푹 가라앉는 꼴이 우스웠다. 그 와중에 말은 또 엄청나게 많았다.

티티라는 왜 탈란타우에가 법황을 싫어했는지 알 것 같았다. 저처럼 제멋대로인 인간이 칼을 쥐면 언제 목이 잘려 나갈지 모를 테니까.

“하나, 더는 용납되지 않아. 어서 저자와 소조폴 시절에 쌓았던 연을 소상히 말하게.”

“성하, 저는 무슨 말씀을 하시는지 모르겠습니다. 죄송합니다.”

법황은 성좌聖座에 걸려 있던 홀을 들었다. 끄트머리의 흰 보석을 제하면 오래된 검은 나무 막대에 불과해서, 이 휘황찬란하고 큰 공간에 어울리지 않았다.

그녀는 몇 걸음 돌아와 홀로 제 명치 아래를 강하게 찔렀다.

티티라는 예상하고도, 도저히 예상할 수 없던 공격에 뒤로 나동그라졌다. 헐떡였다.

끝이 아니었다. 법황은 제 옆에 서서 숨골을 눌렀다.

“하윽……!”

“꽤 많은 이가 바를라암이 바다 건너에서 왔다는 사실을 알고 있지. 이를테면 우리, 탈란타우에, 저자의 늙은 아비, 그리고 그 늙은 아비의 하수인들.”

“헉!”

“그러나 기억을 잃은 이유는…… 오로지 우리와 탈란타우에만이 공유하는 앎이니.”

“아윽, 콜록! 콜록!”

홀을 들어 올린 법황이 재미있다는 듯 웃었다.

티티라는 땅을 짚은 채 기침을 터뜨렸다. 목이 터질 것처럼 아팠다.

“그대는 어찌 된 이유로 잃을 것도 없는 땅에서 함구하나. 바를라암을 보호하고 싶은가?”

“크흑, 콜록!”

“하지만 네 벗은 그가 아니지 않나?”

티티라가 엎드려 얼굴을 숨기려 했다. 법황은 전부 아는 듯하면서도 그저 찔러 보는 것 같기도 했다. 티티라는 미련없이 문을 닫고 싶다가도, 문 앞에 선 상대가 두렵고, 또 돌이키지 못할 것이 두려웠다. 결국 기침만 터뜨리며 어찌할 줄을 몰랐다.

“깨닫지 못한 인간은 눈에 보이는 것만 믿으리니.”

법황은 중얼거리더니, 갑자기 홀 반대편으로 걸어갔다. 티티라는 쓰라린 목을 가누며 시선을 들었다.

홀 우측에 난 작은 문에서 누군가가 깊이 고개를 숙이고 있었다. 법황은 작은 모자를 쓴 남자의 머리를 손으로 덮었다. 알 수 없는 언어가 들리고, 그가 떠났다.

법황은 다시 영대를 휘날리며 빠르게 걸어왔다. 걸음걸음에 체신머리라곤 하나도 없었다. 마치 본인이 건강하고 무지한 젊은이라는 사실을 온몸으로 드러내는 듯했다.

법황은 제 앞에 무릎을 굽혀 앉았다. 같은 높이에서 눈이 마주쳤다.

티티라는 정말 이 정도까지 격이 없을 줄 몰라 당황했다.

"우리는 그대에게 함구령을 내리지 않을 것이야."

법황의 희다 못해 투명한 눈은, 즐거워하고 있었다.

"왜냐하면, 어차피 그대는 아무 말도 할 수 없을 테니."

"……."

"시야에 미혹되는 어리석은 이를 구제할 방법은 역시 보여 주는 것뿐일세. 시간이 흘러도 세상은 이처럼 미련하지."

"성하."

자신이 아니었다. 방금 전 떠났던 작은 모자의 남자가 돌아와 법황을 불렀다. 법황은 다시 성큼성큼 걸어 그에게로 다가갔다. 그리고 무언가를 받아 들더니, 축복과 함께 뒤돌았다.

티티라는 법황의 손에 쥐인 것을 보기 위해 애썼다. ……나무 줄기로 엮은 바구니?

법황은 그녀 앞에 우뚝 멈추어서, 손에 들린 작은 바구니를 뒤집었다.

제 손바닥 크기도 안 되는 종이들이 우수수 떨어졌다. 큰 종이가 불타서, 홀로 남겨진 일부분처럼 보였다. 종이 쪼가리들은 공기 위에 두둥실 떴다가, 힘없이 떨어졌다.

바닥에 닿았다.

티티라는 가장 가까이에 있는 글자를 읽었다.

[안스, 돌아오면 황금 돛이랑 번셴에 갔던 사탕수수 5 비주담 하역 내역 좀 줘 봐. 4월 1일자야.

티.]

식은땀이 났다.

고개를 돌렸다.

[황금 돛 상단에 사백 금을 송부했음을 증명함.

안스카리우스, 우스페히 상단 8조장.]

그녀는 다시 피했다.

[297년 5월 4일 발생한 소조폴 제3창고 파손 내역에 대해 일주일 항구 노역을 판결하며, 이 죄는 기록에 남기지 아니함.

피고: 안스카리우스, 티티라 돔니니, 우스페히 상단의 심부름꾼

원고: 포즈볼리 슬레드발로, 소조폴 시민의 첫 번째 친구

증인: 터르노보 우스페히, 우스페히 상주

판결인: 에카테리나 보댜트

서기…….]

숨소리가 거칠어졌다.

고작해야 몇 줄 안 되는 글의 모음이었지만, 각각은 모두 그녀의 일부였다. 일곱 살부터 열일곱 살. 모든 나이 속 삶을 평등하게 기억한다면, 그런 도서관이 제 머릿속에 있다면…….

“원한다면 가져도 좋아. 바를라암에서 불탄 찌꺼기를 훔쳐 오는 일은 확실히 수치스러웠네.”

모골이 송연해졌다.

아무 생각도 할 수가 없었다. 어떻게 저자가 이 종이를 가지고 있는 거지? 그놈의 망할 권능인지 뭔지, 진짜 귀신 들린 마법이란 건가? 그게 실재한다면 내가 애써 거짓말을 하는 게 소용이나 있을까?

홀이 툭, 툭, 머리를 쳤다.

"이제 우리가 너희 과거를 안다는 사실이 증명되었으리라 믿네. 숨긴들 소용없어. 그렇다면 옛 벗의 기억을 되살리는 권능도 믿어야지? 오늘 바를라암의 맹세를 사해 준 이유를 아직도 모르는가? 주의 부름을 받은 권능을 믿게."

"……."

"침묵하겠다고? 저런……. 그렇다면 그대의 벗이 작은 방에 갇혀 죽도록 둘 수밖에. 사실 그편이 더 모질지 않나?"

목구멍이 짓이겨지는 듯했다.

"성하."

"그래, 무지한 이야."

티티라는 눈을 꽉 감았다.

"'작은 방에 갇혀 죽는다.'는 말을 설명해 주세요."

"설명해 주고말고. 기억은 그 사람의 전부네. 기억을 지운다는 것은 사람을 죽이는 것이야. 하지만 우리의 권능은 절대로 생명을 해치지 않네. 그러니 그대의 벗은 어딘가에 살아 있을 수밖에."

"……."

"그 '어딘가'는 아마, 저 무례한 바를라암의 머릿속일 터."

법황은 즐거워 보였다.

"그대가 마침내 현명한 결심을 내려 기쁘네. 그러면 우리, 그러니까 우리와 그대의 바람이 같다는 사실도 알아차렸겠지? 우리는 바를라암이 죽길 바라네. 그러나 탈란타우에에게 벌어졌던 요행을 논외로 한다면, 사실 실현하기 어려운 꿈이지. 우리는 사제왕과 다투기보단 신민의 삶을 굽어살펴야 하니 말일세. 다만 적어도 바를라암을 퇴행시킬 순 있을 터."

티티라는 입술을 꽉 깨물었다가, 다시 열었다.

"송구하지만, 만일 성하께서 그런 권능을 발휘하실 수 있다면, 왜 지금까지 바를라암에게 사용하지 않으셨는지 여쭙습니다."

"그야 옛 기억과 연관된 사람이 필요하기 때문일세. 바로 그대처럼."

"어떻게…… 가능한 건가요?"

"그건 그대가 우리 부탁에 귀 기울이면 언젠가 알아낼 수 있겠지."

"……."

"잘 이해한 것으로 생각해도 되겠느냐? 좋아. 좋네. 그러면 가서 바를라암의 늙은 아비를 죽이게."

눈이 크게 뜨였다.

안스를 데려간 '아버지'를 죽이고 싶기는 했지만…… 그리고 실제로 대해를 넘어가면 그 목을 따 버린다고 벼르던 시절도 있었지만…….

지금은 안스카리우스가 제 곁에 있었다.

어제, 안스카리우스는 절뚝거리며 뛰어온 아버지를 껴안았다.

티티라는 자신이 그를 상처 입히지 않을까 걱정되었다.

"성하, 한 가지만 더 여쭙겠습니다."

"얼마든지. 명석한 이를 존중하는 것 또한 우리의 소양이겠지."

"왜 그자의 기억이 사라진 겁니까?"

이미 설핏 들었지만, 그 정도로는 충분하지 않았다. 티티라는 탈란타우에의 고백과 앞뒤를 맞춰 보고 싶었다.

법황은 양손을 들어 보였다. 엄지와 검지 사이에 낀 홀이 위태롭게 흔들거렸다.

“말했지 않나. 우리는 숨기는 것이 없네. 탈란타우에는 우리에게 부탁했듯, 옛 바를라암에게도 ‘티티라 돔니니’를 죽이겠노라 위협했으리라. 물론 우리로선 도저히 이유를 모르겠군. 왜 교국에 열광하던 소년을 구태여 괴롭힌단 말인가? 그 비틀리고 추악한 마음을 아는 이가 더 드물겠지. 하나, 옛 바를라암은 이런 증거로—”

법황은 바닥에 쏟아진 종잇조각들을 가리켰다.

“—미루어 보아, 그대와 오랫동안 친밀했을 테지. 그런 그대를 죽이겠다고 위협하는 것은, 교국에 대한 충성심을 시험했을 것이야. 당시 바를라암은 이미 사제왕이었네. 사제왕의 충성심을 시험하는 것은 무엇이든 분쇄되네. 그대에 대한 기억 또한 마찬가지일세.”

탈란타우에와 법황의 이야기는 같으면서도 조금 달랐다. 탈란타우에는 우스페히를 죽였단 사실이 폭로되었을 때 안스의 기억이 사라졌다고 했지만, 이자는 친구의— 그러니까, 제 목숨이 위협당했을 때 안스의 기억이 사라졌다고 했다.

물론 큰 차이는 없다. 안스에게 우스페히나 자신이나…… 옛 기억 그 자체일 테니까.

탈란타우에와 법황의 관계는 최악보다 더 나빠 보였는데, 그럼에도 이야기가 같았다…….

멀리 내팽개쳐졌던 정신이 점차 돌아왔다. 물론 그게 딱히 더 나은 상황은 아니었다. 차라리 아무것도 느끼지 못했을 때가 나았지, 제정신이 든 티티라는 도저히 반항하지 못할 만큼 패배해 있었다.

"바를라암 '총독'이 바다 건너에서 그대의 이름이 담긴 문서를 보내자, 우리는 반가우면서도 무력했네. 교활한 바를라암이 어찌 그대를 '기억'했을까? 주의 권능이 사그라졌나? 이 땅이 버림받은 것인가?"

"……."

"우리가 지난 한 해간 어찌나 두려워했는지 몰라. 그러나 방금 그대가 그의 무지를 증명해 주었네."

내가 안스카리우스의 무지를 증명해 주었다고.

티티라는 번개처럼 이해했다.

만일 안스의 기억이 살아 있었다면, 자신은 절대로, 죽어도 법황에게 반응하지 않았을 테니까. 기억을 되살려 준다는 말에 벌벌 떨 이유가 없으니까.

그러나 자신은 숨어 있던 굴에서 굴러 나왔다.

정말…… 어쩔 수 없었다…….

"마음 같아선 그대를 법황청에서 극진히 대접하고 싶네. 하나, 안스카리우스의 시선에서 욕망이 묻어나더군. 저자가 지금까지 여인을 들인 일이 없건만, 애정은 가장 쉽게 사람을 북돋고, 또한 함락시키지. 그대는 정말 여러모로 쓸모가 많아."

법황이 낮게 웃었다.

"그러니 그대는 어서 가서 저자의 아비를 죽이게. 이 길고 긴 설명에 보답한다고 생각하게."

"……."

"우리는 잔인하지 않아. 그대의 벗이 돌아올 그릇을 죽일 생각은 추호도 없네. 사실 그리되면 난처하기도 하고 말이야. 사제왕 한 명이 죽은 것은 사고일 수 있으나, 두 명이 죽으면 그때는 꽤 많은 이들이 우리를 노려볼 테고, 상황도 참 안 좋아지니 말일세."

저자는 제멋대로 지껄이는 말이 너무 많아서 끔찍할 정도였다. 그 말 자체보단, 본인이 무슨 말을 하든 상대방이 옴짝달싹 못 하는 상황을 즐기는 듯해서 역겨웠다.

"……기억이 돌아오면…… 성하께서는 마지막엔 무엇을 바라시는 건가요?"

"그대는 사람을 두 번 말하게 하는 재주가 있군."

그야 네가 오락가락 조리 없는 헛소리를 하니까.

"바를라암에게서 교국의 사제왕으로 길러진 세월이 사라진다면, 그는 단지 시노드 신넬의 외지인으로 전락할 터. 이곳에 대한 지식도, 사제왕들을 위해 싸울 마음도 없으니 자연스레 은둔하게 되겠지. 그러면 우리는 드디어 가장 강력한 사제왕 둘을— 좌우간, 그대가 저자와 날씨 좋은 곳에서 생을 즐기길 바라네."

법황이 티티라의 팔뚝을 끌어 올렸다. 당기는 힘이 강하지는 않았지만, 반항할 수 없었다. 티티라는 제 발로 일어섰다.

자신보다 키가 반 뼘이나 큰 법황은 이제 만면에 웃음을 띠고 있었다.

법황은 티티라를 짧게 껴안았다.

티티라는 법황의 품속에서 뻣뻣하게 얼어붙어 있었다.

법황은 몸을 세운 뒤, 제 어깨를 강하게 눌렀다. 시선을 피할 수 없었다.

"잘할 수 있겠느냐?"

"……모르겠습니다."

환희에 차 있던 인상이 순식간에 일그러졌다.

"뭐라고?"

말투 또한 변했다. 목소리도 날카로웠다.

티티라는 급하게 질문에 답했다.

"성하, 성하께서 말씀하신 과거는…… 이제 부정하기 어렵습니다. 그러나 지금의 바를라암 각하께선 제 벗이 아니십니다. 제 벗이 되실 수도 없습니다. 처음에는 놀랐지만, 이제는 시노드 신넬에서부터 저를 챙겨 주신 고마운 분, 그 이상도 이하도 아닙니다……. 그리고 감히 누군가를 해친다는 생각은 생전 해 본 적이 없습니다. 성하, 저는 사람을 죽여 본 적이 없습니다."

"모름지기 차차 배워 나가는 것이지."

"성하, 제발…… 살려 주세요."

법황이 인상을 찌푸렸다.

"우리가 언제 너를 죽인다 하였느냐? 오해를 살 말이로구나."

"성하의 분부에 따르면 저는 각하께 죽고, 성하의 분부에 따르지 않으면 이 홀에서 나갈 수 없겠지요……. 저는 이곳에서 천민에 불과하나, 그래도 상단을 몇 년 운영하여 세상 돌아가는 이치를 압니다."

티티라는 법황의 발치에 몸을 숙였다. 흰 신발 위로 이마를 대자, 법황이 짜증스럽게 뒤로 물러났다.

"성하, 절대 함구하겠습니다. 부디 살려 주십시오……."

"아직 정신을 못 차린 게로군."

"성하, 제발 자비를……."

"자비."

법황의 말이 뚝 끊어졌다.

"그래. 자비를 보이겠네."

"……."

"우리는 오래전부터 생각해 왔으나 그대는 아니기에, 오늘이 갑작스러웠으리라 믿네."

법황은 다시 성좌에 홀을 걸었다. 그리고 뒤돌아서, 무뚝뚝하게 말했다.

"그러니 한 달을 주겠어."

"……."

"그동안 바를라암에게 무슨 이야기를 하든 괜찮네. 붙어먹어도 좋아. 사실 같은 침대를 덥힐수록 우리는 좋네. 바를라암이 냉정하게 판단할 수 없도록 하게."

"성하……."

"하지만, 그 아비를 죽이겠다는 계획은 발설하지 않아야겠지? 법황청이 살의를 숨긴 역사가 없으니, 우리는 아쉽지 않아. 다만 후일…… 그대가 매우 아쉽겠지."

"……."

"한 달 뒤, 그대를 다시 부르겠네. 훌륭한 답을 준비하길 바라네."

법황은 '그때 오지 않는다면'과 같은 말을 하지 않았다. 그런 상황을 아예 상정하지 않는 듯했다.

티티라 또한 자신이 법황의 땅에서 도망 다닐 수 있으리라 기대하진 않았다. 그녀는 반드시 이 자리에 돌아올 것이고, 그때를 위해 답을 마련해 두어야 했다.

그녀는 너무 긴장하여 뻣뻣해진 몸을 일으켜 세웠다. 다시 한번 안스카리우스가 취했던 예를 따라 한 뒤, 비척비척 뒤돌았다.

그 순간, 법황이 나직이 말했다.

"우리도 그대의 옛 벗이 궁금하네."

티티라의 걸음이 멈칫했다.

"어떤 자이기에 앞으로 달려 나가는 탈란타우에와, 뒤로 끌어당기는 바를라암이 모두 아꼈을까. 어쩌면 우리와 해묵은 갈등 없이 시대를 지탱할 수 있지 않았을까."

그녀는 무례한 줄 알면서도 다시 걸음을 뗐다. 말 많은 법황의 자아도취를 더는 들어 주기 힘들었다.

"그래……. 우리는 시노드 신넬 출신이라는 고백을 듣고도 바를라암을 인가했네. 그자가 기억을 잃은 뒤가 아니란 말일세."

티티라는 꿋꿋하게 앞으로 향했다.

문에 손을 대는데, 법황의 목소리가 희미하게 들려왔다.

"우리는 그 시절, 참으로 기대가 많았지……."

티티라는 문을 열었다.

해가 중천에 뜬 그 낮, 티티라는 문 앞에 선 안스카리우스를 보자마자 쓰러졌다. 그를 보는 순간 온몸의 긴장이 풀려 무릎이 꺾였다.

안스카리우스는 그녀를 끌어 올린 뒤 곧장 경비병에게 떠안겼다. 동시에 마치 돌진하기라도 할 것처럼 홀로 몸을 돌렸다. 그러나 안쪽에서 흰 갑옷을 입은 기사들이 나타나, 그가 항의할 틈도 없이 문을 닫았다.

그는 잠시 문 앞에 서 있었다. 부드러운 양각 위로 아슬아슬하게 닿은 손끝이 떨렸다. 분을 삭이는 듯했다.

이내 그가 그녀를 붙잡아 괜찮으냐고 물었다.

티티라는 고개를 끄덕였다.

그들은 더 이상 대화를 잇지 않고 법황청을 벗어났다.

우두커니 서서 마차를 기다리는데, 아까 홀에서 보았던 기사가 다시 그들에게 다가왔다. 기사는 인사도, 설명도 없이 접힌 편지 한 장을 건네곤 떠났다.

안스카리우스는 종이를 펼치더니 —짧은 글이었다.— 곧장 찢었다. 그는 종이 쪼가리를 땅바닥에 내던진 뒤 아무 일도 없었다는 듯 다시 광장 앞을 바라보았다.

티티라는 깜짝 놀랐지만 도저히 대화를 이어 나갈 기분이 아니었다. 그저…… 누워서…… 쉬고 싶었다.

그는 마차에서 몇 번 제게 말을 걸려 했다. 그러나 나오는 대답은 영 시원찮았다. 비밀을 숨기고 싶어서가 아니라, 정말 너무 피곤해서 입을 열기가 어려웠다. 그도 곧 그 사실을 눈치챈 듯 고요해졌다.

티티라는 바를라암 관에 돌아와 침대에 묻혔다. 무엇을 먹지도, 몸을 씻지도 않았다. 잘 돌아가던 물레방아에 물이 뚝 끊긴 것처럼 정신이 사라졌다.

그녀는 몇 시간 뒤에 깨어났다.

하녀들이 눈을 뜬 자신을 발견한 지 얼마 안 되어 안스카리우스가 방에 들어왔다. 그는 마차에서의 침묵을 되새기는 듯, 처음에는 구석진 의자에 앉은 채 말을 삼갔다. 그러나 피곤한 자신을 부산스레 챙기는 하녀들을 보고 결국 한 마디를 내뱉었다.

"이만 나가."

하녀들은 돌림노래처럼 '예.'를 복창하며 줄줄이 나갔다. 정말이지 너무 많았다. 이 땅의 권력은 너무 과했다.

문이 닫혔다.

안스카리우스는 단둘이 남게 되자 오히려 잠시 주저하는 듯했다.

잠깐의 정적 뒤…….

"티티라 돔니니."

그는 스스로의 목소리를 낯설어했다. 시선, 몸짓, 표정으로 알 수 있었다. 한 해 넘도록 부르지 못했던 이름을 입에 담고 있다니, 듣는 자신도 어색했다.

티티라가 고개를 작게 저었다.

"'티'라고 불러."

"티티라 돔니니."

"'티'라고 부르긴 싫어?"

그녀는 아쉬움을 숨기지 못했다. 이제 '티티라 돔니니'라 부를 수 있다면 '티'는 버려지는 걸까…….

"아니. 발음해 보고 싶어서."

"……법황이 내 이름을 못 부르도록 다시 맹세해도 된댔는데, 할 거야?"

"내가 왜?"

티티라는 웃음을 터뜨렸다.

제 목을 조르고 있던 긴장이 이제야 풀리는 느낌이었다.

"성하께 감사해야겠어."

"티, 그럴 필요 없다."

"난 당신이 정말 끝까지 내 이름을 못 부르는 줄 알았단 말이야."

"오늘 너를 죽을 꼴로 만들어 두었더군. 법황이 무슨 말을 했지?"

그는 불쑥 치고 들어왔다.

티티라는 당황하지 않았다. 아무리 얼이 빠져 있었다 한들 이 정도도 준비 못 할 자신은 아니었다.

"당신 과거를 알더라고."

안스카리우스가 자세를 고쳐 앉았다. 침대 곁에 붙은 의자를 당기자, 이제는 서로 눈을 깜박이는 소리까지 들릴 지경이었다.

티티라는 기운을 차리곤 곰곰이 되짚었다.

"법황은 탈란타우에처럼…… 우리가 같은 상단에 있었다고 확신하는 것 같았어. 그래서 어떤 사이였냐고 계속 캐물었지. 그 인간은 난폭하고, 말이 너무 많아. 지팡이 같은 걸로 목을 너무 많이 찔려서 아직도 칼칼해. 내가 그 자리에서 어떻게 반항을 할 수 있겠어. 쥐처럼 찍. 찍."

"……."

"나는 결국 옛날의 당신을 안다고 실토했어. 그것조차 얘기하지 않으면 죽어도 안 놔줄 것 같았거든. 하지만 정작 당신은 과거를 모르고, 애초에 어릴 때도 별 관계 아니었다고 했어. 법황은 화를 좀 더 내긴 했지만…… 내가 당신과 연인이었든 친구였든 동료였든, 사실 지금 와선 의미 없지. 그자가 그걸 깨닫는 데 꽤 오랜 시간이 걸리더군."

"……."

"난 단순한 호기심으로 상대를 그리 악착같이 괴롭히는 인간은 처음 봤어."

안스카리우스가 팔을 뻗어 제 손을 마주 잡았다. 그리고 다른 손은 자신의 이마에, 뺨에…….

"목의 상처가 그 때문이군."

"맞아."

"더 다친 곳은?"

"없어."

"의사가 오면 확실히 알 수 있겠지……. 앞으로가 더 걱정이다."

"……."

"내 과거를 알리라 짐작했지만, 너까지 끌어들일 줄은 몰랐다."

"날 죽일까……?"

꾸며서 묻는다고 물었지만, 내뱉고 보니 왠지 진심이 담겨 있었다.

티티라는 법황이 한 달 뒤 자신을 죽일지 정말 궁금했다.

안스카리우스가 한숨을 내쉬더니 티티라를 끌어당겼다. 그녀는 자연스레 그의 품에 이마를 묻었다. 쿵쿵 낮게 뛰는 심장 소리가 자신을 가라앉혔다.

오늘 법황의 홀에서 호흡 곤란이 오지 않은 것은, 이자가 문 너머에 있어 마음 깊은 곳에서 안심했기 때문이란 걸, 뒤늦게야 깨달았다. 안스카리우스는 대놓고 명령에 반항했고, 가까스로 따르고도 문 앞에 있겠다는 말로 법황을 거슬렀지. 그의 분노가 자신을 안정시켰다.

"법황에게서 보호하려면, 이젠 정말로 너를 내실에 들일 수밖에 없다."

"헛소리도, 참."

안스카리우스가 몸을 뗐다. 그가 자신을 뚫어져라 바라보았다.

"내가 농담하는 것처럼 보이나?"

"……."

"오늘이라도 당장 꾸며 내야 한다."

티티라는 자신이 '당장은' 법황에게서 안전하다고 고백할 수 없었다. 법황이 우리의 과거를 알고, 심지어 별별 잔해까지 들고 있으며, 안스의 기억을 되살려 주겠노라 장담했다고…… 난 말 못 해.

그녀는 속으로 중얼거리며 문득 눈앞에 있는 상대를 느꼈다. 안스카리우스라는 사람이 자신을 정직하게 바라고 있다고. 우리 관계는 벌써 두 해 가까이 되었으며, 울고불고 몸부림친 끝에 겨우 이런 안정에 다다랐다고.

만일 안스가 돌아오면, 이 사람은 어떻게 되지?

그저 기억이 되살아날 뿐인가? 그러면 안스도, 안스카리우스도 내 곁에 있게 되나?

아니면…… 먼저 십 년을 견딘 안스가 주인이 되어 이 사람은 희미하게 사라져 버릴까?

조금 눈물이 날 것 같았다.

나는 여전히 안스에게, 안스가, 안스 때문에……. 하지만 슬펐다. 선택하기 싫었다.

티티라는 갑작스레 안스카리우스에게 키스했다.

곧장 후텁지근하게 오가는 숨은 사랑스럽고 멋졌다. 오늘 진창을 지난 직후 그와 마주쳤을 때 느꼈던 안도감 그 자체였다. 자신은 이 인간을 정말이지 너무 좋아했다.

삶에 빈틈이 없는 듯하면서도 한순간 돌아보면 텅 빈 사람. 그의 빈 공간에 들어갈 수 있는 건 나밖에 없지. 그 기우뚱거리는 간절함이 사랑스러웠다. 비대칭적인 예술품에서 느껴지는 짜릿함 같은 거야.

미안하지만 그에게 가득한 허탈감과 염세주의야말로 자신이 거부할 수 없는 유혹이었다. 그의 상처를 잔인하게 후벼 파다가, 어느 순간 자신도 엉엉 울고 싶었다.

티티라는 그의 손을 꽉 움켜잡았다.

숨이 떨어졌다.

콧등이 애무하듯 부딪혔다.

뜨거운 것이 다시 붙었다.

그녀는 헐떡이며 몸을 굽혔다.

큰 손이 올라와 턱을 틀어쥐었다. 다시 입 맞추었다.

"안스카르……."

신음이었다. 티티라는 몸을 꿈틀거리다가, 겨우 그의 가슴팍을 짚었다. 고개를 푹 숙였다.

"잠깐만……."

"나는 농담이 아닌데."

"'꾸며 낸다'고 했잖아……."

"네가 싫어하지 않는다면, 꾸며 낼 필요도 없지."

"미친 소리를 뻔뻔하게……."

"왜 미쳤다고 생각하는지 궁금하군."

"일이 너무 복잡해지니까……."

안스카리우스는 다시 제 귓가에 입 맞추었다. 귓바퀴가 살짝 깨물렸다.

"티, 무엇이 복잡해지는지 말해."

"관계가 지금 같지도 않을 거고……."

"글쎄. 잠자리가 그리 대단하진 않을 텐데."

티티라는 불쑥 분통이 터지는 것을 느꼈다. 몸을 확 뗐다.

"어디서 사제왕이, 자기도 자 본 적 없는 주제에."

아니, 이 정도로 정직하게 말할 생각은 없었다…….

안스카리우스의 눈이 살짝 커지더니 다시 가늘어졌다. 그가 웃고 있었다.

"그걸 걱정했군."

"아니, 아니."

"두려워서."

"아니라니까."

문득 투크 바하 씨의 말이 떠올랐다.

"아침 식사가 더 맛있어지는 관계가 되지."

이놈은 아침을 자기 손으로 안 만들잖아? 그럼 무슨 관계가 되는데?

정말 정신 나간 생각만 하고 있었다. 법황을 만나 시한부 선고를 받은 지 고작 반나절도 안 지났는데.

법황이 안스의 기억을 되살려 준다고 한 지 반나절도 안 지났는데.

티티라는 찬물을 끼얹은 듯 얼어붙었다.

고작해야 입맞춤 하나에 이렇게 시시덕댈 기분이 들었단 말이야? 저 사람 머릿속 어딘가에 안스가 갇혀 있을지도 모르는데?

"농담은 그만두지. 분명 필요하다. 너를 내실에 들여, 만일 네가 다치거나 죽는다면 바를라암이 복수할 명분을 주어야 해. 그 복수가 두려워 움직일 수 없게 해야 한다. 사제왕과 법황 사이에 유일하게 통하는 언어지."

"……."

"티?"

"아니, 아니야. 맞아. 동의해."

방금 뭐에 동의한 거였더라?

"너는 준비가 안 되었고, 법황은 성질이 급하다."

"어? 어……."

그가 자리에서 일어섰다. 그와 동시에 이불을 확 열어젖혔다.

티티라는 얼떨떨한 채 웅크렸다.

"추워."

"옆으로."

그녀는 아직 이불이 벗겨지지 않은 자리로 굴러갔다.

찰나, 불길하게도 쇠가 부딪히는 소리가 들렸다.

티티라는 곱게 이불을 덮었다가, 놀라서 몸을 반쯤 일으켰다.

"무슨……?"

그는 본인의 팔뚝을 몇 번 돌려 보더니, 가장 안전하고 깊은 자리에 칼날을 댔다. 순식간에 피가 배어났다. 아니, 뚝뚝, 떨어졌다.

안스카리우스는 몸을 숙여 이불에 피를 떨어뜨렸다.

티티라는 그제야 저 인간이 무슨 짓을 하는지 깨닫고 파르르 떨었다. 낮게 꾸짖었다.

"좀 더 생각을 하고 해야지!"

"법황청에서부터 결정했는데. 네가 깨어나는 즉시 이렇게 할 작정이었다. 너도 동의했듯 다른 방법이 없다."

"그래도 굳이 그…… 딴 걸 안 남겨도 되잖아……."

"사람들은 보이는 것에 약하다."

……법황이 똑같은 말을 하며 제 앞에 안스의 잔해를 던졌지.

자신도 그 종이를 보고 나서야 비로소 법황의 말을 믿었다. 법황이 정말로 안스와 자신의 관계를 아는구나. 완전히 설득당해 숨이 막히기까지 했다.

티티라는 결국 안스카리우스의 우스꽝스러운 행동을 받아들일 수밖에 없었다. 그녀도 그렇게 설득당한 사람 중 하나였으니까.

그는 이불에 핏자국을 만든 뒤, 상처를 천으로 감쌌다. 모든 동작들은 마치 오래전부터 계획되었던 듯 차분하기만 했다.

티티라는 그의 비스듬한 등을 바라보며 중얼거리듯 물었다.

"그러면 내일부터 난 어떻게 되는 거야?"

안스카리우스는 칼날을 무성의하게 갈무리하며 답했다.

"내실에 들어라."

"그러면 거기서 못 나와?"

그는 시선만 흘끗 돌려 티티라를 바라보았다.

"여기서 못 나오나, 그곳에서 못 나오나 다를 건 없어. 그나마 내실에는 바깥 정원이 있으니 참을 만할 거다."

"그래도 '손님'을 묵게 하는 방과 '애첩'이 머무르는 방은 다르지. 대접도 다를 거고."

그는 뻔뻔한 단어 선택에 기가 막힌 듯했다. 자신을 한 번 바라보곤 다시 고개를 숙였다.

"걱정 마라. 사제왕의 연인에게 함부로 대할 이는 없어."

"그 '칼카스'인지 뭔지 하는 하인, 내 얼굴을 보자마자 아주 죽상을 하던데. 시노드 신넬인을 그으렇게 경멸하는 사람도 사제왕의 연인이라면 다 대우해 주는 건가? 이렇게 불량한 여자랑 잔 당신

욕은 안 해? 내가 예전에도 얘기했잖아. 짐승이랑 접붙는 거라고.”
티티라는 생각 없이 내뱉다가 허탈하게 웃었다.
그날 자리에 있던 진짜 연인은 죽었고, 살아남은 자들이 난데없이 한 이불을 덮으려 하고 있었다.
“……교국인들은 날 짐승으로 생각할 거 아냐. 당신은 수간을 하는 거고.”
과거의 제 말을 똑같이 따라 했다. 어절, 어절마다 비웃음인지 슬픔인지 모를 감정이 비어져 나왔다.
안스카리우스는 대답하지 않았다. 여전히 반쯤 뒤돈 채— 이제는 겉옷을 벗고 있었다.
티티라는 그의 행동을 알아차렸다. 제 옆자리에 잔뜩 구겨져 일어난 이불을 삭삭 펴 주었다. 저가 기댔던 베개도 편평하게 놓았다.
“글쎄…….”
그는 단추를 풀며 중얼거렸다.
마침내 한숨과 함께 바닥에 옷가지들을 던졌다.
“서로에게 수간이겠지.”
티티라는 눈만 멀뚱멀뚱 뜨고 있다가, 한순간 상체를 반쯤 일으켰다.
“당신은 가끔 진짜…….”
“왜? 더 연인 같은 말 아닌가?”
얼굴이 달아올랐다.
“어디 가서 사제왕이라고 하지 마. 신을 믿는다거나 동정을 지킨다거나, 그만 소리 좀 하지 마. 벼락 맞을걸.”
안스카리우스가 마지막 상의를 벗어 떨어뜨렸다.

티티라는 신나게 떠들다가 움찔했다. 저 상처는 봐도 봐도 적응이 안 되었다. 저도 모르게 속삭였다.

"상처……."

안스카리우스는 저벅저벅 방을 헤집고 다녔다. 그가 다니는 자리마다 뱀의 잔해처럼 옷가지가 떨어졌다. 티티라는 괜히 제 잠옷을 들춰 보다가, '암, 말도 안 되지.' 다짐하며 다시 꽁꽁 싸맸다.

그는 얇은 가운 하나를 잡아 걸쳤다.

그리고 예고도 없이 침대로 다가왔다.

티티라는 이불 속에서 눈만 내놓고 있었다. 안스카리우스가 손짓으로 허락을 구했을 때, 조심스레 고개만 끄덕였다.

그가 침대 안으로 들어오자 몸이 움푹 꺼졌다. 티티라는 그 급격한 변화에 입 모양으로만 감탄했다.

안스카리우스는 정적 속에서 등을 돌렸다. 넓은 침대라 정말이지 바다 건너에 있는 것 같았다. 그녀는 그림자를 뚫어져라 바라보다가 툭 내뱉었다.

"참, 법황은 이미 당신이 날 좋아하는 걸 알고 있어. 그놈의 권능으로 알아낸 건지."

"어림짐작했겠지. 상관없다. 법황이 첫 만남에 널 무의미하게 치워 버리지 않았으니, 우리 계획은 쓸모가 없어진 셈이다."

티티라는 오랜 시간 이야기하고도 폐기된 계획에 투덜거리지 않았다. 그들은 최선을 다해 대비했고, 이젠 다른 상황에서 대처할 따름이었다.

"안스카르, 그 인간이 뭐라는지 알아? 우리가 '침대를 덥힐수록' 좋대. '당신이 냉정하게 판단할 수 없도록' 만들래."

"그래."

안스카리우스는 여전히 몇 뼘이나 떨어진 거리에서 등을 돌리고 있었다. 그의 목소리는 마치 저 벽 너머에서 들리는 듯 웅웅거렸다.

"'그래'? 그게 끝이야?"

"이만 자라."

티티라는 꾸중을 들은 철부지처럼 불만스레 그의 등을 바라보았다.

그러나 평소처럼 달려들 마음은 들지 않았다. 침대에서 그러는 건…… 꽤나 바보 같은 짓이다. 그가 거리를 둔 채 임무를 다하게 두는 편이 나았다.

티티라는 천장을 보고 누웠다. 눈만 또록또록 굴려 시꺼먼 밤을 바라보았다. 또 창가로 시선을 돌려, 안스를 떠올렸던 바로 어젯밤을 되새겼다. 마음 한구석이 알싸할 뿐 어제처럼 눈물이 나진 않았다.

안스카리우스가 곁에 있기에, 아직은 괜찮았다.

창가로 쏟아지는 어스름에 무너지지 않을 수 있었다.

안스가 편안하게 떠났으리라 생각하며 꾸역꾸역 고통을 삼켰다. 제 옆에 누운 연인은 상처에 붙이는 작은 천에 불과했지만, 손에 쥔 것 없이 황야에 버려진 사람에게는 그조차 고마웠다.

티티라는 중얼거렸다.

"고마워."

그는 대답하지 않았다.

다음 날 아침, 티티라는 또다시 지긋지긋한 하녀들에게 둘러싸여 일어났다.

그들은 어제보다 더 부드럽게 자신을 깨웠다. 오르골과 정향을 들고 와 주변에 늘어놓았다. 수런거리며, 이불을 깨끗이 하겠다는 말만 여러 번 반복했다. 티티라는 그게 그들 방식으로 '잠자리'를 표현한 거란 사실을 느지막이 깨달았다.

안스카리우스는 어디 갔을까, 생각하는데 이불이 훅 들렸다.

어제 그가 만들어 둔 핏자국이 보이자 제 것도 아닌데 얼굴이 붉어졌다.

주의 깊게 자신을 살피던 하녀가 마침내 속삭였다.

"내실로 모시겠습니다."

아무도 네가 사제왕 놈팡이와 잤으니 특별한 방에 넣어 주겠다는 식으로 말하지 않았다. 그저 새로운 방으로 모시겠다는 말뿐이었다. 내내 헷갈렸지만 이들을 보니 확실히 '잠자리'가 금기시되기는 하는 것 같았다.

티티라는 자기가 왜 옮겨야 하는지 짓궂게 물어볼까 하다가 그만두었다. 같은 인간 취급도 못 받는데 농담을 지껄였다간 욕이나 더 먹지.

그녀는 목줄 잡힌 개처럼 내실로 이동했다. 하녀들이 와글와글 자신을 둘러쌌는데, 제 키가 작은 탓에 아무것도 보지 못했다. 파도에 묻힌 바다 벌레 같았다. 계단을 꽤나 내려갔고, 넓은 공간이 꼭 처음 들어왔던 홀 같다는 느낌 정도는 들었지만.

홀은 유난히 소란스러웠다.

"각하를 뵈러 왔다고 말씀드리지 않습니까?"

"안 됩니다. 사전에 약속을 잡으십시오."

"전갈을 보냈는데 닿지 않았거나, 누군가 억지로 없앤 모양입니다."

"그럴 리가요? 억측이 심하십니다."

"각하께서도 반기실 겁니다. 들여보내 주십시오."

티티라는 몸을 이쪽저쪽으로 빼 짜증 내는 인간의 얼굴을 확인하려 했다. 목소리만 듣자면 나이가 꽤나 든 듯한데, 생각보단 또 한참 어릴 것 같기도 했다. 나이 든 인간의 피로함과 젊은이의 흥분을 종잡을 수 없을 정도로 뒤섞어 둔 듯했다.

"안 된다고 누누이 말했습니다. 사제왕 바를라암 각하께선 이틀 전 귀환하셨습니다. 노독이 풀리실 때까지 기다려야 합니다."

"마지막 석 달은 어린애도 배를 띄울 수 있는 해안가에서 항해했죠. 각하께선 충분히 휴식을 취하셨을 겁니다. 아니, 내 말에 토 달지 마십시오. 먼저 각하께 알리고 거절하시면 차라리 그때 말씀 주세요."

"각하께서 북부 요르타시에 다녀오신 이후론 얼굴도 잘 비치지 않던 인간이 무슨 배짱으로 약속도 없이 들여 달라 하는 겁니까? 오늘은 수도원으로 돌아가시고 추후 소식을 기다리십시오. 경비병!"

"이봐, 시노드 신넬의 풍토병이 있단 말이야!"

하녀들이 흘끔 자신을 바라보았다. 젠장, 저건 또 무슨 소리야? 티티라는 졸지에 병균 처지가 되어 투덜거렸다.

"그 풍토병에 걸리셨는지 확인을 해야 한단 말입니다. 당장 진단하여 고치지 않으면 어떻게 되는지 알아요? 나는 압니다. 사지 한 짝을 잘라 내셔야 할지도 모릅니다."

"불경한 소리를……!"

귀 기울여 듣자 하니 슬슬 웃음이 나오려 했다. 저 인간은 안스카리우스를 만나고자 거짓말을 주워 삼키고 있는 게 분명했다. 대체 어떤 교국인이 '시노드 신넬의 풍토병' 따위를 협박 문구로 삼는다는 말인가. 오히려 누가 봐도 거짓말인데 하인이 믿을 만큼의 권위가 있다는 사실이 놀라웠다.

등 뒤로 홀이 서서히 멀어지고 있었다. 티티라는 뒷이야기가 너무 궁금해서 자꾸만 고개를 돌렸지만, 여전히 키 큰 하녀들 사이에서 아무것도 보지 못했다.

그녀는 결국 대화를 놓친 채 회랑으로 둘러싸인 정원에 다다랐다.

내내 한숨을 쉬다가…… 하녀들 사이로 드러난 수조에 입을 벌렸다.

수면 위 햇살은 수많은 그림자 속에서도 눈부시게 빛났다. 작고 정교한 아치, 섬세한 조각이 반사되었다. 그 위로, 옆으로, 사람들의 얼굴이 스쳐 지나갔다. 바르르 떨렸다.

티티라는 감탄했다. 바다에 비해선 한없이 옹졸한 수조였지만, 이 건물의 일부로 생각한다면 꽤나 아름다웠다. 누군가 완벽한 계산을 해낸 듯, 회랑을 비추는 자리에 물의 신처럼 누워 있었다.

그녀는 그 물에 손을 넣어 보고 싶었다. 저 수조에 담긴 물은 어디서 나오는 걸까? 손을 넣으면 그 소용돌이가 느껴질까? 생각보다 깊어서, 쑥 하고 빠지는 거 아냐?

티티라는 낄낄거렸다.

다시 지붕 안으로 들어왔다. 하녀들 중 절반 가까이가 떨어져 나갔다. 이제 자신은 비교적 느슨한 감옥에 갇혀 있었다.

또 다른 문으로 나갔다.

티티라는 슬슬 저를 미로에 가두나 싶어 불만스러운 얼굴이 되었다. '내실'이라고 해도 대충 안쪽 건물 한 층 정도를 생각했지, 이렇게까지 깊이 끌고 갈 줄은 상상도 못 했던 것이다.

그렇게 지붕을 한 번 더 지나고 난 뒤에야…….

아치를 넘는 순간, 이곳이 어디인지 깨달았다.

눈앞의 건물은 폭이 좁아 아담했다. 반면 그를 둘러싼 정원은 압도적으로, 그녀를 감탄하게 만든 주 정원보다 정교하고 거대했다. 수많은 조각품과 수조들, 그와 어우러진 주목들이 겨울철 새파란 숨처럼 서 있었다.

그리고 그보다…… 티티라는 처음 인상과 달리 건물의 깊이가 깊다는 사실을 발견하고, 모든 것이 의도적인 설계임을 깨달았다. 장대한 정원과 좁은 폭 덕분에 외딴 섬처럼 보이는 곳. 그러나 안쪽은 넓어서, 완전히 다른 광경이 펼쳐지는 장소.

티티라는 좀 악질이라고 생각했다. 이 자리는 사람을 평생토록 안전하고 편하게, 땅에 묻힌 뿌리처럼 지내게 만들 듯했다.

바깥만큼 화려한 안에 들었을 때에도 그녀의 생각엔 변함이 없었다. 안스카리우스가 저를 끝끝내 여기 머무르게 한다면 두 눈을 찔러 줘야지, 결심했다.

티티라는 방 안에 들어선 뒤, 본격적으로 목욕 시중을 들려 하는 하녀들을 내쫓았다. 예전이라면 호락호락하지 않았을 텐데, 안스카리우스가 무어라 말해 두었는지 말 한마디에 썰물처럼 떠나는 모습이 조금 아니꼬웠다.

그녀는 방 안을 어정거렸다. 허리 숙여 장식물들을 구경하고 소매로 문질러 보았다. 소파에 덮인 천을 몸에 두르고, 옷장 속 옷은 한 벌, 한 벌 바닥으로 내팽개쳤다. 탁자 위 보석함을 연 뒤 손가락에 걸어 보았다. 차르륵, 반짝이는 것이 마찰하는 소리가 났다.

확실히 너무 비싼 것들은 가짜처럼 보일 때가 있다.

전부 제 몸뚱이보다 값지다는 사실을 알면서도, 갑작스레 세상이 무너져 모두 평등하게 사라질 듯한 느낌, 그래서 가치를 셈하기에 앞서 문득 조롱하게 되는 느낌 말이다.

그동안 비싼 물건들을 자주 만졌으나 제 소유는 아니었다. 사실 지금도, 그녀의 소유는 아니었다.

그녀는 투명한 보석이 박힌 목걸이를 바닥에 떨어트렸다.

신 앞에 검소하단 말은 개풀이나 뜯어 먹으라지. 순식간에 산처럼 쌓인 사치품 사이에서, 고개만 불뚝 튀어나온 심술꾼이 말했다.

안스카리우스는 문을 두드린 이에게 들어오라고 명했다. 아마 상대의 정체에 대해 크게 신경 쓰지 않았던 것 같다.

"각하."

그는 목소리를 듣고서야 시선을 들었다.

아주 잠깐 지체한 뒤, 실수했다고 느꼈다. 그는 적절한 순간을 놓쳤다고 생각하면서도 조용히 말했다.

"오랜만이다."

"벌써 성하를 만나 뵙고 오셨다는 소식을 들었습니다. 이에 저같이 미천한 이도 바를라암 관에 방문을 여쭐 수 있겠다는 생각이 들었지요."

"용케 칼카스를 설득했군."

"사제왕의 첫째가는 수족을 의미하는 '칼카스'는 각하의 심신을 수호할 의무가 있습니다."

"그래서?"

"시노드 신넬의 풍토병을 검진해야 한다고 했습니다."

안스카리우스는 뜻 모를 한숨을 쉬곤, 정리하던 서류들을 내려놓았다.

“아펭글로, 진짜 용건은?”

아펭글로가 몇 걸음 다가와 방 한복판에 섰다.

그는 마지막에 만났을 때보다 나이가 들어 있었다. 물론 그것이 그를 더 ‘노인처럼’ 보이게 만들지는 않았다. 다른 이들보다 고생하여 더 주름지고 굽었으나, 그 자체가 젊은 시절의 상흔처럼 보였던 탓이다. 제 흉악한 상처를 자랑하는 어떤 칼잡이들처럼, 저자에게는 닳아 빠진 살가죽과 베여 나간 귀만이 인생을 증명할 것이다.

“각하께서 특별한 손님과 함께 오셨다는 소문을 들었습니다.”

안스카리우스는 상대를 빤히 바라보았다. 그가 처음 꺼내리라 생각한 용건이 나오지 않아, 조금 의아했다.

“그 전에 비통할 일이 있을 것이다. 너를 살려 준 사제왕이 시해당했다.”

“예.”

자신이 아는 아펭글로라면 예의 바르게, 거리를 둔 채, 자연스레 탈란타우에를 애도했을 것이다. 어느 날 이후 탈란타우에와 멀어졌더라도 그 헤어짐은 개인적이라기보단 단지 생각의 차이였다. 적어도 안스카리우스는 그렇게 믿고 있었다.

그러나 지금의 아펭글로는 탈란타우에를 애도하지 않는단 사실을 자랑하다시피 했다. 자기 고집을 알아 달라는 듯 뻗대었다.

안스카리우스는 다시 한번 요구했다.

“네가 법황청의 지하에서 나올 수 있도록 도움을 준 사제왕 탈란타우에가 죽었다. 내 아무리 너를 가까이 여긴다 하나, 지켜야 할 법도가 있다.”

"저는 지금 사제왕 탈란타우에 각하의 장례식에 방문한 것이 아닙니다. 굳이 긴 미사여구로 감정을 표현하여 각하의 시간을 낭비하고 싶지 않습니다."

"사제왕의 장례식에는 오로지 친족들만이 얼굴을 비칠 수 있다. 그렇다면 너는 절대로 탈란타우에를 애도하지 않겠다는 말인가?"

"각하."

아펭글로의 회피는 기이할 정도였다.

안스카리우스는 이제 그의 무례함에 언짢아졌다기보단, 순전한 호기심으로 칼을 들었다.

"마지막으로 말해야 하나?"

아펭글로는 모호한 표정으로 자신을 바라보았다.

마침내 그의 입이 열렸다.

"탈란타우에 관에 제 이름으로 애도의 글을 바치겠습니다."

한 사람이 표할 수 있는 최고의 조의弔意였다. 그런 번거로운 일을 할지언정 당장은 절대로 입 밖에 내지 않겠다고. 안스카리우스는 기억해 두기로 했다.

아펭글로는 제 침묵을 허락으로 받아들였는지 다시 입을 열었다.

"각하, 저는 각하의 특별한 손님에 대해 여쭙고자 이 자리에 섰습니다."

그의 질문은 두 번째에야 자신을 건드렸다.

'특별한 손님'?

안스카리우스의 손에 힘이 들어갔다.

"무슨 뜻인가?"

"탈란타우에 각하 시해 건에 대해…… 뭇사람들이 각하께서 시노드 신넬 증인을 데려왔다고 수군거리더군요. 진실입니까?"

숨길 이유는 없었다. 하지만 아펭글로가 왜 관심을 가지는 것인가?

"옳다. 함께 성하를 배알하고 소상히 말씀드렸다."

"혹시 이후 처리는 어찌할 예정이십니까?"

안스카리우스는 인상을 찌푸렸다.

지금까지 그의 말을 경청했던 것만으로도 충분한 아량을 베푼 셈이었다. 한때 신뢰의 토대를 닦았다 한들 이미 오래전 일이었고, 더 나아가 티티라에 대해 그에게 털어놓을 이유가 없었다.

그래. 사실 그가 오늘 여기까지 찾아온 것도 참 무람없는 짓이었다. 저자는 자신이 기억을 잃은 후 철저하게 거리를 두었기 때문이다.

그때 안스카리우스는 기대했다가 금세 실망했고, 주춤거리며 물러났다. 그 뒤 북부 요르타시에 다녀온 몇 년, 다시 총독이 되어 떠나 있던 기간을 생각하면 그들 간의 관계는 존재하지 않다시피 했다.

안스카리우스는 딱딱하게 대답했다.

"당신에게 알려 줄 이유가 없다."

"시노드 신넬인입니다. 바를라암 관에 계속 머물게 두실지 궁금합니다."

"그들이 천해서 문제가 되나?"

"각하, 저는 시노드 신넬인들과 여러 해를 함께 지냈습니다. 교국인으로서 신을 믿지 않는 자들을 천민으로 여기려 하지만, 여전히 애틋한 감정을 숨길 수 없습니다."

"……."

"하나 다른 인간들이 저처럼 생각할지 알 수 없는 일이니 새로운 신분을 주어 적당한 도시에 배속하시는 것은 어떻습니까?"

"왜?"

아펭글로는 현명했지만, 여전히 아이처럼 직선적인 구석이 있었다. 적어도 자신이 마지막으로 만났던 그는 그러했다. 그렇기에 제 질문에 대한 답도 상상 이상으로 정직하리라, 각오했다.

"저는 시노드 신넬인이 보고 싶습니다."

"………."

"그들을 보지 못한 지가 너무 오래되었습니다. 그뿐 아니라 그자가 남부 도시 출신이라면, 저를 도와주었던 이들의 소식을 전해 줄 수 있을 겁니다. 사리사욕으로 급히 달려온 점 사죄드립니다. 노욕老慾을 용서하소서."

팔이 느슨해졌다.

젊은 시절 시노드 신넬에 머물렀던 아펭글로라면 저런 희망을 품을 법도 했다. 멀리했던 사제왕에게 염치 불고하고 찾아올 정도로 절실했던 것이다.

안스카리우스는 '아펭글로'를 언급할 때마다 밝아지던 티티라의 얼굴을 떠올렸다. 만남을 주선하는 것도 나쁘지는 않을 것이다. 특히 그녀가 지금처럼 순순히 내실로 들어간 상황이라면 얼마 안 가 싫증을 낼 터라, 무료함을 달랠 무언가가 필요하기도 했다.

문득 옛날의 자신이 기억을 잃기 전 아펭글로에게 티티라에 대해 이야기했을까 생각했지만, 곧 지워 버렸다. 법황이 제 모든 것을 안다고 입이 찢어져라 웃고 있는 지금에 이르러선 그다지 중요한 일이 아니었다.

그보단 티티라의 들뜬 바람과, 희망이 엿보이는 아펭글로의 눈이 마음에 들었다.

그리고…… 그들의 비밀스러운 성정이 반가운 사람을 만나 열리지 않을까 하는 바람도.

안스카리우스는 솔직해졌다.

"당신에게 여러 기회를 주었건만, 필요한 것이 있는 지금에서야 돌아보는군."

실로 그러했다. 안스카리우스는 보다 어렸던 시절, 아펭글로가 제게 조언해 주기를 바랐다. 단순한 지식의 전달자로서가 아니라, 그 이상의 유대로, 스승으로. 자신이 아펭글로와 사제지간이었다던 사용인들의 말에 품게 된 어떤 바람이 있었다.

그러나 그는 완고하게 거부했다.

아펭글로는 제 말을 부정하지도, 모른 체하지도 않았다. 단지 잠자코 서서 당신에게는 관심이 없노라 표현할 뿐이었다.

안스카리우스는 바다를 건너온 낯선 이보다 자신이 무가치하다는 사실에 쓴웃음을 지었다. 가끔은 그에게 악감정이라도 산 탈란타우에가 대단하게 느껴질 정도였다.

"그녀의 의사를 확인한 뒤 연락하겠다."

아펭글로의 얼굴이 일그러졌다.

안스카리우스는 의아하여 몸을 기울였다.

"왜?"

"……증인이 여성분인 줄 몰랐습니다."

"문제가 되나?"

"아니요. 잠깐 당황했을 뿐입니다. 얼굴도, 이름도 모르는데 남성이리라 지레짐작한 제 과오입니다."

"알겠다."

안스카리우스는 그가 바로 인사한 뒤 떠날 줄 알았다.

그러나 그는 제자리에서 머뭇거리더니, 간결한 문장을 덧붙였다.

"각하, 무사히 돌아오셔서 정말 다행입니다."

잠시 놀랐으나, 탈란타우에가 죽은 이유를 모르니 나올 법한 말로 여겨졌다. 아마 폭동이 있었으리라 생각할 것이다.

"그래."

"저를 용서하신다면, 다시 뵐 수 있는 날을 고대하겠습니다."

안스카리우스는 대답하지 않았다.

무엇을 용서한다는 말인가?

아펭글로는 고개 숙여 예를 표한 뒤 떠났다.

안스카리우스는 일과를 마친 뒤 내실로 향했다. 정원을 가로지르는 발걸음이 급해졌다가, 그 사실에 놀라 느릿해졌다. 그는 혼란스러운 마음으로 방에 들었다.

방 안은 그의 머릿속보다 복잡했다.

그는 잡기를 조금씩 발로 치우다가, 여러 옷가지와 보석 사이에 묻혀 있는 티티라의 뺨을 발견했다.

자는 듯했으나, 자신이 한 번 더 걸음을 뗀 순간 그녀의 두 눈이 크게 뜨였다. 시선이 올라왔다.

그토록 많이 본 눈인데도, 그 빛이 드러날 때마다 아주 잠깐 동안 말문이 막히곤 했다. 누군가는 그저 검다고 표현하겠지만 밝은 곳에서는 분명 일식日蝕 같은 눈이었다. 검은 테두리 속, 올리브색 바탕, 그리고 다시 짙은 동공. 그림자가 남부의 태양을 가리고 있었다.

깜박였다.

말했다.

"방 옮겨 줘."

안스카리우스는 시선을 돌렸다. 치울 수 있는 곳부터 손을 대기 시작했다.

"티, 사용인들은?"

"들어오지 못하게 했어. 내 말을 잘 듣더라고."

"'내실'에 들었으니, 이제 널 거역할 이는 없을 거다."

"아, 예. 예."

"방을 옮겨야 하는 이유가 있나?"

"여기 너무 이상해. 죄인도 아닌데 갇힌 느낌이야."

"사제왕의 반려라면 법황이 죽이기에 딱 알맞지. 사제왕만큼 신민의 존경을 받지 않고, 구태여 사인을 추적할 만큼 중요한 인물도 아니니. 몇 번의 살해가 이런 편집증적인 구조를 만들었을지 짐작해 보는 게 좋겠다."

티티라는 징그럽다는 표정으로 고개를 흔들었다.

"당신들은 서로를 너무 사랑해. 내가 만나 보고 깨달은 거야. 바깥에서 보면 별것도 아닌데 목숨을 걸고 있잖아."

"그보단 권력과 돈이겠지……. 비켜라."

그녀는 몸을 살짝만 돌려 그가 천을 가져갈 수 있도록 해 주었다. 그는 잔뜩 구겨진 천을 포개며, 그녀가 흥미를 느낄 만한 이야기를 했다.

"낮에 아펭글로가 찾아왔는데."

숨을 들이켜는 소리가 났다.

"진짜로?"

"……그래."

"만나게 해 줄 수 있나?"

"그 이야기를 하려 했다."

"어, 하, 응."

잔뜩 흥분한 숨이 대화를 채웠다. 안스카리우스는 질문을 꺼내는 의미가 있을지 잠깐 생각했다.

"당장은 자유롭게 바깥을 오갈 수 없는 처지니, 아펭글로를 말벗으로 삼는 것은 어떤가? 그는—"

"좋아!"

"—교국에 대해서도 잘 가르칠 수 있을 거다."

"그래? 어떻게 알아? 시노드 신넬에 머물렀던 적이 있어서 이방인한테 친절한가?"

"비슷하다. 그리고 교국에 처음 왔던 나의 선생이었다. 기억은 안 나지만."

티티라의 낯빛이 변했다.

"당신 기억 잃기 전을 안다고?"

안스카리우스는 티티라의 얼굴을 보자 속이 뒤틀렸다. 낮에 비슷한 고민을 마치고도, 순식간에 들이닥쳐 저항할 수 없는 감정이었다.

그녀는 본인도 모르는 아주 짧은 찰나, 놀라움, 희망, 두려움, 안타까움, 슬픔을 모두 드러냈다. '안스'가 얼마나 길게, 자세히 언급되었는지는 상관없었다. '안스'는 입 밖에 나오는 순간 티티라를 뒤덮는 기억 그 자체였다.

안스카리우스는 표정을 숨기기 위해 다시 몸을 숙였다.

"그래. 그러고 보니 한동안 아펭글로에게 가르침을 받았다는 사실을 말하지 않았군."

"안 했어."

"시노드 신넬을 겪은 데다 명민한 이라 내 선생으로 천거되었던 모양이다."

"그게 중요한 게 아니라, 아펭글로가 날 알 텐데? 안스라면 분명히 내 얘기를 했을 거라고. '티티라 돔니니', 말했을걸? 아니다. 좋아하는 애라는 사실까지 말했을걸? 칠칠맞지 못하게 다 떠들었을 거야."

티티라는 '안스'가 제 이야기를 했으리라 믿어 의심치 않았다. 감히 넘볼 수 없는 신뢰가 안스카리우스를 바깥으로 밀어냈다.

"—'안스'를 아는 아펭글로에게 내가 입단속을 못 하면 문제가 생길 거야. 옛 친구를 데려왔으니 당신 기억이 되살아난 건 아닌가, 사제왕에서 소조폴 소년이 되었는데 그걸 믿음직스러운 상태라고 할 수 있나, 의심이 들 수밖에 없지."

"……걱정 마라. 아펭글로는 나와 그리 친밀한 사제지간이 아니었다. 그 시간마저 한 해가 안 되었고."

"아……. 그래도 아니야. 아무리 내가 그 사람을 궁금해한들 당신 위험한 일에 욕심을 부리긴 싫어."

'안스'에 무너졌으면서, 다시 결심을 다잡은 티티라의 모습이 마음에 들지 않았다.

안스카리우스는 딱딱하게 밀어붙였다.

"설혹 아펭글로가 네 이름을 기억한들, 상관없다. 그자는 사제왕에겐 경멸당하고 법황에겐 증오를 사는 이방인이므로, 누구에게도 발설하기 힘들다. 그리고 모든 걸 떠나서 이미 법황이 우리를 안다면 숨길 이유가 없지."

티티라는 인상을 찌푸린 채 침대에 턱을 얹었다.

"어째서 당신은 신경을 안 쓰는 거지……."

신경을 안 쓴다기보단, 무게를 잰 것이다.

티티라는 다양한 교국인을 만나야 했다. 이제 그녀는 시노드 신넬 출신 증인이 아니라 바를라암의 연인이기 때문이었다. 시노드 신넬인에 불과했을 때는 숨겨야 했지만 사제왕의 연인일 때는 오히려 알려야 했다.

아펭글로가 사제왕의 옛 기억을 발설하지만 않는다면, 그는 방문객의 첫걸음을 떼기에 적절한 사람이었다.

그리고 아펭글로는 '사제왕의 옛 기억을 발설하지 않'을 사람이고.

지난 십 년간 그는 '바를라암'을 거의 입에 담지 않았다. 이번에도 마찬가지일 테니, 그가 '티티라 돔니니'를 안다는 사실은 그다지 걸림돌이 되지 못했다.

또한 은근히 바랐듯, 티티라와 아펭글로가 대화를 나눈다면 어떤 식으로든 제 귀에 들어오리라 생각하기도 했다. 저들이 자신에게 함구하는 이야기를 손에 쥘 수 있을지도 몰랐다.

마지막으로…… 누군가 마음속 수치스러운 문장을 짚어 주었다.

'나는 걱정하는 체하는 티티라의 모습이 언짢았다.'

'안스'에 밑동부터 흔들리는 사람이, 아무 일도 없었다는 듯 다시 반듯이 양보하려 들자 화가 났다.

티티라는 자신이 그녀에게 중요한 사람인 듯 굴고 있었다. 실은 마음을 두지 않았으면서.

그녀는 가끔 거짓말 같았다.

이상하고 추잡스러운 감정이었다. 설명하기 어려웠다.

"정말 괜찮으면 아펭글로한테 안스에 대해 질문해도 돼? 궁금한 게 진짜 많은데."

이런 말들…….

아닌 척 숨기다가, 허락받자마자 해일처럼 쏟아 내는 기쁨과 그리움들.

"안스가 여기서 어떻게 지냈는지 알고 싶어."

티티라는 침대 위를 조심스레 쓸었다. 마치 그 자리에 사람이 누워 있기라도 한 듯, 아슬아슬하고 애틋한 손이었다.

안스카리우스는 그녀에게 몸을 숙였다.

티티라가 고개를 드는 사이, 그녀를 안아 올렸다. 그녀는 반항하지 않았다. 잘 동여맨 짐짝처럼 자신에게 기대어 있었다.

티티라의 손이 제 어깨를 감쌌다.

"혹시 이야기하다 보면 당신 기억도 되살릴 수 있지 않을까?"

그는 멈칫했다.

그러나 그것도 순간일 뿐, 곧장 침대에 그녀를 내려놓았다. 티티라는 빙그레 웃으며 고개를 기울였다.

"농담이야. 될 리가 있나."

"너는 내……."

안스카리우스는 티티라의 표정을 보고서야 자신이 이상한 말을 내뱉었다는 사실을 깨달았다.

"'너는 내'?"

"……."

"안스카르, 무슨 뜻이야?"

티티라의 의아한 표정, 힘줄이 선 제 손아귀, 절벽에서 뛰어내린 듯 쿵쿵 뛰는 심장이 그를 혼란스럽게 했다.

안스카리우스는 떠밀려 대답했다.

"너는 내 기억이 되살아나길 바라는 건가?"

그녀의 얼굴 위로 물살이 밀려들었다. 분명했던 감정이 흐려지고, 울고, 불어 올랐다가, 다시 잠잠해졌다.

티티라는 상체를 반쯤 일으켜 세웠다. 얼굴이 일그러져 있었다.

"아니, 아니야……."

안스카리우스는 침대에서 한 걸음 물러났다.

"의미 없는 질문이었다."

"물어보고 싶었던 거잖아. 대답할게. 난 당신이 안스가 아니어도 괜찮다고 분명히 말했어."

"잊어라."

"혹시 내가 실수했다면…… 난 그저, '안스'가 우리 둘 모두 아는 어떤 사람이라고 생각했어. 오랜만에 만난 이의 근황을 나누듯이…… 그뿐이야. 내가 편하게 이야기할 수 있는 상대가 당신 말고 또 있겠어……?"

티티라는 그녀답지 않게 말을 더듬었다.

안스카리우스는 뒤돌아 떠났다.

방에 홀로 남은 티티라가 머리를 쥐어뜯었다.

제겐 안스만 떠올리면 열병 걸린 사람처럼 떠드는 버릇이 있었다. 십 년 동안 못 고쳤다면, 솔직히 앞으로도 고치긴 힘들 것 같았다. 게다가 똑같은 얼굴이 코앞에 있는데 잡담하지 않고 배겨?

게다가 안스카리우스가 처음에 자신을 찾은 이유가 '안스의 기억' 때문이라는 사실도 그녀를 방심하게 만들었다. 연인이 된 뒤에도 그들 사이에서 부담 없는 주제일 거라고 착각했다.

하지만 제 착각이었다. 아니, 실수였고 게으름이었다. 조금만 깊이 생각했어도 —아니! 애초에 우리를 이어 준 말이 '당신이 안스가 아니어도 좋아한다.'는 고백이었는데!— 그 앞에서 안스에 대해 줄줄 떠들지는 않았을 것이다.

아!

깨달음은 연달아 닥쳤다.

이우니오 제도에서도 이것 때문에 화가 났던 거구나. 밤바다에서 그 애를 생각하고 있었다고 고백해서. 제 기억력에 감탄하다가, 멍청이가 이럴 거면 그때 잘하지 그랬느냐고 혼자 욕했다.

이제 명백해졌다. 안스카리우스는 자신이 안스에 대해 이야기하는 것을 싫어했다.

그는 자신이 안스에게 품지 않은 애정을 본인에게 가졌노라 확신하고도…… 불안해했다.

당연하다. 안스는 제 삶의 일부였고, 부정할 수도, 그럴 생각도 없었다. 안스카리우스 또한 그 사실을 분명히 아는 사람이었지만, 그래도 매번 그의 눈앞에 안스를 들이미는 행위는 확실히 선을 넘었다. 무의식중에 저질렀다 해도 변명이 되진 않았다.

티티라는 다시 한번 머리를 쥐어뜯었다. 일찍 일찍 좀 깨닫지, 눈치 없이 떠들기나 하고……!

티티라는 주먹으로 얼굴을 뭉개다가, 벌떡 일어섰다. 그를 찾으러 가야겠다. 이렇게 밤을 보낼 수는 없었다.

그녀는 급하게 겉옷을 챙겨 입고 방 바깥으로 나갔다. 기척을 느낀 하녀들이 질세라 달려왔다.

"음, 사제왕 각하께서는 어디로 가셨나요?"

그들은 잠시 시선을 교환하더니, 숨기지 않고 대답해 주었다.

"안디올리 관으로 가셨습니다."

"아, 안?"

"처음 들어오신 그 건물을 뜻합니다."

"나도, 저도 갈 수 있나요?"

"물론이지요. 안내해 드리겠습니다."

티티라는 꽤나 탄력적인 자유에 헛웃음을 터뜨렸다. 지금까지는 못 나가게 했으면서, 연인을 만나러 간다니 급히 길을 열어 주는 모양새였다.

물론 그녀는 찍소리 하지 않고 하녀들을 따라갔다. 그들은 여전히 자신을 감싼 채 걸었다.

그렇게 한참 뒤, 계단으로 안내되었다. 티티라는 휘청거리며 따랐다.

몇 층이나 올랐을까. 불이 환하게 켜진 문틈이 보였다. 그제야 하녀들이 앞을 비켜 주었다. 티티라는 낯부끄럽다고 생각하며 고개를 꾸벅꾸벅 숙였다.

누군가 문을 열어 주거나, 적어도 방문객의 이름을 부를 줄 알았지만 아니었다. 그들은 그저 뒤에서 조용히 지켜보고 있을 따름이었다.

티티라는 결국 혼자 양쪽 문을 밀어젖혔다.

안스카리우스는 오늘 처음 만난 사람처럼 자신을 응시했다.

그녀는 그가 다른 이들 앞에서 냉랭할까 걱정하여 문을 밀어 닫았다.

“안스카르.”

“아직 밤이 춥다.”

“그게 중요한 게 아니잖아.”

“피곤하다면 옆방에서 자라. 내일 하녀들이 내실로 데려다줄 테니.”

티티라는 팔다리를 크게 뻗고 서서 선언했다.

“난 안스를 좋아하지만, 당신과는 달라.”

안스카리우스는 어느새 자리에서 일어서 있었다. 정말로 자신을 곧장 옆방에 밀어 넣을 생각이었던 듯했다.

“물론 감정이 깊은 건 사실이니까, 쓸데없이 오해하는 거라곤 하지 않을게. 그냥 내가 계속 표현할게. 난 당신을 정말 좋아해. 당신은 안스랑 비슷하지만 완전히 다른 사람이잖아. 당신을 좋아하면서 안스를 좋아하는 건 진짜 어렵지 않나?”

티티라는 농담을 하려다가, 그가 제 코앞으로 다가오자 긴장했다.

“그 애는 한때 내 전부였어. 어쩌면 지금도 그 시절이 나를 죽일 것 같기도 해. 하지만 당신은……. 음, 모르겠어. 난 다 자란 다음에 내 의지로 정확히 좋아한다고 말하는 게 더 의미 있다고 생각했는데……. 시간은 살면 쌓이는 거잖아. 감정은 그렇지 않아.”

안스카리우스가 자신을 살짝 밀쳤다. 방향을 인도하는 느낌이기에, 순순히 따라 주었다.

아치를 넘어 방 안으로 들어갔다. 다소 작지만 그래도 구색은 다 갖춘 침대가 놓여 있었다. 티티라는 밀리고 밀리다 결국 침대에 털썩 주저앉았다.

"말 좀 해 봐."

안스카리우스는 말 대신, 제 옆에 앉았다. 티티라는 그의 무게에 한 번 크게 기우뚱했다가, 다시 쉼 없이 설명했다.

"아까 그러고 나가는 게 어딨어? 내가 오늘 밤을 넘기면 후회할 거라고 생각해서—"

그가 몸을 기울였다.

티티라는 살짝 웃으며 말을 닫았다.

마음이 풀린 걸까?

그의 목을 감쌌다. 무언가 버거웠다. 그리고 어정쩡한 자세 탓에 그에게서 더 멀어지는 것 같기도 했다. 결국 우스꽝스럽게 그의 허리를 부둥켜안았다. 육식 동물의 아가리처럼 품을 깨물었다.

"알겠지?"

티티라는 달래듯이 기우뚱기우뚱 움직이다가, 마침내 그를 쓰러뜨리는 데 성공했다. 그들은 동시에 침대로 쓰러졌다.

"대답해."

안스카리우스가 제게 입을 맞추었다. 아주 짧고, 얕았다.

그렇게 코앞에서 떨어져 나간 뒤, 빤히 바라보았다.

티티라는 그렇게 뻔뻔하다가도 눈을 마주하고 있으려니 왠지 부끄러워졌다. 차라리 그가 무슨 말이라도 하길 바랐다.

"안스카르?"

그는 다시 입 맞추었다.

입술에, 입가에, 목덜미에, 움푹 파인 뼈 사이에, 민감한 살 위에…….

티티라는 부르르 떨며 그의 머리를 밀었다.

"잠깐……!"

그의 속눈썹이 가슴팍에 스쳤다. 잔뜩 달아오른 입김이 느껴졌다. 낮은 목소리가 들렸다.

"잠자리는 일을 복잡하게 만들지 않아."

꼼틀거렸다. 입 안이 바싹 말랐다.

"오히려…… 단순하게 하지."

티티라는 급하게 속삭였다.

"의미 없어. 왜 이렇게 재촉하는 거야?"

그가 가늘게 뜬 눈으로 그녀를 올려다보았다. 몸이 짓눌리지는 않았지만 숨의 지하로, 열기 속에 갇혔다.

"의미 없다면…… 네가 이렇게까지 피하진 않겠지."

티티라는 입술 안쪽을 깨물었다.

"안스카르, 우리 첫 경험이 이렇게 엉망이길 바라는 거야?"

"'엉망'?"

그는 의아하다는 듯 단어를 반복했다.

"그래. 우리가 자면 뭐, 당신 불안감이 사라져? 안스 때문에 불안한 마음은 거기 그대로 있을 거야."

티티라는 잔인하다고 생각하면서도 열심히 한 글자, 한 글자를 골랐다. 잠자리가 바꿀 수 있는 문제가 아니었다. 그도 조금만 생각해 보면 깨달았을 텐데, 밤이 우리 머리 위로 쏟아져 정신을 못 차리는 걸까.

물론 그래도 동요하는 그에게는 잔인한 말이었다. 티티라는 자신이 말을 끝내는 순간, 그가 '그러면 영영 불안하라는 말이냐.' 화를 내도 받아들여야겠다고 결심했다.

그러나 안스카리우스는 언뜻 천진해 보이기까지 하는 얼굴로 말했다.

"나도 안다."

"……그러면 왜?"

"내가 가진 게 없잖아."

"뭐?"

티티라는 제 귀를 의심했다.

반사적으로 그를 밀친 뒤 몸을 반쯤 일으켜 세웠다.

다시 한번 되물었다.

"뭐?"

안스카리우스의 얼굴에는 달그림자가 짙게 드리워 있었다. 잘 모르는 이에게는 그를 가리는 장막이겠지만, 자신에게는 오히려 감정의 골을 발견하게 해 주는 빛이었다. 한 조각 꿈틀거림마저 민감하게 느껴졌다.

그의 입매가 살짝 올라갔다. 웃는 듯했으나 일그러져 있었다. 그 변화가 그녀를 긴장하게 했다.

안스카리우스는 거래에서 누락된 값을 받아 내듯이 이야기했다.

"나는 네 어떤 것도 가지지 못했다."

티티라는 숨을 들이켰다가…… 입 안에서 꾹 삼켰다. 지금 끓어오르는 것이 분노가 아니길 바랐지만, 제 성질을 고려하면 참 염치없는 소원이었다.

'네 어떤 것도 가지지 못했다.'고? 너무 이상하고 모욕적인 말이었다.

안스카리우스는 화가 난 제 표정을 분명히 보았을 텐데도 꺾이지 않고 다가왔다. 부드럽지만 단호하게, 침대를 짚은 자신의 팔뚝을 무너뜨렸다.

티티라는 털썩 베개 위로 떨어졌다. 제 위를 덮은, 세상에서 가장 차분한 절박함이 보였다.

“이곳에 있는 것도 네가 바라서일 뿐, 언제든 마음이 돌아서면 달아난다고 할 테지. 죽어서라도.”

그녀는 화를 삼키며 쏘아붙였다.

“내가 선택했으니 의미가 있는 거야, 숭어 대가리 같은 놈아. 그리고 뭘 ‘가져’? ‘가진다’는 게 뭐야?”

“그자는 너를 가졌잖아.”

티티라의 눈코입이 콱 일그러졌다. 안스카리우스는 여전히 안스를 눈엣가시처럼 여기고 있었다.

“안스는 내 기억이야.”

“그자는 널 가졌다.”

“‘내 기억’이라고!”

“영원히 그 기억에서 벗어나지 못할 테지.”

티티라가 이를 드러내며 외쳤다.

“안스는 당신이야!”

어쩌면 자신에게도…… 생각할 시간이 부족했는지 몰랐다.

티티라는 말을 내뱉자마자 실수했다는 사실을 깨달았다. 물을 끼얹은 것처럼 분노가 꺼졌다.

지금 내 눈앞에 있는 사람은 당신이기에, 안스를 생각해도 결국 당신으로 결론지어지기에, 기억 속 안스만큼 지금의 당신을 아낀다고 해야 하는데, 찬물 뜨거운 물 가리지 못하는 말이 사지를 끊고 후다닥 달려 나간 거다. 그를 상처 입힐 마음은 추호도 없었다.

그저, 바보 같은 소리에 튕겨져 나간 횡설수설일 뿐…….

안스카리우스는 제 말을 듣고 조용히 있었다. 너무 조용한 탓에, 애써 피했던 그의 눈을 다시 찾아 헤맸다. 화가 났을 거라곤 생각했다. 하지만 얼마나 화가 났는지 확인하고 싶었다.

그는 눈이 마주치자 음산하게 중얼거렸다.

"단 하나 네게 요구했던 것마저, 아니라는군."

"……내가 당신을 안스로 여긴다는 건 아니야. 오해하지 마."

"문득 든 생각인데."

"……."

"네가 나를 안스로 보지 않는다면 잠자리를 가질 수 있겠지. 그러나 내가 고작― 아니, 무려 안스라면, 넌 나를 다시 밀쳐 낼 것이고."

티티라의 입술이 달싹였다.

그는 그녀를 빤히 내려다보았다.

짓눌린 몸은 숨만 거칠게 내쉴 뿐 움직이지 못했다. 누군가 오래전에 제 손끝, 발끝에 구멍을 내어 걸쭉한 피를 모조리 빼낸 모양이다. 하여 이 자리엔 제 가죽밖에 없는 듯했다. 그 사이에 든 것은 피도 살도 기억도 감정도 아니고, 그저 무기력뿐.

안스카리우스는 가는 목덜미에 다시 입을 맞추었다.

티티라는 빳빳하게 누워 있었다.

그가 천천히 그녀의 앞섶을 풀어 헤쳤다. 곧 피부가 차가운 공기와 마주쳤다.

안스카리우스는 잠시 멈추더니, 그의 웃옷을 벗었다. 순식간에 옷자락이 바스락거리며 떨어져 나가는 소리가 들렸다.

'소리가 들렸다.'고? 내가 언제 눈을 감았지? 어라? 모르겠는데?

눈을 떴다.

그녀는 옹졸하게 피하려 고개를 꼬고 있었다. 그 시야에…… 그의 상처가 보였다.

[소조폴 1001 26 X]

순간 눈물이 울컥 차올랐다.

서러운 감정이란 짜증과 분노, 무력함 중앙에 있는 게 분명하다. 그 모든 감정이 선을 넘자 순식간에 터져 버렸다.

처음으로 저 상처를 보면서 안스의 죽음을 떠올리지 않았다. 그보다 안스와 안스카리우스 모두의 한 뼘 깊이 옹졸한 밑바닥을 본 것 같아서 짜증스러웠다. 동시에 그들의 감정을 이해하여 무력했고, 이 모든 상황에 화가 났다.

한 사람은 내 애정이 틀렸다며 한사코 거부했다. 한 사람은 내 애정이 부족하다며 강요하고 있고. 나한테 명령하면 감정이 바뀌는 것도 아닌데, 왜 제멋대로 판단해서 이미 곁에 있는 사람을 버겁게 하는 거야…….

그녀는 여전히 꼼짝도 하지 않았다. 소리도 없었다.

그러나 바르르 떨리는 몸이 누군가를 건드렸다.

자신을 덮고 있던 안스카리우스가, 천천히 올라왔다. 그는 한 손으로 제 뻗친 뒷머리를 감쌌다.

희망과 미안함, 분노와 불쾌감을 모두 담은 시선이었다.

"왜 우는 건가?"

아마 '당신 때문에'라고 대답하길 바라겠지.

아, 내가 죽어도 그러나 봐.

티티라는 상처에서 피를 흘리듯이 말했다.

"당신도, 안스도 다 똑같아……. 내가, 사람, 사람 마음이 어떻게 한 번에 변해……. 내 감정은 여닫는 문이 아니야. 바닷물처럼 들어왔다 나가고, 섞이기도 한단 말이야. 왜 무조건 정리하라고 해? 뭐가 그렇게 불안해?"

티티라는 그의 얼굴을 밀쳤다. 어린 시절 안스를 쥐어 팰 때처럼 움켜쥐고 내 쳤다.

"용기가 없는 건 괜찮아……! 하지만 그러면서 하나도 부끄럽지 않은 척, 겁쟁이가 아닌 척하는 건, 안 돼. 비겁한 거야."

그는 자신이 때리는 대로 맞았다. 밀치는 대로 밀렸고, 누르는 대로 눌렸다. 티티라는 버둥대며 걷어차다가, 마침내 그 위에 올라타서 헐떡였다.

"내 문제는 어쩔 수 없으니 네가 고치라는 말도 안 돼. 그건 비겁한 데다 게으른 거지. 최악이야. 진짜 인간이 덜됐어……."

"……."

"내가 지금 당신이랑 자면 뭐가 달라지는데? 당신의 그 알량한 소유욕? 아니, 나랑 자는 거랑 당신 소유욕이 무슨 상관이야, 진짜?"

그의 턱이 살짝 들렸다. 숱 많은 속눈썹이 자신을 향했다. 언뜻 우울해 보이기까지 하는 시선이었다. 저마저 안스가 고백했던 때와 너무 닮아서 서러웠다. ―그러니까 티티라가 정의한 분노, 짜증, 무력감, 그 '서러움' 말이다.

"안스도 내가 그렇게 자자고 했을 땐 이 악문 채 싫다고 하더니,

한 번은 다 포기한 것처럼 자려 들더라. 당신은 벌써 그 단계야? 난 정말로 모르겠어."

안스카리우스는 손을 올려 그녀의 가슴팍을 가려 주었다. 티티라는 씩씩대며 아무렇게나 이불을 들어 덮었다. 상대의 대답은 그제야 흘러나왔다.

"안스와 나는 비슷한 구석이 많군."

그는 살짝 웃고 있었다.

이번에는 그녀의 말문이 막혔다.

"널 가질 수 없다는 걸 알았겠지. 그러니 관계라도 맺으려 한 것이고."

"'가진'다는 건—"

"너는 나를 가졌다."

"……."

"너를 위해 죽어야 한다 해도, 나는 아마 그렇게 하겠지. 이런저런 말로 불평하겠지만 결국 칼을 들 거다. 그다지 비장하지 않은 건 오히려 내게 당연한 일이라는 반증이다."

그의 허리춤에 얹힌 제 손가락이 움찔했다.

그는 맞닿은 곳으로 비스듬히 시선을 내렸다가, 다시 올려다보았다.

"티, 네가 내게 목숨을 걸지 않으리라는 사실은 잘 알고 있다."

"……."

"그러니 네 흔적이라도, 내겐 필요하다."

안스카리우스는 거짓말을 하는 게 아니었다. 짧은 말— 아니, 지금까지 그의 행동이 그를 증명했다. 그는 그녀를 살리고, 살리고, 또 살렸다. 동료 사제왕을 죽인 손에도 눈을 감았다.

적어도 처음에는 애정이 아닌 기억 때문이라고 생각했지, 이제는…….

티티라는 안스 때와 똑같은 일이 반복되고 있다는 사실을 깨달았다.

제 분노 어린 말을 듣자마자 안스카리우스가 웃으며 서로가 비슷하다고 대답한 이유를 알 것 같았다.

티티라도 그들이 너무 비슷해서 미칠 노릇이었다.

다만 그녀는 안스와 안스카리우스가 자신을 멋대로 단정하여 흔든다고 생각했고, 저들은 도저히 무너지지 않을 벽을 두드린다고 생각한다는 점이 차이였다.

티티라는 정말 안스와 안스카리우스를, 안스카리우스와 안스를 좋아했다. 그러나 이제는 저들이 원하는 게 제 감정이 맞는지조차 헷갈렸다.

그녀는 얼굴을 감쌌다.

"난 당신을 좋아해. 어쩌면, 사랑해. 없어지면 못 견딜 거야. 이 짓을 두 번은 못 해. 영혼 빠진 것처럼 길가 돌멩이로 굴러다닐 거라고."

팔뚝에 온기가 닿았다. 티티라를 감싼 이불이 힘없이 풀어졌다. 그녀 또한, 그의 품 위로 느릿느릿 엎드렸다.

"난 절대! 절대로! 뭘 증명하려 들진 않을 거야. 단지…… 오해를 풀 방법을 모르겠어. 그리고…… 음, 내가 왜 잠자리를 꺼리는지도 모르겠어. 모든 새로운 것에 두려움 없이 달려들면서 말이야. 당신 말이 맞지. 아무 의미 없다면서 피하는 건…… 의미가 있다는 거야."

팔뚝에서 손가락으로, 손끝으로, 온기는 뜨거운 날숨으로, 딱딱한 잇새로…….

"그런데 그 '의미'를 생각하면 고약한 옛일이 하나 떠오르거든? 그것 때문이라면 진짜…… 불탄 시체도 씹어 먹을 거야."

"……."

"그게 아니라면? 딱히 없네. 솔직히 난 언제 자연스럽게 다음으로 향해야 하는지 잘 모르겠어. 입맞춤도 당신이 먼저 다가왔지. 어쩌면…… 이게 자연스러운 걸지도 몰라……."

티티라는 자유로운 한 손으로 눈가를 비볐다.

"왜 굳이 이 순간 말하느냐고 생각했을까……. 당신은 항상 원했는데. 그냥 오늘 심술이 나서 한 번 더 중얼거린 것뿐이지……."

안스카리우스의 손이 품을 파고들었다. 그는 어느새 살짝 몸을 세운 상태였다.

그가 귓가에 입을 맞추었다.

"맞아."

티티라는 기침하듯이 숨을 들이켰다.

"너를 바라지 않은 적은 없지."

한번 결심하자 왠지 속이 쿵쿵 뛰었다. 온갖 상념이 사라졌다. 누군가 제게 고개를 저으며 '너 같은 말썽쟁이는 포기했다.'고 선언한 것 같았다.

눈을 깜박이자, 어느새 그가 코앞에 있었다.

티티라는 그제야 자신이 잔뜩 긴장하고 있다는 사실을 깨달았다. 방 안에 홀로 있을 때에만 긴장을 푸는 제 성격은 이미 고칠 수 없는 지경에 다다랐지만, 이 순간에는 왠지 억울해졌다.

그녀는 손을 뻗어 그를 끌어당겼다. 콧등에 입 맞추었다.

"나, 힘이 안 빠져. 온몸이 빳빳해."

그녀는 지금 상황 때문에 특별히 긴장한 것이 아니라 그저 힘이 안 풀린다고, 부드럽게 짚어 준 것뿐이었다.

안스카리우스는 평소의 그녀를 알았다. 그도 이해한 듯 보였다—

적어도 그렇게 생각했다.

안스카리우스는 그들 위로 이불을 덮었다. 그녀는 어리둥절한 채 드러누워 있다가, 그마저 이불 아래로 사라지는 것을 보며 의아해 했다.

다음 순간 차갑고 뜨거운 손이 제 맨살에 닿았다. 그녀는 기겁하여 몸을 들썩였지만 사람이 아니라 이불이 들썩일 뿐이었다. 아주 크고, 무겁고, 섬세한 이불…….

티티라는 여러 번 발작하듯 몸을 뒤틀었다. '얼굴을 보여, 이 비겁한 놈아.' 외치려다가도 중얼거렸고, 중얼거리다가도 쌕쌕거렸다. 사실 그녀에게도 인간의 말처럼 들리지 않았다.

자신이 허락하자 더 이상 제 주먹 한 방에 나가떨어지던 인간이 아니었다. 그 사실이 기묘하게도 그녀를 울렁이게 했다. 맨 밑에 호두를 굴려 넣고, 겹겹이 쌓은 천 위에 누웠을 때 느껴지는 거슬림, 간지러움, 알싸한 스멀거림 같은 것.

천 아래 놓인 씨앗은 점차 자라 씨실과 날실을 파먹었다. 천을 한 장씩 찢고 슬금슬금 기어 올라왔다. 마지막 이불에 다다랐을 때는 이미 덩굴처럼 자라 있었다. 기어이 자신을 움켜쥐었다. 파고들었다. 일렁임은, 고통이 되어 돌아왔다.

티티라는 한순간 정신을 잃을 뻔했다. 깜빡 시야가 돌아오자 뺨 위로 그의 손이 느껴졌다. 그녀는 생각할 겨를도 없이 그 자리에 머리를 박았다. 흐느낌도, 신음 소리도 내지 못했다. 그저 투우처럼 머리만 쾅쾅 박았다. 그가 어설프게 감싸려 했지만, 그녀의 힘도 이젠 만만하지 않았다.

결국 그는 그녀를 꽉 껴안았다. 그녀는 그제야 옴짝달싹 못 한 채 기댔다. 온몸의 힘이 빠졌다.

티티라는 희미한 정신으로, 그를 좀 더 봤으면 좋았을 텐데, 라고 생각했다.

비단 밤이 어두워서는 아니었다.

티티라는 까무룩 잠들었다.

티티라는 다시 깨어났을 때 잠깐 동안 이곳이 어디인지 깨닫지 못했다. 몇 분이나 지났을까, 제게 붙은 온기를 느낀 뒤에야 화들짝 놀라 뒤를 돌아보았다.

안스카리우스는 여전히 잠들어 있었다.

그제야 어젯밤의 기억이 밀물처럼 밀려 들어왔다.

잠자리는 상상보다 너무너무 깊고 연약한 행위였다. 벗은 모습만 본 것이 아니라, 그 살가죽 아래까지 구경하고 온 느낌이었다. 누군가 작은 바늘이라도 꽂으면 그 자리에서 죽을 듯 무르고 여린 관계.

확실히 다른 이들에게 듣던 것과는 달랐다. 투크 바하 씨의 이야기와도, 오블레드의 투덜거림과도 달랐다.

티티라는 안스카리우스의 뺨에 입 맞추었다.

그의 이마가 꿈틀거렸다. 곧 잠에서 덜 깬 눈이 보였다. 안스로선 익숙하지만, 안스카리우스로선 거의 처음 보는 시선이었다.

그녀는 내내 궁금했던 것을 물어보았다.

"그래서 날 가진 것 같아?"

안스카리우스가 덜 여문 웃음을 터뜨렸다. 소리 없이, 숨만 터져 나왔다. 그는 눈을 가렸다.

"아니."

"그런 것치곤 너무 좋아하는데."

티티라는 빈말을 한 것이 아니었다. 안스카리우스가 평소 웃지 않는 사람은 아니지만, 오늘은 아침부터 유독 웃음이 가시질 않았다. 그러면서 미소도 보여 주기 싫은 듯 눈을 계속 가리고 있는 꼴이 아주 시시한 데가 있었다.

그녀는 그를 흔들었다.

"그럼 본인도 어제 헛소리한 걸 인정하겠네?"

그는 여전히 웃고 있었다. 티티라는 인상을 찌푸린 채 그를 바라보고, 제 손바닥을 바라보았다. 아무리 그래도 손으로 입을 때리는 건 그의 기분을 상하게 할 것 같았다.

티티라는 고개를 숙여 그의 관자놀이에 입을 맞추었다. 그러자 그의 다른 손이 올라와 제 머리칼을 더듬었다.

"눈 보여 줘."

그의 팔뚝이 내려갔다.

"날 똑바로 보고 말해 봐. 아직도 어제처럼 생각해?"

그는 여전히 제 머리카락을 만지고 있었다. 티티라가 심통이 나 그 손마저 뿌리치려 할 때 즈음, 그가 대답했다.

"아니."

티티라는 예상했던 답에 헛웃음을 지었다.

"내가 안스 얘길 좀 했다고 불안해서……."

"내 잘못이다."

"괜히 사람 찜찜하게 만들고……."

"미안하다."

"'안스가 나를 가졌다'고? 뭐가 어째?"

"내 착각이었다."

"왜 이렇게 순순히 굴지?"

티티라는 의아한 채 인상을 찌푸렸다.

안스카리우스는 대답하지 않고 눈을 돌렸다.

창가로 햇살이 반지르르하게 흘러 들어왔다. 그녀의 시선 또한 햇살에 부유하는 먼지를 따르다, 제 가슴팍에 멈추었다. 반쯤 미끄러진 얇은 이불을 다시 걸쳤다.

그사이 안스카리우스는 몸을 일으켜 침대에 기댔다. 티티라는 그가 움직이느라 펄럭인 이불 틈에서, 무언가 중차대한 것을 발견해 내 철렁했다.

"이불에 피가 남았으면 어떡해? 당신이 전에 가짜로 만들었잖아."

그는 잠깐 할 말을 잃은 듯 자신을 바라보았다. 그녀는 그를 기다리지 않고 아래로 굴러 들어갔다.

여러 방향으로 살펴보았지만 이불은 깨끗했다.

그녀는 부스스한 머리로 이불에서 튀어나왔다.

"핏자국이 없는데."

안스카리우스는 창가를 바라보고 있었다. 상대방이 이불 아래에서 난장판을 피우든 말든 전혀 상관하지 않는 듯했다.

티티라는 어리둥절한 채 중얼거렸다.

"난, 처음이야."

"그래."

“근데 피가 안 났는데?”

“부탁 하나 하지. 그만 살펴라.”

의아했지만 아주 잠깐 동안 부산스레 움직였다고 온몸이 배기는 것을 보면 어젯밤 일이 꿈은 아닌 것 같았다.

티티라는 갑자기 겁을 집어먹었다.

“오트카저트가, 내가 잘 때, 뭐라도 했나……?”

안스카리우스의 안색이 변했다. 그는 당장에 티티라의 양 뺨을 감쌌다. 입을 맞춘다거나 그 비슷한 짓을 하려는 모양새는 결단코 아니었다. 그 표정 덕분에, 티티라는 곧 자신을 거머쥘 적을 알 수 있었다.

그녀는 숨을 가쁘게 몰아쉬었다. 몇 달 동안이나 닥치지 않았던 호흡 곤란이, 아주 명백한 이유로 제 머리를 후려갈겼다.

온갖 최악의 상상이 제 살갗을 말라비틀어지게 했다. 처음에는 그놈 곁에서 잠들기도 했으니까……. 내가 잠귀가 어둡지는 않지만, 무슨 짓을 했을지 어떻게 알아……. 내가 십 년— 아니, 십오 년 동안 그걸 모르고…….

“티티라 돔니니!”

정신이 번쩍 들었다.

그러나 여전히 숨을 쉬기는 어려웠다.

눈앞에 안스카리우스가 있었다. 그는 몸을 틀어 화병을 찾으려다가, 마땅한 것이 없는지 다시 제게로 돌아왔다. 그는 손짓으로 본인을 가리켰다. 크게 숨을 들이켰다. 다시 내쉬었다. 들이켰다. 다시 내쉬었다.

티티라는 천천히 그를 따라 박자를 맞추어 갔다. 힘을 기르는 사람처럼 적은 무게부터 들어 올렸다.

그녀는 몇 분 뒤에야 제대로 된 호흡을 찾을 수 있었다.

"아……."

"똑바로 들어. 사람마다 다 다르다. 그래서 교국에선 첫날 흔적이 없을 경우 남편이 남기도록 가르친다."

"으……."

"이미 알겠지만, 잠들었다고 눈치챌 수 없는 것도 아니다."

"헉……."

티티라는 정말로 안스카리우스의 말을 이해하고 있었다. 그래, 다 그렇진 않단 거지? 그리고 어젯밤을 떠올려 보면 잠들었다고 모를 수는 없는 거였어.

하지만 아직도 호흡 곤란의 여파에 시달렸다.

안스카리우스는 그녀가 고개를 끄덕이고도 여전히 헐떡이자, 품에 껴안았다. 숨을 쉬던 박자로 제 등을 두드렸다.

티티라는 정말 한참 뒤에야 안정을 찾았다. 몸이 가라앉고, 미세한 떨림도 사라졌다.

그녀는 조금 멋쩍게 그에게서 떨어져 나오려 했다.

"미안."

고개를 들어 마주한 그는 오늘 처음으로 언짢아 보이는 표정이었다.

"미안할 일이 아니다."

"아침부터 어이없이—"

"차라리 네게 병이 있어 다행이라고 생각할 때가 있다. 바깥으로 드러나도 이렇게 거짓말을 하는데, 아니었으면 어디까지 숨겼겠어."

"……."

"복잡한 생각 하지 마라."
티티라는 입을 꾹 다물었다.
안스카리우스는 한숨과 함께 그녀의 뺨에 입을 맞추었다.
물론 멈추지 않았다. 뺨에 닿은 입술이 귓가를 지분거렸다.
"음……."
티티라는 살짝 짜릿한 기분을 즐겼다. 자신도 똑같이 해 주고 싶었지만, 당장 전념하는 이를 떼어 놓기는 안타까운 법이지. 그녀는 자비롭게 받아들이기로 했다.
문득 그가 귓가에서 중얼거렸다.
"내실이 왜 그렇게 안쪽에 있는지, 알려 줄 수도 있어."
티티라는 애무가 사그라들자 시큰둥하게 반문했다.
"응? 위험하기 때문이라면서?"
"다양한 이유가 있지. 예를 들면 정결에 대한 가르침."
"'정결'?"
"연인에게 가는 길이 번거로워야, 자제하지 않겠느냐는 것이지."
"웃기는 소리하곤. 굳이 안 그래도 됐을 텐데, 나만 불편해 죽겠다."
"글쎄. 나는 이해한다."
티티라는 난데없는 순간에 얼굴이 붉어졌다—적어도 그녀는 '난데없는 순간'이라고 생각했다—.
안스카리우스는 그 표정을 보더니 웃으며 그녀의 몸을 받쳤다. 그들은 다시 한번 침대 위로 쓰러졌다. 티티라는 밀쳐 내려 했으나, 그는 말로도, 몸으로도 들은 체 만 체 하며 바짝 그녀에게 붙어 말했다.
"네게 그자를 무시하라고 할 수는 없겠지."

“…….”

“하지만 한 가지는 확실히 할 수 있는데.”

“뭐?”

“너는 내가 처음이다.”

“아, 뭐, 진짜…… 아, 무슨, 개, 헛…….”

“나도 물론.”

“익사할, 숭어, 대가리…….”

안스카리우스는 그녀가 마음껏 욕을 하게 두었다. 덕분에 티티라는 무시무시한 비난들을 시험할 수 있었다. 얼굴이 붉으락푸르락했다가, 욕이 닳아 없어진 마지막엔 핏기가 쫙 빠져나간 것 같았다.

그는 혼자 나가떨어진 그녀에게 다시 한번 허락을 구했고, 티티라는 부리부리하게 노려보며 거절했다.

물론 그는 무시했다.

티티라는 바짝 붙은 열기에 짜증을 냈지만 그래도…… 유쾌했다.

어제까지 바다 밑바닥에서 꾸물거리던 연인은 사라졌다. 안스를 질투하긴커녕 그의 이름마저 까먹은 듯했다. 자신을 가지고, 말고, 같은 당황스럽고 비장한 말도 쏙 들어갔다. 심지어 오트카저트마저 두더지처럼 튀어나오려다가, 밑창 두터운 신발에 밟혀 사라졌다.

티티라는 기분이 좋았다. 탈란타우에를 죽이고 난 뒤 이 정도로 행복했던 적은 처음이었다. 죽음과 사랑이 같다니, 웃기지 않느냐고 제 속의 엉터리 시인이 중얼거렸다.

사실, 그녀는 지금 엉터리 시인이 되어도 좋았다.

티티라는 신음을 흘리며 뒤척였다. 잠에서 덜 깼을 때 느껴지는

"그러나 한동안 마음의 병을 앓겠지. 그리고 어찌 기억을 잃었는지를 떠올리면 네 벗은 절대로 교국에 복무하지 않을 터."

부정할 수 없었다.

"그러니 젊은 바를라암은 정상적인 인간 구실을 못 할 테고, 애초에 할 생각도 없을 것이다. 때문에 대체자가 필요하다. 그가 미쳐 있는 동안 네가 처벌당하지 않을 방도도 필요하다. 이해가 되었느냐?"

"……예, 성하. 송구합니다."

법황이 빙그레 웃었다.

"얼굴의 흉은…… 알아차릴 수 있을 정도로만 남겨 주마. 우리의 도서관에서 일을 줄 생각이다. 네가 마음에 들어 하겠지."

티티라는 법황의 '친절'을 어떻게 받아들여야 할지 몰랐다. 사실 그걸 '친절'로 받아들여야 할지 혼란스럽기도 했다.

그녀는 조심스럽게 운을 뗐다.

"성하, 성은을 베풀어 주셔서 감사합니다만…… 만일 안스가 올바르게 돌아온다면 저는 그가 떠나야 한다고 생각합니다. 기억이 돌아온 안스는 절대로 바를라암이란 성을 달고 싶지 않을 겁니다. 저 몸으로 철없이 날뛰기 시작하면 성하께도 난처한 상황이 되지 않을까…… 우려됩니다."

"맞는 말일세. 하지만 언제쯤 온전한 정신으로 돌아올 거라 생각하나? 너는 네게 다른 이의 기억을 붙여 주었을 때, 제정신을 유지할 자신이 있느냐?"

티티라는 전혀 생각해 보지 않은 부분이라 더듬었다.

"잘…… 모르겠습니다."

"그러리라 짐작했다. 네 벗은 이성을 찾을 때까지 아무 쓸모가 없다. 움직일 수도 없다. 그토록 혼란스러운 가운데 네가 '아버지'를 죽였단 사실을 무시할 수 있을지, 우리는 모르겠구나."

"……."

"그러니 최소한 한 해는 법황청에서 지낼 것을 각오해야 한다."

티티라는 오만했던 자신을 반성했다. 그녀는 지금 법황이 무슨 생각을 하고 있는지 알 수 없었다. 저자는 정말로 안스의 기억을 되살릴 수 있는 건가? 무엇을 알고 지껄이는 걸까? 아니면 내가 경계했듯 아무 근거도 없는 거짓말인가?

그녀의 손이 살짝 떨렸다.

"성하, 선대 사제왕 바를라암을 죽인 뒤 제가 쓸모없다고 판단하셔도 됩니다. 법황청에 들일 정도로 친절을 베풀지 않으셔도…… 성은에 감읍할 따름입니다. 그저 뜻하신 대로 말씀해 주십시오."

법황이 눈을 크게 떴다.

"무슨 말인가? 우리는 너를 죽일 생각이 없다. 어찌나 유용한데, 바보만이 너를 희생시킬 것이다."

목이 아파 왔다. 날카로운 말이 자신을 찢고 나오려는 듯했다. 정체를 알 수 없었으나, 그녀를 비집고 있다는 것만큼은 분명했다. 티티라는 아스라한 고통 속에서 겨우 읊조렸다.

"성하, 제게 희망을 심어 주지 마십시오."

"……."

"저를 어떻게 부리시든 복종하겠습니다. 하지만 단 하나, 희망을 주지 않으셨으면 좋겠습니다."

"이상한 말이구나. 네 벗을 살려 주겠다는 우리 제안이 불필요한 희망이라는 뜻인가?"

"……."

법황이 자리에서 거칠게 일어섰다.

단을 성큼성큼 내려와, 제 앞에 섰다.

법황의 부드럽고 강한 손이 티티라를 틀어쥐었다. 여윈 턱을, 부스스한 뺨을, 꽉 눌러 짰다.

"우리는 네가 보답을 바라고 온 줄 알았다. 아니라면, 왜 제안에 응했느냐?"

티티라는 눈을 느리게 감았다 떴다.

"성하, 저는…… 성하께서 모든 것을 아신다면…… 제가 왜 '안스카리우스' 곁에 머물 수 없는지도 헤아려 주시리라 생각했습니다."

그녀는 법황이 자신을 희망에 허덕이는 바보로 보지 않길 바랐다. 그래야만 제대로 된 대화가 가능할 것 같았다.

"제 벗은 정상적으로 생을 마감하지 못했습니다. 살해당한 겁니다. 저는 단체로 살인을 저지른 이들 곁에서 생을 누리고 싶지 않습니다. 송구하오나 교국을 다스리는 모든 분들, 신을 믿는 모든 신민들이 저를 숨 막히게 합니다."

법황이 티티라를 밀쳐 냈다. 그녀는 몇 걸음이나 뒤로 물러섰지만, 쓰러지진 않았다.

이윽고 법황의 씹어 뱉는 듯한 목소리가 뒤따랐다.

"용렬하구나, 티티라 돔니니. '네 협박에 굴해서 온 것이 아니'라고 말하고 싶어 얼마나 힘들었느냐."

법황의 말도 틀리진 않았다……. 아니, 사실, 가장 본질에 가까울지도 몰랐다…….

"물론, 성하, 성하의 말씀이 세상에 현현하길 애달프게 바랍니다. 하지만 저는 목숨을 걸고 있습니다. 성하를 다시 뵐 수 있을지 알 수 없는 상황이오니, 감히 진실을 듣고 싶다는 바람을 읍소하겠습니다."

"……."

"성하, 제게 선택지가 없었음을 아실 겁니다. 저는 교국에 제 친구의 흔적이 적으리라 생각했습니다. 그렇게 생각하는 것을 넘어서, 시노드 신넬에 옛 기억을 '두고 왔다'고 오판했습니다. 그래서 성하께서 친구의 흔적을 보여 주었을 때…… 그 사이 벽이 무너져 어쩔 줄 모르게 되었습니다."

"……."

"사람이 단단히 각오하다 쓰러지면 다시는 설 수 없게 된다는 사실을, 신앙의 고백자로서 잘 아실 겁니다. 저는…… 저도 어떻게 해야 할지 모르겠습니다. 하지만 이곳, 지금에 있을 수 없다는 것만큼은 분명합니다."

티티라는 말을 털어놓을수록, 자신이 진심을 이야기하고 있다는 사실을 깨닫곤 섬찟해졌다.

그녀는 여전히 자해하고 있었다. 어떻게든 나를 해쳐 달라고 법황에게 속을 벌려 보이는 셈이었다.

법황은 어느새 얼굴을 찡그린 채였다. 다행인지 불행인지 화가 난 것 같지는 않았으나, 살짝 짜증이 솟은 듯했다.

"이를 어쩌나. 우리는 정말로 '약속'에 희생된 것들을 되살릴 수 있다. 네가 믿지 않아도 벗의 기억은 돌아올 것이다. 설마 원하지 않는 건가?"

바로 대답할 수 없다는 사실이 아찔했다.
한 박자 늦게 입을 열었다.
"……성하, 전 제 친구가 다시 돌아오길 바랍니다. 하지만 제가 돌아온 벗을 마주하고 싶은지는…… 잘 모르겠습니다."
티티라는 그저 도망가고 싶었다. 안스에게 준 고통을 어떻게 극복해야 할지 도무지 탈출구를 찾을 수 없었다. 안스카리우스가 사라지거나, 혹은 법황의 말처럼 안스와 포개어 하나의 사람이 되리란 사실도 견디기 힘들었다.
그러니 안스를 살리고, 자신은 그저 도망가고 싶었다. 그 뒤의 난장판을 지탱할 수 없었다.
누가 그랬지. 상단을 세우는 건 쉬운 일이라고. 그것을 굴러가게 만드는 게 고역일 뿐. 비슷한 심정이었다. 티티라는 제 결정에 책임지지 않은 채 떠나고 싶었다.
"이렇게 솔직할 줄 우리가 미처 짐작하지 못했구나. 어린 양이 고해하면 응당 답하는 것이 사자使者[4]의 임무이지 않겠느냐."
침묵.
법황은 한 발자국 더 걸어왔다. 그들 사이에는 이제 종이가 들어갈 틈조차 남지 않았다.
법황이 고개를 숙였다. 티티라는 순간적으로 의심했지만— 곧장 신의 입술이 이마에 닿았다.
몸이 반사적으로 떨렸다.
짧은 순간 뒤, 법황이 떨어져 나갔다. 티티라는 아직도 이마에 온기가 남은 듯하여 얼어붙은 채 서 있었다.

4) 신의 말씀을 전하는 자.

법황이 소리 없이 미소 지었다.

"불쌍한 것."

얇고, 쉽사리 웃음 짓는 입술. 저 작은 입이 이 거대한 대륙을 다스린다는 사실이 믿기지 않았다.

"네 벗의 기억은 돌아올 것이다."

또한 저들의 신을 전하는 도구이기도 했다.

"네가 약속을 지킨다면."

티티라는 주춤 물러났다. 자신이 속살을 보이기는 했지만, 그 각오 이상으로 뜯겨져 나간 느낌이었다. 제 영혼의 일부가 날카로운 송곳니에 갈려 사라졌다.

"그가 돌아오면 지금 나눈 대화는 부질없다고 느낄 것이야."

그녀는 한 걸음 더 물러섰다.

법황은 개의치 않는 듯 팔을 벌렸다.

"독은 문지기가 챙겨 줄 것이다. 행운을 빌겠다. 만일 어렵게 된들 네가 편히 죽을 수 있도록 신경 쓰마."

티티라는 여러 걸음 더 뒤로 물러났다. 절대로 법황 앞에서 취해서는 안 되는 예의였다. 그녀는 거의 수 미터는 물러난 뒤에야 그 사실을 깨달았다. 급히 고개를 숙였다. 법황은 여전히 희미하게 웃고 있었다.

티티라는 홀을 떠났다.

티티라는 품속의 납작하고 작은 병을 느꼈다. 받아 들었을 때는 너무도 작아서 금방이라도 잃어버릴 듯했는데, 몸에 숨기자 천근만근이었다.

특히 제 앞에서 안스카리우스가 뚫어지게 바라보는 상황이라면 더더욱 그럴 수밖에 없을 것이다.

티티라는 견디지 못하고 툭 내뱉었다.

"다 얘기해 줬잖아."

"……탈란타우에가 죽은 날을 설명하도록 시켰다고? 이미 아는 사실을 왜 한 달 뒤에, 그것도 사전에 예비하여 불러들여야 하는지 모르겠군."

"시노드 신넬 이야기도 시켰어."

"그래……. 법황이 갑자기 시노드 신넬에 관심을 가졌을 수 있겠지."

그녀는 전혀 믿지 않는 안스카리우스의 시선을 뻔뻔하게 받아쳤다.

"아차, 그리고 당신이 나한테 홀딱 넘어갔다고 생각하더라. 그래서 날 회유하려 했지. 연인이니까 정보를 빼돌릴 수 없느냐고. 하지만 내가 얼마나 벌벌 떠는 연기를 잘하는지 몰랐나 본데, 아무튼 최고거든. 들키면 죽는다고 울고불고 빌어서 다행히 잘 넘어갔지."

"법황 앞에선 그렇게 넘어갈 수 없다."

"그리고—"

"그만."

티티라는 입을 다물었다.

시노드 신넬에서는 잘 숨겼는데, 이제는 우리 사이에 다리가 놓여 쉽사리 도망갈 수 없는 것일까?

그러나 그렇게 표현하기에는 멋쩍었다. 자신은 노력조차 하지 않았으니까. 안스카리우스가 아닌 생판 남이라도 무성의하다고 생각했을 것이다.

티티라는 자신이 이 모든 계획을 감추길 바라는 것인지, 아니면 몽땅 들통나 골방에 갇히길 원하는 것인지 모르겠다고 생각했다. 그녀는 사실 이 계획에서도 도망가고 싶었다.

솔직히 늙은 바를라암은 눈 깜짝하지 않고— 아니, 오히려 기뻐하며 죽일 수 있었다. 하지만 그로써 배신감을 느낄 안스카리우스를 어떻게 대해야 할지 알 수 없었다. 그녀는 외면했다.

"티."

티티라는 창밖을 보던 시선을 돌렸다.

안스카리우스의 얼굴 위로 따뜻한 오후의 햇살이 미끄러져 들어왔다. 검은 옷이 황금색으로 물들었다. 반지르르하게…… 옷이 아닌, 도자기처럼……. 솜털이 일어난 공단을 간소한 장신구가 덮고 있었다. 모든 것이 어마어마하게 귀해 보였다. 어떤 동화에 따르면, 백마 탄 왕자라고 표현할 수도 있을 것이다.

티티라는 제 비유에 입맛 쓰게 웃었다. 태어나서 처음으로 나무통에서 목욕을 하며 내가 참 공주 같다고 생각했지. 그 어린 날 느꼈던 환희의 단맛이 삶의 밑바닥에 눌어붙어 참 오래도 기억에 남아. 그 동화에서 너는 종자였는데, 이제는 감히 그 단어를 내밀 수조차 없겠구나.

"티."

생각이 끊겼다. 그는 다시 한번 자신을 불렀다.

티티라는 이번에도 대답 없이 턱짓을 했다. 말해.

"나는 너를 존중한다."

"응."

"너를 존중하고 싶다."

등골에 불쾌한 감각이 스쳐 지나갔다.

“무슨 뜻이야?”

“넌 쉽게 죽을 것 같지 않군.”

“뭐?”

“시간이 지나면 이해하겠지. 어차피 이 얼굴을 한 인간을 버릴 수도 없을 테니.”

티티라는 제 귀를 의심했다.

“뭐……?”

“한동안 내실에서 쉬는 편이 좋겠다.”

깨달음은 번개 같았다.

“……지금 날 가두겠다고?”

“그래. 우리 사이에선 드문 일도 아닐 텐데.”

농담을 하는 것인가 한순간 생각이 들 정도였다. 그녀는 정말 믿을 수가 없었다.

“무슨 소리를…….”

“왜 허황되다고 생각하지? 너는 법황과 어떤 대화를 나누었는지 고백하지 않았다. 법황은 언제나 사제왕에게 대적할 궁리를 하고 있다. 네가 진실을 말할 때까지 경계하는 것은 당연하다.”

티티라는 그가 자신을 사랑하면서도 냉정하다는 데에는 전혀 관심이 없었다. 어차피 저 인간은 한 꺼풀 아래에선 냉정하지도 못하니까.

단지, 그녀는 —그 모든 것에도 불구하고— 그가 자신을 내실에 유폐시키겠다고 결정하여 화가 났다. 제게 가장 치욕적인 방법으로 내려진 벌이었다. 연인이라고 생각했는데, 사실은 주인과 몸종이었던 거지.

물론 동시에 그녀는 스스로에게 기가 찼다. 방금 전 저자의 아버지를 죽이겠노라 법황과 대화해 놓고서, 제게 비밀이 있다는 사실을 애써 숨기지도 않아 놓고서, 그의 대처에 화가 난다는 사실이 우스웠다.

하지만 제 감정을 부정할 수는 없었다. 그녀는 무엇보다 모욕감에 떨었다.

티티라의 얼굴이 일그러졌다.

"그런 짓을 하면 당신을 다시는 안 볼 거야."

안스카리우스가 웃었다.

티티라는 기가 탁 막혀 눈만 깜박였다.

"보고 싶을 텐데."

"……."

그녀는 한순간 대답을 놓쳤다.

그것만으로도 충분한 대답이 된 듯했다. 안스카리우스는 더 이상 그녀를 달래지도 않은 채 평온하게 말을 이어 갔다.

"달라지는 것은 없다. 네 거처는 여전히 내실이고, 나도 꾸준히 네 말벗이 되겠다."

"무슨 소리야? 꺼져."

이성적으로 따지면 이전과 거의 다를 바 없는 생활이었다. 그러니 이건 그의 권력을 확인시켜 주는 과정이었다. 네 모든 삶이 내 통제 아래 있으니 허튼 생각 품지 말라고. 혹여 법황이 충동질했더라도 네 등에 실을 꿴 꼭두각시 조종사를 잊지 말라고.

티티라는 그가 권력을 보여 주길 선택했다는 데 놀랐다.

그런 짓을 저질렀다간 다시는 그와 화해하지 않으리라는 사실을 알면서도, 그러길 선택한 거다. 순간적으로, 자신이 갇혔단 사실보다 그의 선택에 더 소스라치고 말았다. 이렇게 쉽게, 단지 법황의 속셈을 알아내지 못했다는 이유로 우리 관계를 파탄 낸다고?

물론 그는 믿는 언덕을 숨기려고 노력하지도 않았다. '너는 한번 입을 닫은 이상 절대로 고백하지 않을 사람이니 시간 낭비할 생각 없다.', '안스의 얼굴을 한 나를 영영 외면하지도 못할 것이다.' 그 마음이 보여서 머리가 어지러웠다.

티티라는 완전히 상황에 질린 채로 입을 열었다.

"돌이킬 기회를 줄게."

"……."

"어차피 난 계속 그렇게 살고 있었잖아. 그러니 그대로 유지할 수 있도록 해 줄게. 날 '유폐'시킨다는 당신 말씀은 못 들은 척할 수 있어."

"아니. 나는 정확히 말했다. 너는 내가 허락할 때까지 내실에서 나올 수 없다."

그녀는 믿을 수 없다는 듯이 말했다.

"날 이즈버르에서처럼 만들려 하는군. 똑같이 사흘 내리 잠들면 벌벌 떨 거면서."

그가 멈칫했다.

"그때 생각하겠다. 만일 유폐가 네 건강을 상하게 한다면, 풀어 주면 될 일이다."

티티라는 꽉 막힌 목소리로 답했다.

"아니. 나는 배신에 상해."

—그 순간, 마차가 멈추었다.

안스카리우스는 잠시 침묵했다가, 마차 문을 열었다. 눈앞에 거대한 바를라암 관이, 그 안에 자신을 가둘 감옥이 보였다.

그는 마차에서 내려 자신에게 손을 내밀었다.

티티라는 흥분하여 뛰는 심장을 부여잡은 채 혼자 바닥을 짚었다. 안스카리우스는 무시당하길 기다리지도 않곤 칼카스에게 걸어가 무언가를 말했다. 칼카스의 시선이 묘한 비웃음을 담고 제게 와 닿았다.

주변이 팽글팽글 돌았다.

"가지."

안스카리우스는 태연하게 자신을 끌어당겼다.

티티라는 잠깐 버티다가, 그대로 끌려갔다.

·

티티라는 끝의 끝까지 믿기지 않는다는 표정으로 안스카리우스를 바라보았다. 하녀들이 들어와 테라스 문을 잠글 때에도, 모두 떠나 육중한 문이 닫힐 때에도…… 문틈 사이로 새어 들어오는 마지막 빛이 사라지는 순간까지 믿지 못했다.

그녀는 내실에 갇혔다.

(5권에서 계속)

BLACK LABEL CLUB 039
사마귀가 친구에게 4

초판 인쇄 2022년 2월 14일
초판 발행 2022년 2월 28일

지은이 윤진아
펴낸이 신현호
편집장 예숙영
편집 이혜영
편집디자인 한방울
영업 · 관리 김민원
물류 이순우 박찬수

펴낸곳 ㈜디앤씨미디어
출판등록 2002년 5월 1일 제117-90-51792호
주소 서울시 구로구 디지털로 26길 111 JnK디지털타워 503호
대표전화 (02)333-2513 팩스 (02)333-2514
전자우편 dncbooks@dncmedia.co.kr
디앤씨북스 블로그 http://blog.naver.com/dncbooks

ISBN 979-11-264-5909-4 (04810)
ISBN 979-11-264-5903-2 (세트)